5-1

초등 사회
자습서

개념 톡톡

체계적인 **교과서 정리**와

활동 풀이!

1. 국토와 우리 생활

2. 인권 존중과 정의로운 사회

금성출판사

이렇게 공부해요

구성과 특징

1 교과서의 핵심 내용이 담긴 배움 영상을 QR 코드로 담았습니다.

2 교과서와 똑같은 구성으로 체계적인 자기 주도 학습이 가능하도록 구성했습니다.

3 과정 중심 평가와 수행 평가를 대비하도록 다양한 유형의 문제를 준비했습니다.

BOOK 1 개념 톡톡

체계적인 교과서 정리와 활동 풀이

교과서 내용을 충실하게 정리하여 빈틈없이 학습할 수 있습니다.

단원 열기

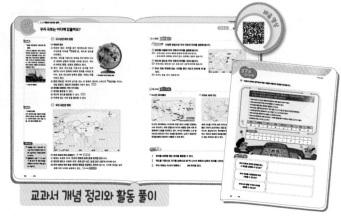

교과서 개념 정리와 활동 풀이

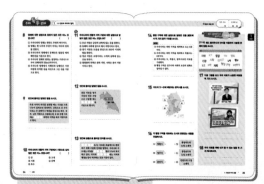

주제를 정리하는 기본 문제

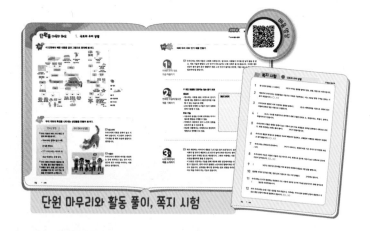

단원 마무리와 활동 풀이, 쪽지 시험

톡톡 튀는 이야기

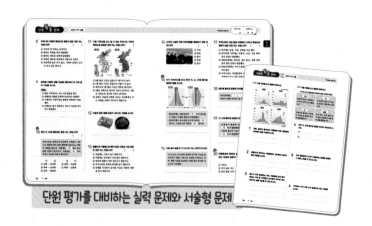

단원 평가를 대비하는 실력 문제와 서술형 문제

BOOK 2 문제 톡톡

학교 시험 완벽 대비

다양한 유형의 문제를 풀면서 시험에 자주 출제되는 내용을 알아볼 수 있습니다.

교과서 핵심 정리

퍼즐 퀴즈와 수행 평가

단원 평가 문제와 서술형 평가 문제

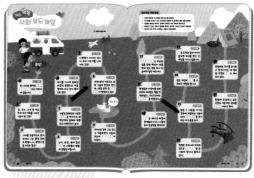

사회 보드게임

BOOK 3 정답 톡톡

정확한 정답과 친절한 해설

정답과 해설로 실력을 점검하고 부족한 개념은 한눈에 쏙쏙 으로 보충할 수 있습니다.

개념 톡톡 정답과 해설

문제 톡톡 정답과 해설

사회와 나를
친한 사이로 만드는

공부 비법

비법 ① 사회 공부를 위한 맞춤 계획표를 작성해요!

공부를 시작하기 전에 나만의 맞춤 계획표를 작성하여 실천할 약속을 정해요.
내가 만든 맞춤 계획표를 따라 공부하다 보면 어느새 사회와 친한 사이가 되어 있을 거예요.

비법 ② 배움 영상을 활용해요!

'개념 톡톡'에 있는 QR 코드를 스마트폰이나 태블릿 PC로 찍으면
교과서의 핵심 내용이 담긴 배움 영상을 볼 수 있어요.
공부를 시작하기 전에 배움 영상을 보며 중요한 개념을 쉽게 파악해요.

비법 ③ 학교 진도에 맞춰 꾸준히 공부해요!

교과서와 똑같은 순서와 구성으로 개념을 정리하고 활동을 풀이했어요.
학교 진도에 맞춰 공부하다 보면 체계적으로 자기 주도 학습을 실천할 수 있어요.

비법 ④ '문제 톡톡'으로 시험을 대비해요!

학교 시험이 다가오면 '문제 톡톡'에 있는 단원 핵심 정리 내용과
다양한 문제를 풀어 보며 실력을 확인해요.

비법 ⑤ 맞은 문제는 빠르게, 틀린 문제는 꼼꼼히 다시 봐요!

공부를 마친 후에 맞은 문제는 빠르게, 틀린 문제는 꼼꼼히 되돌아봐요.
특히 틀린 문제는 꼭 표시해 두었다가 다시 풀어 봐야 해요.
사회와 친해지기 위해서는 복습하는 습관을 들이는 것이 매우 중요해요.

공부 약속:

스스로 공부할 분량과 날짜를 적고,
계획표에 맞춰 공부한 후에 표시를 합니다.

○ 1일차	○ 2일차	○ 3일차	○ 4일차	○ 5일차
월 일	월 일	월 일	월 일	월 일
~ 쪽	~ 쪽	~ 쪽	~ 쪽	~ 쪽

○ 6일차	○ 7일차	○ 8일차	○ 9일차	○ 10일차
월 일	월 일	월 일	월 일	월 일
~ 쪽	~ 쪽	~ 쪽	~ 쪽	~ 쪽

○ 11일차	○ 12일차	○ 13일차	○ 14일차	○ 15일차
월 일	월 일	월 일	월 일	월 일
~ 쪽	~ 쪽	~ 쪽	~ 쪽	~ 쪽

○ 16일차	○ 17일차	○ 18일차	○ 19일차	○ 20일차
월 일	월 일	월 일	월 일	월 일
~ 쪽	~ 쪽	~ 쪽	~ 쪽	~ 쪽

○ 21일차	○ 22일차	○ 23일차	○ 24일차	○ 25일차
월 일	월 일	월 일	월 일	월 일
~ 쪽	~ 쪽	~ 쪽	~ 쪽	~ 쪽

○ 26일차	○ 27일차	○ 28일차	○ 29일차	○ 30일차
월 일	월 일	월 일	월 일	월 일
~ 쪽	~ 쪽	~ 쪽	~ 쪽	~ 쪽

○ 31일차	○ 32일차	○ 33일차	○ 34일차	○ 35일차
월 일	월 일	월 일	월 일	월 일
~ 쪽	~ 쪽	~ 쪽	~ 쪽	~ 쪽

○ 36일차	○ 37일차	○ 38일차	○ 39일차	○ 40일차
월 일	월 일	월 일	월 일	월 일
~ 쪽	~ 쪽	~ 쪽	~ 쪽	~ 쪽

○ 41일차	○ 42일차	○ 43일차	○ 44일차	○ 45일차
월 일	월 일	월 일	월 일	월 일
~ 쪽	~ 쪽	~ 쪽	~ 쪽	~ 쪽

○ 46일차	○ 47일차	○ 48일차	○ 49일차	○ 50일차
월 일	월 일	월 일	월 일	월 일
~ 쪽	~ 쪽	~ 쪽	~ 쪽	~ 쪽

차례

1 국토와 우리 생활

공부 계획표

- 자신의 일정에 맞게 계획을 세워보고, 실제 학습일을 적어봅시다.
- 학습을 마무리한 후 얼마나 학습 목표를 달성하였는지 스스로 점검해 봅시다.

1. 국토와 우리 생활

친구들과 우리 고장의 모습을 한눈에 내려다볼 수 있는 전망대에 왔어요. 함께 고장 탐험 계획을 세워 볼까요?

친구들과 우리 국토를 탐험하며 찍은 사진이야. 그런데 카메라가 고장인지 장소에 어울리지 않는 모습이 섞여 있어. 사진 속에서 주변 장소와 어울리지 않는 모습을 찾아 지워 보자.

장소에 어울리지 않는 모습을 찾아라!

인천광역시 국제공항

충청남도 보령시 석탄 박물관

광주광역시 자동차 공장

경상북도 울릉군 독도

경상북도 포항시 호미곶

부산광역시 해운대 해수욕장

❓ 우리 국토를 답사하면 어떤 모습을 볼 수 있을지 이야기해 봅시다.

❓ 우리 국토를 답사하면 어떤 모습을 볼 수 있을지 이야기해 봅시다.

예 아름다운 자연의 모습을 볼 수 있습니다. 사람들의 생활 모습을 볼 수 있습니다.

도움 우리나라 곳곳에서 볼 수 있는 모습을 지형, 기후, 산업, 교통과 연관 지어 생각해 보아요.

★ 이 단원에서 나는

📍 교과서 11쪽

도움 제시된 낱말을 연결해 나만의 학습 계획을 세워 보아요.

우리 국토의

위치와 영역을 — 알아보고 싶어요.

자연환경을 — 탐구하고 싶어요.

인문환경을 — 조사하고 싶어요.

예 우리 국토의 위치와 영역을 알아보고 싶어요. 우리 국토의 자연환경을 조사하고 싶어요.
우리 국토의 인문환경을 탐구하고 싶어요.

미리 맛보는 교과서 흐름

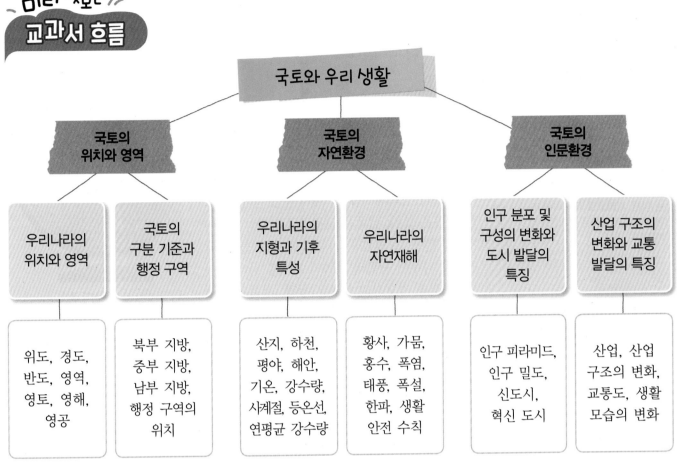

국토와 우리 생활

- 국토의 위치와 영역
  - 우리나라의 위치와 영역
    - 위도, 경도, 반도, 영역, 영토, 영해, 영공
  - 국토의 구분 기준과 행정 구역
    - 북부 지방, 중부 지방, 남부 지방, 행정 구역의 위치
- 국토의 자연환경
  - 우리나라의 지형과 기후 특성
    - 산지, 하천, 평야, 해안, 기온, 강수량, 사계절, 등온선, 연평균 강수량
  - 우리나라의 자연재해
    - 황사, 가뭄, 홍수, 폭염, 태풍, 폭설, 한파, 생활 안전 수칙
- 국토의 인문환경
  - 인구 분포 및 구성의 변화와 도시 발달의 특징
    - 인구 피라미드, 인구 밀도, 신도시, 혁신 도시
  - 산업 구조의 변화와 교통 발달의 특징
    - 산업, 산업 구조의 변화, 교통도, 생활 모습의 변화

💡 국토의 지리적 특성을 이해하고, 국토 구분의 기준과 주요 지역이 지니는 위치 특성을 알 수 있어요.

💡 국토의 자연환경 특성과 우리나라에서 발생하는 주요 자연재해를 알 수 있어요.

💡 국토의 인문환경의 변화와 발달 과정의 특성을 알 수 있어요.

미리 맛보는 핵심 용어

❶ 영(領) 거느릴 영	역(域) 지경 역	❶ 한 나라의 주권이 미치는 범위를 뜻합니다. 영역은 국가를 구성하는 기본 요소입니다. 국경 내에 속한 영토, 영공, 영해를 포함하는 범위를 말합니다.
❷ 기(氣) 기운 기	후(候) 기후 후	❷ 일정한 지역에서 여러 해에 걸쳐 나타난 기온, 비, 눈, 바람 따위의 평균 상태를 뜻합니다.
❸ 인(人) 사람 인	구(口) 입 구	❸ 일정한 지역 내에 거주하는 주민을 뜻합니다.

우리 국토는 어디에 있을까요?

보충 ❶

◉ 본초 자오선과 그리니치 천문대

그리니치 천문대는 영국 런던의 외곽에 위치해 있다. 1884년에 그리니치 천문대를 지나는 자오선을 본초 자오선으로 결정했다. 이후 그리니치 천문대의 관측소는 다른 지역으로 이전하였고, 현재 천문대 건물은 전시관으로 이용하고 있다.

▲ 그리니치 천문대

❶ 지구상의 위치 표현

(1) 위선과 경선

① 위선과 경선: 위치를 찾기 편리하도록 지도나 지구본에 나타낸 ❶가상의 선, 위도와 경도를 나타낸다.

② 위도: 적도를 기준으로 남북을 각각 90°로 나누어 북쪽과 남쪽의 위치를 나타낸 것이다. 적도의 북쪽은 북위, 남쪽은 남위라고 한다.

③ 경도: 본초 자오선을 기준으로 동서를 각각 180°로 나누어 동쪽과 서쪽의 위치를 나타낸 것이다. 본초 자오선의 동쪽은 동경, 서쪽은 서경이라고 한다.

④ 본초 자오선: 북극과 남극을 잇는 선 중에서 영국의 그리니치 ❷천문대를 지나는 선을 말한다. 경도와 시간대의 기준이 된다. 보충 ❶

▲ 지구본에 나타낸 위선과 경선

(2) 위치를 표현하는 여러 가지 방법

① 방위를 활용할 수 있다.

② 위도와 경도를 활용할 수 있다. 보충 ❷

③ 주변에 있는 나라 등을 활용할 수 있다.

❷ 우리 국토의 위치

보충 ❷

◉ 수리적 위치

지구 표면의 일정 지점의 위치를 위도와 경도로 표시한 것을 말한다. 수리적 위치는 기후, 식생, 계절, 시간 등에 영향을 준다.

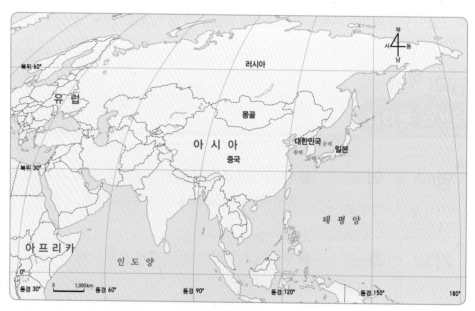

용어 사전

❶ 가상(假: 거짓 가, 像: 생각 상): 사실 여부가 분명하지 않은 것을 사실이라고 가정해 생각하는 것이다.

❷ 천문대(天: 하늘 천, 文: 글월 문, 臺: 돈대 대): 천문 현상을 관측하고 연구하기 위해 설치한 시설이다.

(1) 우리 국토의 위치 표현하기 (속 시원한 활동 풀이)

① 방위로 표현한 위치: 아시아 대륙의 동쪽 끝에 위치한 반도이다.

② 위도와 경도로 표현한 위치: 북위 33°~43°, 동경 124°~132°에 위치해 있다.

(2) 우리 국토의 위치 특성: 대륙과 해양을 연결하는 위치에 있으며, 이러한 장점을 살려 세계 여러 나라와 교류하고 있다. (시험 대비 핵심 자료)

 활동 풀이

스스로 활동　다양한 방법으로 우리 국토의 위치를 설명해 봅시다.

1 방위를 이용해 우리 국토의 위치를 설명해 봅시다.

예　• 우리나라는 아시아 대륙의 동쪽에 위치한 반도입니다.
　　• 우리나라의 서쪽에는 중국이 있고, 동쪽에는 일본이 있습니다.

2 위도와 경도로 우리 국토의 위치를 나타내 봅시다.

예　우리나라는 북위 33°~43°, 동경 124°~132°에 위치해 있습니다.

3 우리 국토 주변에 있는 나라를 찾아 지도의 빈칸에 써 봅시다.

예　러시아, 몽골, 중국, 일본입니다.

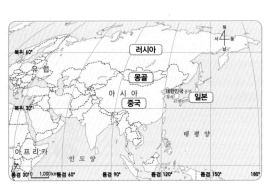

핵심 자료

● 아시안 하이웨이

아시안 하이웨이는 아시아와 유럽 여러 나라를 연결하는 고속 국도이다. 국제 연합(UN) 아시아 태평양 경제 사회 위원회에서 건설을 추진하고 있다. 아시안 하이웨이 노선 중 1호선과 6호선이 우리 국토를 통과하며, 도로가 완공되면 육로를 통해 유럽까지 이동할 수 있게 된다.

● 거꾸로 세계 지도

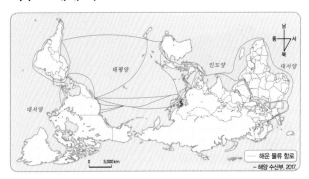

세계 지도를 거꾸로 보면 우리나라는 해양으로 진출하기에 좋은 지리적 조건이라는 것을 알 수 있다. 우리나라는 동북아시아, 동남아시아, 북아메리카를 잇는 해운망의 중심에 있다. 따라서 해로와 육로를 통해 세계 여러 나라를 연결할 수 있는 위치라고 할 수 있다.

확인 톡!톡!

📍정답과 해설 2쪽

1 위치를 표현할 때는 방위를 활용할 수 있다.　　　　(O ㅣ X)

2 적도를 기준으로 지구를 남북으로 90°씩 나누어 북쪽과 남쪽의 위치를 나타낸 것은?　　(　　　　)

3 우리 국토는 아시아 대륙의 (　　　)에 위치해 있다.

우리나라의 영역을 알아볼까요?

보충 ❶

● 영토의 경계
영토는 토지로 구성되는 국가 영역이다. 영토의 경계를 국경이라고 한다. 국경선은 당사국 간의 협의를 통해 결정하거나 해양·하천·호수·산맥 등 지형에 의해 설정된다.

보충 ❷

● 영공의 범위

영공은 주권을 행사할 수 있는 하늘의 범위이다. 영공의 수직 범위는 주로 대기권에 한정된다고 보지만, 최근에는 항공기와 인공위성의 발달로 영공의 수직 범위에 대해 다양한 논의가 이루어지고 있다.

용어 사전

❶ 주권(主: 주인 주, 權: 권리 권): 다른 나라의 간섭없이 나라의 중요한 일을 스스로 결정하는 권리를 말한다.
❷ 허가(許: 허락할 허, 可: 옳을 가): 행동이나 일을 하도록 허용하는 것을 말한다.

❶ 영역의 의미와 구성

(1) **영역의 의미**: 한 나라의 ❶주권이 미치는 범위이다.
(2) **영역의 구성**: 영토, 영해, 영공으로 이루어진다.
① 영토: 육지와 섬을 포함한 땅이다. **보충 ❶**
② 영해: 영토 주변의 바다이다.
③ 영공: 영토와 영해 위의 하늘이다. **보충 ❷**
(3) **영역의 특성**: 주권이 미치는 곳이기 때문에 다른 나라의 사람이나 선박, 비행기가 들어오려면 ❷허가를 받아야 한다.

내용+ 선박은 분쟁을 피하고 안전하게 이동하기 위해 영해 바깥쪽으로 항해하며, 정해진 항로를 따라 이동해야 한다.

❷ 우리나라의 영역

(1) **우리나라의 영토**: 한반도와 한반도에 속한 여러 섬이다. **핵심 자료**
(2) **우리나라의 영해**: 영해를 설정하는 기준선으로부터 12해리(약 22km)까지의 바다이다. 동해안은 썰물일 때의 해안선을 기준으로 하고, 서해안과 남해안은 섬이 많아서 가장 바깥에 위치한 섬을 직선으로 그은 선을 기준으로 한다.
(3) **우리나라의 영공**: 우리나라의 영토와 영해 위에 있는 하늘이다.

▲ 우리나라의 영역

내용+ 일본과의 거리가 가까운 대한 해협의 경우에는 기준선으로부터 3해리까지가 우리나라의 영해이다.

(4) **우리나라 영토의 끝** **활동 풀이**

북쪽 끝	함경북도 온성군 유원진
남쪽 끝	제주특별자치도 서귀포시 마라도
서쪽 끝	평안북도 용천군 마안도(비단섬)
동쪽 끝	경상북도 울릉군 독도

1 단원

(시험 대비) 핵심 자료

● **이어도**

이어도는 마라도에서 남서쪽으로 149km 떨어진 곳에 있는 수중 암초로, 높은 파도가 칠 때만 육안으로 볼 수 있다. 이어도 부근은 조기, 민어, 갈치 등 다양한 어종이 서식하는 황금 어장이다. 또한 중국과 동남아시아, 유럽으로 향하는 주요 항로가 이어도 인근을 통과하여 지정학적으로도 매우 중요한 곳이다.

이어도는 현재 우리나라가 실효 지배하고 있으며, 정부에서 해양 연구와 기상 관측, 어업 활동 등을 위해 해양 과학 기지를 구축했다. 그러나 이어도는 섬이 아니기 때문에 우리의 영토는 아니다.

◀ 이어도 종합 해양 과학 기지

(속 시원한) 활동 풀이

✋ 스스로 활동

1 점선을 따라 영토와 영해의 경계선을 그어 보고, 영토에 색칠해 봅시다.

2 우리나라 영토의 끝을 빈칸에 써 봅시다.
- **서쪽 끝:** 평안북도 용천군 마안도(비단섬)
- **동쪽 끝:** 경상북도 울릉군 독도
- **북쪽 끝:** 함경북도 온성군 유원진
- **남쪽 끝:** 제주특별자치도 서귀포시 마라도

3 우리나라 영토의 특성을 이야기해 봅시다.
[예] 우리 영토는 우리나라의 주권이 미치는 곳으로, 허가 없이 다른 나라의 사람이나 선박, 비행기 등이 들어올 수 없습니다.

서쪽 끝
평안북도 용천군 마안도

북쪽 끝
함경북도 온성군 유원진

동쪽 끝
경상북도 울릉군 독도

황해   동해

남쪽 끝
제주특별자치도 서귀포시 마라도   남해

이어도 종합 해양 과학 기지

0   100km

— 영해선
— 국계

🐑 잠깐! 확인해요

우리나라의 ☐☐은/는 영토, 영해, 영공으로 이루어진다.   (영역)

(확인) 톡!톡!

📍정답과 해설 2쪽

1 영역의 구성 요소 중 (   )은/는 육지와 섬을 포함한 땅이다.

2 영역의 구성 요소 중 영토와 영해 위에 있는 하늘은?   (   )

3 우리나라 영토의 남쪽 끝은 이어도이다.   (O | X)

자연환경에 따라 우리 국토를 구분해 볼까요?

① 우리 국토의 구분

(1) 우리 국토의 특징: 남북으로 길다.

(2) 우리 국토의 구분: 큰 산맥이나 하천을 중심으로 북부, 중부, 남부 지방으로 구분할 수 있다. (속 시원한 활동 풀이)

① **북부 지방:** 휴전선 북쪽의 지역이다.

② **중부 지방:** 휴전선 남쪽에서 금강 하류와 소백산맥까지의 지역이다.

③ **남부 지방:** 중부 지방의 남쪽 지역이다.

내용+ 전통적으로 지역을 구분할 때에는 멸악산맥의 북쪽 지역을 북부 지방이라고 했다. 그러나 6·25 전쟁 이후에는 휴전선 북쪽의 지역을 북부 지방이라고 한다.

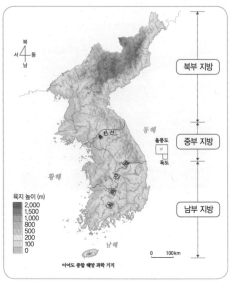

▲ 북부, 중부, 남부 지방의 구분

② 북부, 중부, 남부 지방의 주요 도시

(1) 북부 지방의 주요 도시: 평양, 남포, 개성, 나진 등이 있다.

(2) 중부 지방의 주요 도시: 서울, 대전, 충주, 청주, 강릉, 춘천, 원주 등이 있다.

(3) 남부 지방의 주요 도시: 광주, 전주, 대구, 부산, 울산, 창원 등이 있다.

③ 전통적 국토 구분

(1) 우리나라의 전통적 지역 구분: 예로부터 우리나라 사람들은 산, 고개, 강, 호수 등 자연환경을 기준으로 국토를 구분했다. (시험 대비 핵심 자료)

관북 지방	철령관의 북쪽 지역 보충 ①
관서 지방	철령관의 서쪽 지역
해서 지방	경기만의 서쪽 지역
관동 지방	철령관의 동쪽 지역으로 태백산맥을 기준으로 영동 지방과 영서 지방으로 구분
경기 지방	❶도읍을 중심으로 500리 이내의 지역
호서 지방	의림지라는 호수 또는 금강(옛 이름 호강)의 서쪽 지역
호남 지방	금강 또는 의림지라는 호수의 남쪽 지역
영남 지방	조령이라는 고개의 남쪽 지역 보충 ②

(2) 전통적 지역 구분의 의의: 자연환경을 기준으로 한 지역 구분은 사람들의 삶과 ❷밀접한 관련이 있으며, 오늘날의 행정 구역을 정하는 데 기준이 되었다.

내용+ 오늘날의 행정 구역은 조선 시대의 행정 구역과 흡사하다.

속 시원한 활동 풀이

스스로 활동

1 지도 위에 붙임 딱지를 붙여 북부, 중부, 남부 지방을 구분하고 우리 지역이 어느 지방에 속하는지 써 봅시다.

예 우리 지역은 한반도 남동쪽에 바다를 접하고 있는 부산입니다. 부산은 남부 지방에 속합니다.

2 다음은 자연환경을 기준으로 한 우리나라의 전통적 지역 구분 지도입니다. 낱말 카드에서 알맞은 말을 찾아 빈칸에 써 봅시다.

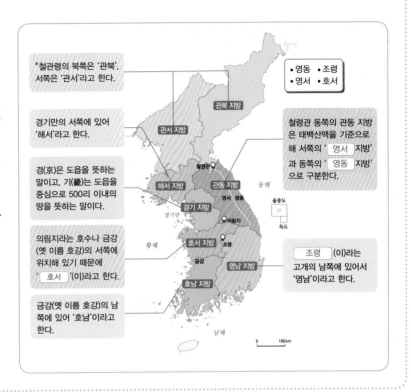

*철령령의 북쪽은 '관북', 서쪽은 '관서'라고 한다.

경기만의 서쪽에 있어 '해서'라고 한다.

경(京)은 도읍을 뜻하는 말이고, 기(畿)는 도읍을 중심으로 500리 이내의 땅을 뜻하는 말이다.

의림지라는 호수나 금강(옛 이름 호강)의 서쪽에 위치해 있기 때문에 '호서'(이)라고 한다.

금강(옛 이름 호강)의 남쪽에 있어 '호남'이라고 한다.

• 영동 • 조령
• 영서 • 호서

철령관 동쪽의 관동 지방은 태백산맥을 기준으로 해 서쪽의 '영서 지방'과 동쪽의 '영동 지방'으로 구분한다.

조령(이)라는 고개의 남쪽에 있어서 '영남'이라고 한다.

시험 대비 핵심 자료

● 우리나라의 전통적 지역 구분

우리나라의 전통적인 지역 구분은 현재의 행정 구역과도 거의 일치한다. 관북 지방은 오늘날의 함경북도와 함경남도, 관서 지방은 평안북도와 평안남도, 관동 지방은 강원도, 해서 지방은 황해도에 해당하는 지역이다. 경기 지방은 서울특별시와 인천광역시, 경기도이다. 호서 지방은 충청북도와 충청남도, 대전광역시, 세종특별자치시, 호남 지방은 전라북도와 전라남도, 광주광역시이다. 그리고 영남 지방은 경상북도와 경상남도, 대구광역시, 울산광역시, 부산광역시에 해당하는 지역이다.

잠깐! 확인해요

우리나라는 전통적으로 □□□□을/를 기준으로 국토를 구분하였다.   (자연환경)

확인 톡!톡!

📍정답과 해설 2쪽

1 우리 국토는 남북으로 긴 형태이다.   (O | X)

2 우리 국토는 큰 산맥이나 하천을 중심으로 북부, 중부, (   ) 지방으로 구분할 수 있다.

3 중부 지방은 휴전선 남쪽에서 금강 하류와 (   )산맥까지의 지역이다.

우리나라 행정 구역의 위치를 알아볼까요?

❶ 우리나라의 행정 구역도

(1) **행정 구역도**: 나라의 행정적 ❶단위를 나누어 표시한 지도이다.
(2) **우리나라의 행정 구역도**

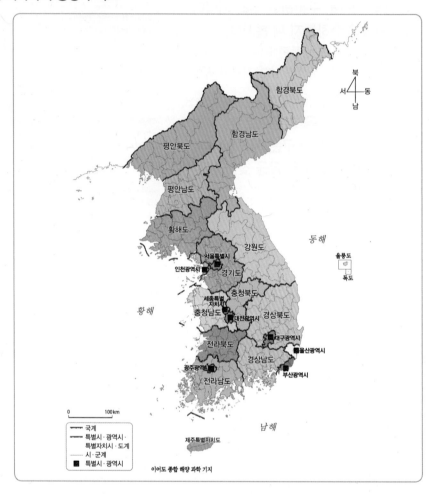

❷ 우리나라의 행정 구역

(1) **행정 구역**: 국토를 보다 효율적으로 관리하기 위해 구분한 단위이다.
(2) **행정 구역의 ❷구성**: 북한 지역을 제외하고 특별시 1곳, 특별자치시 1곳, 광역시 6곳, 도 8곳, 특별자치도 1곳으로 이루어져 있다. (속 시원한 활동 풀이) (시험 대비 핵심 자료)

특별시	서울특별시
특별자치시	세종특별자치시
광역시	인천광역시, 대전광역시, 대구광역시, 울산광역시, 부산광역시, 광주광역시
도	경기도, 강원도, 충청북도, 충청남도, 전라북도, 전라남도, 경상북도, 경상남도 보충 ❶
특별자치도	제주특별자치도

(3) **행정 구역의 변화**: 행정 구역은 인구수와 사회적·경제적 조건 등의 변화로 달라지기도 한다. 보충 ❷

속 시원한 활동 풀이

 스스로 활동　우리나라 행정 구역의 위치를 살펴봅시다.

1 행정 구역 퍼즐 붙임 딱지를 붙여 우리나라 행정 구역을 완성해 봅시다.

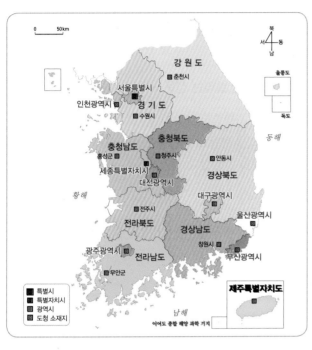

지역	시청·도청 소재지
서울특별시	서울특별시 중구
세종특별자치시	세종특별자치시 보람동
인천광역시	인천광역시 남동구
대전광역시	대전광역시 서구
대구광역시	대구광역시 중구
울산광역시	울산광역시 남구
부산광역시	부산광역시 연제구
광주광역시	광주광역시 서구
강원도	춘천시
경기도	수원시
경상북도	안동시
경상남도	창원시
전라북도	전주시
전라남도	무안군
충청북도	청주시
충청남도	홍성군
제주특별자치도	제주시

2 방위를 이용해 우리 지역 시청이나 도청의 위치를 설명해 봅시다.

예 저는 경상남도에 살고 있습니다. 우리 지역의 도청은 부산광역시의 서쪽인 창원시에 있습니다.

시험 대비 핵심 자료

● **우리나라의 행정 구역과 주요 도시**

행정 구역도를 살펴보면 우리나라 행정 구역의 모양과 경계, 주요 도시의 위치 등을 알 수 있다 지역의 행정을 맡아 처리하는 시청과 도청의 소재지는 주로 지역의 행정 중심지에 위치하고 있다. 각 도의 시·군 분포와 도청 소재지를 알면 해당 도의 특성을 이해할 수 있다.

잠깐! 확인해요

각 행정 구역에는 그 지역의 행정을 맡아 처리하는 시청이나 ☐☐이/가 있다.　　　　　(　도청　)

확인 톡!톡!

📍정답과 해설 2쪽

1 행정 구역도는 나라의 행정적 단위를 나누어 표시하고 있다.　　　　　　　　　　(O ㅣ X)

2 우리나라의 특별자치도는 (　　　　　　) 1곳이다.

3 대전광역시는 세종특별자치시의 (북쪽, 남쪽)에 있다.

우리 국토를 사랑하는 마음을 표현해 볼까요?

❶ 국토를 사랑하는 마음을 표현하는 방법

(1) 국토의 소중함을 알리는 글쓰기

> ❶ 우리 국토가 소중한 까닭을 생각한다.
> ❷ 국토의 의미와 국토가 소중한 까닭을 글로 표현한다.
> ❸ 내가 쓴 글을 친구들에게 소개한다.

(2) 국토를 지키기 위해 ❶노력하는 사람을 알리는 신문 만들기

> ❶ 우리 국토를 지키기 위해 노력하는 사람들을 떠올린다.
> ❷ 우리 국토를 지키기 위해 어떤 노력을 했는지 조사한다.
> ❸ 조사한 내용을 기사로 정리해 신문을 완성한다.

(3) 국토 사랑 캠페인 하기 보충 ❶

> ❶ 국토를 아끼는 마음을 어떻게 표현할 수 있을지 생각한다.
> ❷ 국토 사랑을 표현한 모습을 사진으로 찍는다.
> ❸ 사진을 누리 소통망 서비스에 업로드 한다.

(4) 국토 사랑 여행 계획 세우기

> ❶ 우리 국토 중에서 여행 가고 싶은 지역을 생각한다.
> ❷ 여행지의 위치와 특징을 조사한다.
> ❸ 여행지에서 국토를 위해 어떤 일을 할 수 있을지 생각한다.
> ❹ 여행 계획을 친구들과 ❷공유한다.

❷ 국토를 사랑하는 마음을 표현하는 활동 속 시원한 활동 풀이

(1) 국토의 소중함을 알리는 글쓰기

① 우리 국토가 소중한 까닭을 생각해 보기: 예 "국토는 우리가 살아가는 터전이에요." 등

② 국토의 의미와 국토가 소중한 까닭을 글로 표현하기: 예 "국토는 우리가 살아가는 삶의 터전이므로 국토가 없다면 지금처럼 행복하게 살기 어려웠을 것입니다." 등

③ 내가 쓴 글을 친구들에게 소개하기: 예 "우리 국토가 소중한 까닭을 썼습니다." 등

(2) 국토 사랑 여행 계획 세우기

① 우리 국토 중에서 여행 가고 싶은 지역 생각하기: 예 제주특별자치도 서귀포시 마라도, 경상남도 진주시, 경상북도 울릉군 독도, 비무장 지대 등 보충 ❷

② 여행지의 위치와 특징 조사하기: 예 "제주특별자치도 서귀포시의 마라도는 우리 국토의 남쪽 끝이에요." 등

③ 여행지에서 국토를 위해 어떤 일을 할 수 있을지 생각해 보기: 예 "국토의 자연환경을 보존하기 위해서 쓰레기 줍기 활동을 할 거예요." 등

④ 여행 계획을 친구들과 공유하기: 예 국토 사랑 여행에 참가할 친구들에게 여행 계획을 공유한다.

1
단원

속 시원한 활동 풀이

국토를 사랑하는 마음 표현하기

국토의 소중함을 알리는 글쓰기	예 '소중한 우리 국토' 사회 시간에 국토가 없어 어려움을 겪는 사람들의 이야기를 들었다. 그 사람들은 자기들만의 문화나 언어가 있지만, 국토가 없어서 제대로 된 국가를 세울 수가 없다고 했다. 이러한 내용을 듣고 나니 대한민국의 국토가 있다는 것이 새삼 소중하고 더욱 고맙게 느껴졌다. 또한 다른 나라의 어선이 우리나라 영해를 침범하는 일이 우리 국토를 침범하는 큰 사건이라는 것을 알게 되었다. 국토의 소중함에 대해 알게 되었으니 우리 국토를 아끼고 지키는 문제에 관심을 가져야겠다는 생각이 들었다.

국토 사랑 캠페인 하기

예 독도 영토 수호 퍼포먼스 진행
대한 잠수 협회 회원들이 울릉도 인근 바다에서 독도가 우리땅인 것을 알리기 위해 독도 영토 수호 퍼포먼스를 진행했다. 이번 행사는 독도와 함께 그 주변의 바다 역시 우리의 영토인 것을 전 세계에 알리기 위해 개최되었다.

	1일차	2일차	3일차
장소	제주도 한라산	경상북도 경주	경상북도 울릉도
여행지에서 할 일	한라산 등산을 통해 우리 국토의 아름다움을 느끼면서 환경 보호 캠페인 활동을 한다.	경주의 여러 유적지들을 둘러보며 역사 속에서 우리 국토를 지키기 위해 노력했던 위인들을 알아본다.	우리나라 유일의 영토 박물관인 독도 박물관을 둘러보면서 독도에 대해 알아보고 우리 영토를 사랑하는 마음을 키운다.

국토 사랑 여행 계획 세우기

확인 톡!톡!

📍정답과 해설 2쪽

1 (   )은/는 국민 누구나 자유롭게 활동할 수 있는 공간이고, 아름답게 가꾸어 후손에게 물려주어야 한다.

2 국토는 한 나라의 국민들이 주인으로 살아가는 터전이자 외부의 침입으로 보호해야 하는 고유한 영역이다.
(O │ X)

3 국토의 소중함을 알리는 글쓰기, 국토를 지키기 위해 노력한 사람을 알리는 신문 만들기, 국토 사랑 여행 계획 세우기를 통해서 우리 국토를 (   )하는 마음을 표현할 수 있다.

즐겁게 정리해요

● '국토의 위치와 영역'에서 배운 내용을 떠올리며 암호를 찾아봅시다.

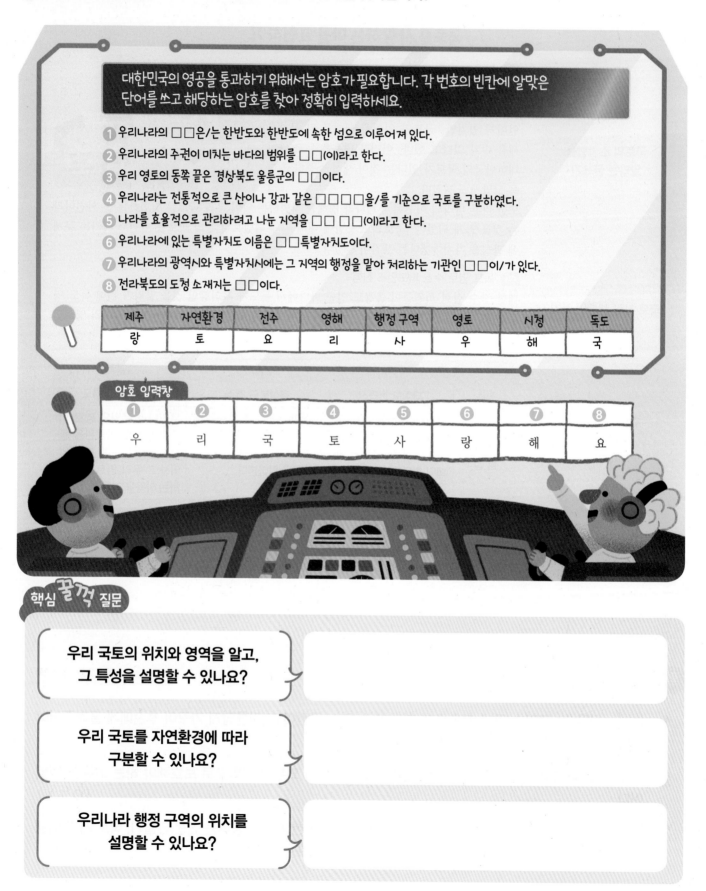

대한민국의 영공을 통과하기 위해서는 암호가 필요합니다. 각 번호의 빈칸에 알맞은 단어를 쓰고 해당하는 암호를 찾아 정확히 입력하세요.

① 우리나라의 □□은/는 한반도와 한반도에 속한 섬으로 이루어져 있다.
② 우리나라의 주권이 미치는 바다의 범위를 □□(이)라고 한다.
③ 우리 영토의 동쪽 끝은 경상북도 울릉군의 □□이다.
④ 우리나라는 전통적으로 큰 산이나 강과 같은 □□□□을/를 기준으로 국토를 구분하였다.
⑤ 나라를 효율적으로 관리하려고 나눈 지역을 □□ □□(이)라고 한다.
⑥ 우리나라에 있는 특별자치도 이름은 □□특별자치도이다.
⑦ 우리나라의 광역시와 특별자치시에는 그 지역의 행정을 맡아 처리하는 기관인 □□이/가 있다.
⑧ 전라북도의 도청 소재지는 □□이다.

제주	자연환경	전주	영해	행정 구역	영토	시청	독도
랑	토	요	리	사	우	해	국

암호 입력창

①	②	③	④	⑤	⑥	⑦	⑧
우	리	국	토	사	랑	해	요

핵심 꿀꺽 질문

우리 국토의 위치와 영역을 알고, 그 특성을 설명할 수 있나요?	
우리 국토를 자연환경에 따라 구분할 수 있나요?	
우리나라 행정 구역의 위치를 설명할 수 있나요?	

1 우리 국토의 위치를 표현한 것으로 알맞지 <u>않은</u> 것은 어느 것입니까? (　　　)

① 북위 33°~43°에 있다.
② 동경 124°~132°에 있다.
③ 적도의 북쪽에 위치해 있다.
④ 본초 자오선의 동쪽에 위치해 있다.
⑤ 아시아 대륙의 서쪽에 위치해 있다.

2 우리 국토와 이웃한 나라에 대한 설명이다. 빈칸 ㉠, ㉡에 해당되는 나라를 쓰시오.

> • 우리 국토의 서쪽에는 ㉠ 이/가 있습니다.
> • ㉡ 은/는 우리나라의 동쪽에 위치한 섬나라이며, 동해를 사이에 두고 있습니다.

㉠: _____

㉡: _____

3 빈칸에 들어갈 알맞은 말을 쓰시오.

> 우리 국토는 □□와/과 해양을 연결하는 위치에 있다. 이러한 위치상의 장점을 이용해 세계 여러 나라와 활발하게 교류하고 있다.

4 다음 설명에 해당하는 도로를 쓰시오.

> 아시아와 유럽의 여러 나라를 연결하는 고속 국도로, 두 개의 노선이 우리나라를 지난다. 이 도로가 완공되면 우리는 유럽까지 자동차를 타고 이동할 수 있게 된다.

[5-6] 영역을 나타낸 그림을 보고 물음에 답하시오.

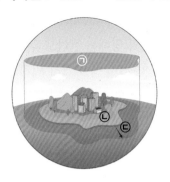

5 그림에서 ㉠, ㉡, ㉢은 무엇을 나타내는지 쓰시오.

_____

6 우리나라의 ㉠, ㉡, ㉢에 대한 설명으로 알맞은 것은 어느 것입니까? (　　　)

① ㉠은 우리나라의 영토 위에 있는 하늘이다.
② ㉡은 한반도이며, 섬들은 제외한 영역이다.
③ ㉢은 설정된 기준선으로부터 약 10해리까지이다.
④ ㉠은 우리 주권이 미치는 곳이지만, 다른 나라의 이동 수단도 자유롭게 드나들 수 있다.
⑤ 서해안과 남해안은 가장 바깥에 위치한 섬을 직선으로 그은 선을 ㉢의 기준선으로 정한다.

7 우리나라의 영역에 대해 <u>잘못</u> 설명한 친구는 누구인지 쓰시오.

> 정민: 우리나라 영토의 동쪽 끝은 경상북도 울릉군 독도야.
> 수지: 우리나라 영토의 남쪽 끝은 제주특별자치도 서귀포시 마라도야.
> 나래: 우리나라의 영역은 영토, 영해, 영공으로 이루어져 있어.
> 상철: 우리나라의 영역은 주권이 미치는 곳을 말하며, 우리가 실제로 살고 있는 영토에 한정된다.

8 영해에 대한 설명으로 알맞지 <u>않은</u> 것은 어느 것입니까? (   )

① 우리나라의 영해는 한반도 주변의 바다이다.
② 영해는 한 나라의 주권이 미치는 바다의 범위를 말한다.
③ 우리나라의 영해에서 동해안은 밀물일 때의 해안선을 기준으로 한다.
④ 우리나라 영해의 범위는 설정하는 기준선으로부터 12해리(약 22km)까지이다.
⑤ 우리나라 영해에서 서해안과 남해안은 가장 바깥에 위치한 섬을 직선으로 그은 선을 기준으로 한다.

9 빈칸에 들어갈 알맞은 말을 쓰시오.

특정 지역의 위치를 설명할 때는 국토를 크게 나누어 살펴보면 편리하다. 남북으로 긴 우리 국토는 큰 산맥이나 하천을 중심으로 북부, 중부, 남부 지방으로 구분하는데, 6·25 전쟁 이후에는 □□□ 북쪽의 지역을 북부 지방이라고 한다.

10 우리나라의 전통적 지역 구분에서 기준으로 삼지 <u>않은</u> 것은 어느 것입니까? (   )

① 강   ② 고개
③ 시청   ④ 산맥
⑤ 호수

11 우리나라의 전통적 지역 구분에 대한 설명으로 알맞지 <u>않은</u> 것은 어느 것입니까? (   )

① 호남 지방은 금강의 남쪽에 있는 곳을 말한다.
② 동해의 서쪽에 있어서 해서 지방이라고 한다.
③ 경기 지방은 도읍을 중심으로 500리 이내의 땅을 뜻한다.
④ 영남 지방은 조령이라는 고개의 남쪽에 있는 곳을 뜻한다.
⑤ 철령관의 북쪽은 관북 지방, 서쪽은 관서 지방이라고 한다.

12 빈칸에 들어갈 알맞은 말을 쓰시오.

관동 지방을 영서 지방과 영동 지방으로 구분할 때는 □□□□을 기준으로 합니다.

관동 지방
영서 영동

13 빈칸에 공통으로 들어갈 단어를 쓰시오.

□□□□은/는 국토를 효율적으로 관리하기 위해 구분한 단위를 말한다. 우리나라 지도에는 국토를 □□□□별로 나누어 표시하고 있다. 각각의 □□□□에는 지역의 행정을 맡아 처리하는 공공 기관이 있다.

14 행정 구역에 대한 설명으로 알맞은 것을 보기에서 **두 가지** 골라 기호를 쓰시오.

보기

㉠ 우리나라는 북한 지역을 제외하고 도는 8곳이다.
㉡ 우리나라는 북한 지역을 제외하고 특별시는 6곳이다.
㉢ 우리나라는 도, 특별시, 광역시로만 국토를 구분한다.
㉣ 행정 구역은 인구수와 사회적 조건의 변화로 달라질 수 있다.

15 지도의 ㉠~㉢에 해당되는 광역시를 쓰시오.

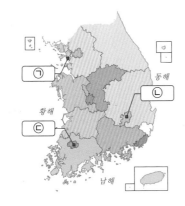

16 각 행정 구역을 대표하는 도시와 관련있는 내용을 연결하시오.

(1) 창원시 ·   · ㉠ 충청북도의 도청 소재지

(2) 청주시 ·   · ㉡ 경상남도의 도청 소재지

(3) 춘천시 ·   · ㉢ 강원도의 도청 소재지

워드 클라우드와 함께하는 **서술형 문제**

[17-18] 워드 클라우드의 단어를 이용하여 서술형 문제의 답을 쓰시오.

국토 국가 **영공** 영해 영토
신문 사랑 캠페인 **노력** 행사
보호 여행 계획 행정 구역 자연환경

17 다음 그림을 보고 우리 국토가 소중한 까닭을 **두 가지** 쓰시오.

국토가 없어 어려움을 겪는 사람들을 알고 있나요? 직접 만나보았습니다.

국토가 없는 사람들

○○○○(주민)
우리는 고유한 언어를 쓰고, 우리만의 문화도 있지만 국토가 없어서 국가를 세울 수 없습니다. 그래서 여러 나라에 흩어져 살며 어려움을 겪고 있습니다.

18 우리 국토를 위해 내가 할 수 있는 일을 **두 가지** 제시하시오.

우리나라의 주요 도시

우리나라의 행정 구역은 북한 지역을 제외하면 1개의 특별시(서울특별시)와 6개의 광역시(인천광역시, 대전광역시, 대구광역시, 광주광역시, 부산광역시, 울산광역시), 8개의 도(강원도, 경기도, 충청북도, 충청남도, 경상북도, 경상남도, 전라북도, 전라남도), 1개의 특별자치도(제주특별자치도), 1개의 특별자치시(세종특별자치시)로 구분하고 있습니다. 특별시, 특별자치시, 광역시에는 시청이 있고, 도와 특별자치도에는 도청이 있습니다. 시청과 도청은 시와 도를 관리하는 행정 업무를 담당하며, 시청과 도청이 있는 도시는 대부분 행정 구역의 주요 도시 역할을 하고 있습니다.

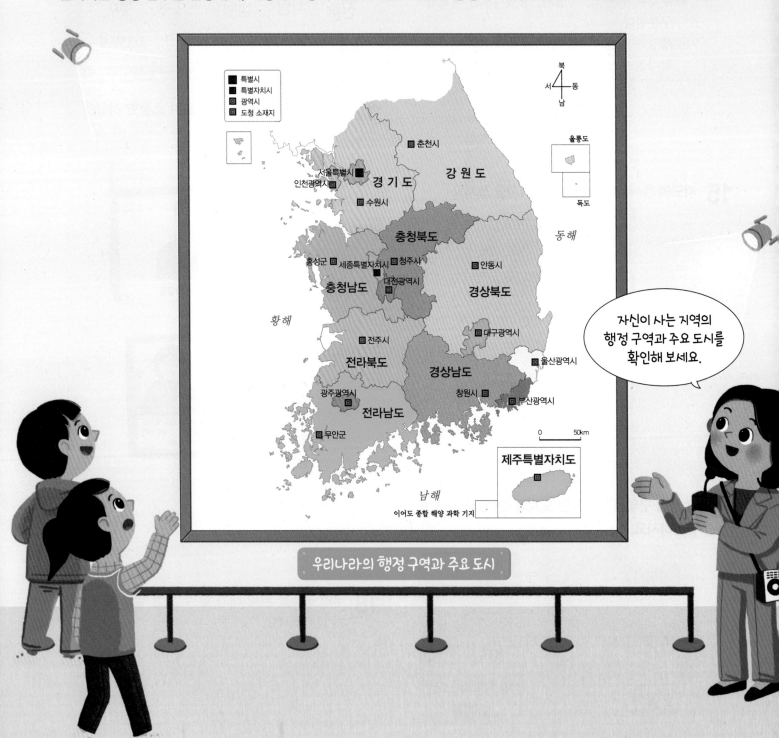

우리나라의 행정 구역과 주요 도시

자신이 사는 지역의 행정 구역과 주요 도시를 확인해 보세요.

서울특별시

한반도의 중심부 서쪽에 위치하며, 경기도에 둘러싸여 있다. 우리나라의 수도로 정치, 경제, 문화, 교통의 중심지 역할을 하고 있다.

세종특별자치시

충청남도와 충청북도 사이에 있으며, 서울에 집중된 행정 기능을 분리하려는 목적으로 새롭게 만들어진 도시이다.

광주광역시

전라남도에 둘러싸여 있으며, 호남 지방 최대의 도시로 주변 지역의 교육, 문화, 경제의 중심지 역할을 하고 있다.

제주특별자치도 제주시

우리나라 남쪽에 위치한 제주특별자치도의 도청 소재지이다. 온화한 기후와 아름다운 풍경을 보기 위해 많은 관광객이 찾는 국제적인 관광 도시이다.

우리나라의 다양한 땅의 생김새를 살펴볼까요?

보충 ①

◉ **지형을 만드는 힘**

지형을 만드는 힘은 지구 내부에서 작용하는 힘과 지구 외부에서 작용하는 힘이 있다. 지구 내부의 힘이 작용하면 높은 산지나 큰 대륙이 형성된다. 지구 외부의 힘은 계곡을 깊게 만들고, 모래사장 등을 형성한다. 지구 외부의 힘을 계속 받으면 지표면의 기복이 감소한다.

❶ 빗방울 여행 이야기

(1) 빗방울 여행 이야기 줄거리 (쏙 시원한 **활동 풀이**)

> 빗방울이 떨어진 곳은 한반도의 어느 높은 산이었다. 함께 떨어진 빗방울들과 서쪽으로 흐르는 강을 따라 이동했다. 처음에는 높은 산이 많고, 강도 구불구불하게 흘렀다. 한참을 흘러가다 보니 강의 폭이 넓어지고 사람이 많이 사는 평야가 나타났다. 마침내 바닷가에 도착해서는 넓게 펼쳐진 모래사장과 많은 섬을 볼 수 있었다.

(2) 빗방울 여행 이야기에서 찾아본 우리 국토의 모습: 높이 솟은 산, 낮고 평평한 땅, 물줄기가 모여 흐르는 강, 바다와 육지가 맞닿는 곳을 볼 수 있다.

❷ 우리나라에서 볼 수 있는 지형

(1) **지형**: 땅의 생김새이다. 보충 ①

(2) 주변에서 볼 수 있는 다양한 지형 (시험 대비 **핵심 자료**)

① **산지**: 높고 낮은 산이 모여 이룬 지형이다. 높이의 차이가 크고 비교적 ❶경사가 급하다. 예 북한산, 지리산, 태백산 등

② **하천**: 물이 일정한 길을 형성하며 땅의 표면을 흐르는 물줄기이다. 높은 곳에서 낮은 곳으로 흐른다. 예 한강, 낙동강, 금강 등

③ **평야**: 낮고 평평한 땅이 넓게 펼쳐진 지형이다. 주로 하천 주변에 ❷형성된다. 예 김해평야, 나주평야, 호남평야 등

④ **해안**: 바다와 육지가 서로 맞닿은 곳의 육지 부분이다. 모래사장이나 갯벌이 발달하기도 한다. 예 의항리 해수욕장, 정동진 해수욕장, 간절곶 등 보충 ②

⑤ **섬**: 주위가 물로 둘러싸인 땅이다. 우리나라에는 수천 개의 섬이 있다. 예 강화도, 거제도, 마라도 등

보충 ②

◉ **해안의 여러 모습**

바다와 육지가 맞닿는 곳인 해안에는 모래사장, 갯벌, 절벽 등 다양한 지형을 볼 수 있다. 해안은 퇴적과 침식 작용으로 인해 계속해서 변화한다.

▲ 산지(지리산 일대)

▲ 평야(김해평야)

▲하천(금강)

▲ 해안(선유도)

용어 사전

❶ **경사**(傾: 기울 경, 斜: 비낄 사): 비스듬히 기울어진 것 또는 그런 상태나 정도를 말한다.

❷ **형성**(形: 형상 형, 成: 이룰 성): 어떤 형상을 이룬 것을 말한다.

1
단원

속 시원한 활동 풀이

🔆 스스로 활동   빗방울 여행 이야기에서 우리나라의 다양한 땅의 생김새를 찾아봅시다.

예 높은 산을 구불구불하게 흐르는 강의 모습을 볼 수 있다.

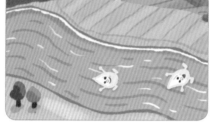

예 좁고 구불구불한 강을 흐르다가 점점 넓은 강을 흐른다. 강의 주변에는 평야가 있다.

예 강과 바다가 만나는 곳에 도착하자, 바닷가에는 모래사장과 섬도 있다.

시험 대비 핵심 자료

● 그림으로 살펴보는 다양한 지형

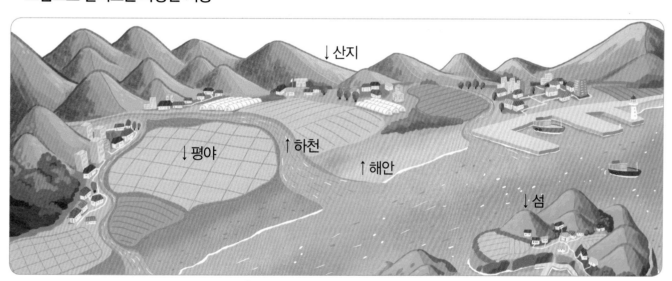

↓ 산지

↓ 평야   ↑ 하천   ↑ 해안   ↓ 섬

우리 주변에서 쉽게 볼 수 있는 지형으로는 산지, 하천, 평야, 해안, 섬 등이 있다.

확인 톡! 톡!

📍 정답과 해설 3쪽

1 빗방울은 여행하며 강과 바다가 만나는 곳에서 모래사장과 (   )을/를 보았다.

2 물이 일정한 길을 형성하며 땅의 표면을 흐르는 물줄기는?   (   )

3 바다와 육지가 서로 맞닿은 곳의 육지 부분을 (   )이라고 한다.

우리나라 지형의 특징을 알아볼까요?(1)

보충 ❶

◉ **백두산**
우리나라에서 가장 높은 산으로, 높이는 2,744m이다. 정상에는 과거 화산 폭발로 형성된 호수인 천지가 있다.

▲ 백두산 천지

❶ 우리나라의 모습

(1) **우리나라의 다양한 지형**: 산, 산맥, 하천, 평야 등의 지형을 볼 수 있다.
(2) **우리나라의 지형 모형 만들기**

> ❶ 사회과 부도의 지형도를 보며 땅의 높낮이를 확인한다.
> ❷ 지형도에 붙임 딱지를 붙여 높은 산의 위치를 표시하고, 하천을 파란색 사인펜으로 표시한다.
> ❸ 지형 모형을 만들며 새롭게 알게 된 점을 이야기해 본다.

(3) **우리나라의 지형 모형 만들기를 통해 알 수 있는 것**
① 평야보다 산지가 더 많다.
② 높은 산은 주로 북쪽과 동쪽에 분포한다.
③ 하천은 남쪽과 서쪽으로 흘러가고, 하천 주변에 평야가 ❶발달했다.

❷ 우리나라 산지의 특징

(1) **우리나라의 주요 산과 산맥** (속 시원한 활동 풀이)

주요 산	백두산, 금강산, 설악산, 태백산, 속리산, 지리산 등 보충 ❶
주요 산맥	마천령산맥, 함경산맥, 낭림산맥, 태백산맥, 소백산맥 등

(2) **산지 분포의 특징**
① 국토의 약 70%가 산지이다.
② 북동쪽에 높은 산이 많고, 서쪽과 남쪽은 산지가 적고 산의 높이가 낮은 편이다.
(3) **지형도를 통해 알 수 있는 우리나라의 특징** (시험 대비 핵심 자료)
① 중부 지방의 단면을 살펴보면 동쪽이 높고 서쪽이 낮은 ❷형태이다.
② 산지 사이로 하천이 흐르고 평야가 발달했다.

> 내용➕ 동쪽이 높고 서쪽이 낮은 지형을 '동고서저 지형'이라고 표현한다.

보충 ❷

◉ **평야의 형성과 종류**
흙이나 모래가 쌓여 형성되는 평야, 지형의 기복이 침식으로 깎여 형성되는 평야, 용암이 굴곡을 메워 형성되는 평야 등이 있다.

▲ 호남평야 부근의 고창군

❸ 우리나라 하천과 평야의 특징

(1) **우리나라의 주요 하천과 평야** (속 시원한 활동 풀이)

주요 하천	압록강, 두만강, 대동강, 한강, 금강, 영산강, 낙동강 등
주요 평야	평양평야, 김포평야, 호남평야, 나주평야, 김해평야 등

(2) **우리나라 지형의 특징이 하천 발달에 미친 영향**: 물은 높은 곳에서 낮은 곳으로 흐르기 때문에 주요 하천도 대부분 동쪽에서 서쪽으로 흐른다.
(3) **평야의 분포와 하천 간의 관계**: 물줄기에 실려 온 흙이나 모래가 쌓여 평야가 만들어지기도 해 하천 주변에 평야가 발달한다. 보충 ❷
(4) **하천과 평야의 분포 특징**
① 두만강과 낙동강을 제외한 주요 하천이 서해로 흘러든다.
② 평야는 하천을 따라 주로 서쪽과 남쪽에 분포한다.

용어 사전

❶ **발달**(發: 필 발, 達: 통할 달): 지리상의 어떤 지역이나 대상이 제법 크게 형성되는 것을 말한다.
❷ **형태**(形: 형상 형, 態: 모양 태): 사물의 생김새나 모양이다.

시험 대비 핵심 자료

● **우리나라 지형의 특징**

아래 지도의 ㉮-㉯를 연결해서 자르면 오른쪽 단면도와 같은 모양
이다. 제시된 우리나라 중부 지방의 단면도를 살펴보면 서쪽으로
갈수록 산의 해발 고도가 낮아지는 것을 알 수 있다. 태백산맥을 기
준으로 산의 모양을 살펴보면 동해 방향이 더 가파른 편이다.

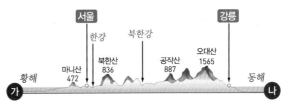

▲ 우리나라 중부 지방의 단면도

속 시원한 활동 풀이

스스로 활동

1 빈칸에 주요 산과 산맥의 이름을 찾아 쓰고, 우
리나라 산지의 특징을 말해 봅시다.

예 우리나라의 주요 산과 산맥은 북쪽과 동쪽에 있습니다.
여러 산맥이 하나로 이어진 것처럼 보입니다.

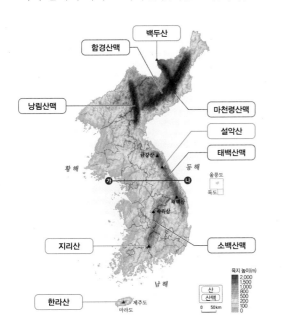

2 빈칸에 주요 하천과 평야의 이름을 찾아 쓰고, 우
리나라 하천과 평야의 특징을 말해 봅시다.

예 우리나라의 주요 하천은 대부분 동쪽에서 서쪽으로 흐릅
니다. 하천 하류 주변에는 평야가 발달했습니다.

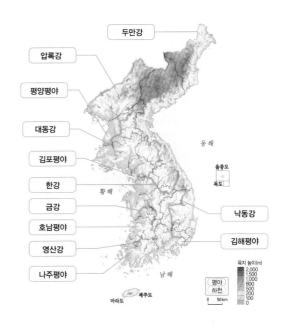

확인 톡! 톡!

📍 정답과 해설 **3**쪽

1 우리나라는 평야보다 산지가 더 많다.　　　　　　　　　　(O ㅣ X)

2 우리나라의 주요 산과 산맥은 주로 북쪽과 (　　　　)에 분포한다.

3 우리나라 중부 지방의 동─서 단면도를 살펴보면 (동쪽 , 서쪽)이 높다.

우리나라 지형의 특징을 알아볼까요? (2)

④ 산지, 하천, 평야를 이용한 생활 모습

(1) 산지를 이용한 생활 모습

① 산지에서 등산을 하거나 스키장에서 여가 생활을 즐긴다.

② 경사가 완만한 산지에서는 배추나 감자를 재배하기도 한다.

(2) 하천을 이용한 생활 모습

① 하천 상류에 댐을 만들어 물을 저장하고, 저장한 물을 이용해 전기를 생산한다.

② 하천의 중·하류에서는 민물고기나 재첩 등을 잡는 어업 활동을 한다. **보충 ❶**

(3) 평야를 이용한 생활 모습

① 예로부터 많은 사람들이 모여들어 도시가 발달했다.

② 벼농사를 짓는다.

⑤ 우리나라 해안의 특징

(1) 우리나라❶해안선의 특징 (쏙 시원한 **활동 풀이**)

서해안	동해안	남해안
해안선이 복잡함.	해안선이 비교적 단조로움.	해안선이 복잡하고, 섬이 많음.

▲ 서해안

▲ 동해안

▲ 남해안

(2) 서해안, 동해안, 남해안의 모습

① 서해안: 밀물과 썰물의 차가 커서 갯벌이 발달했다. **보충 ❷**

② 동해안: 길게 뻗은 모래사장이 많다.

③ 남해안: 물이 깨끗하고 파도가 잔잔하다.

내용⁺ 남해안은 크고 작은 섬이 많아 다도해라고 부른다.

⑥ 해안을 이용한 생활 모습

(1) 공통된 생활 모습: 해안에 사는 사람들은 예로부터 어업 활동을 주로 한다.

(2) 해안에 따라 다른 생활 모습 (시험 대비 **핵심 자료**)

서해안	동해안	남해안
• 갯벌에서 해산물이나 소금을 채취함. • 밀물과 썰물의 수위 차이를 이용해 전기를 생산하기도 함.	• 모래사장을 활용해 해수욕장이 발달함. • 해안의 독특한 지형을 활용한 관광 산업이 발달함.	• 김, 조개류 등을 기르는 양식업이 발달함. • ❷항구가 발달한 곳에서는 공업이 발달함.

내용⁺ 해안은 경치가 아름다운 곳이 많아 사람들이 즐겨 찾는다.

보충 ❶

◉ **하천에서의 어업**

하천, 댐, 호수, 늪, 저수지 등에서 수산 동식물을 포획·채취하거나 양식하는 사업을 내수면 어업이라고 한다. 공공 단체에서 소유하거나 관리하는 내수면에서 어업 활동을 하기 위해서는 사전에 허락을 받아야 한다.

보충 ❷

◉ **갯벌**

바닷물이 들어오면 물에 잠기고, 바닷물이 나가면 땅이 드러나는 곳이다. 갯벌은 국토의 확장과 개발을 위해 매립과 간척이 이루어져 왔다. 그러나 갯벌의 생태적 가치가 부각되면서 최근에는 갯벌을 보존하기 위해 노력하고 있다.

용어 사전

❶ **해안선**(海: 바다 해, 岸: 언덕 안, 線: 줄 선): 바다와 육지가 맞닿은 선이다. 해수면이 끊임없이 오르내리므로, 대체로 평균 해수면과 육지와의 경계선을 가리킨다.

❷ **항구**(港: 항구 항, 口: 입 구): 배가 안전하게 드나들도록 강가나 바닷가에 부두를 설비한 곳이다.

 **속 시원한** 활동 풀이

🖐 **스스로** 활동 　**지도에 나타난 해안선을 따라 선을 그려 보고 서해안, 남해안, 동해안의 특징을 써 봅시다.**

- 서해안: 예 바다와 육지의 드나듦이 심하여 해안선이 복잡합니다.
- 동해안: 예 서해안, 남해안과 다르게 해안선이 비교적 단순합니다.
- 남해안: 예 서해안과 마찬가지로 해안선이 복잡하고 섬이 많습니다.

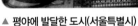 **시험 대비** 핵심 자료

● **지형과 도시의 발달**

▲ 평야에 발달한 도시(서울특별시)　　▲ 해안에 발달한 도시(전라남도 여수시)

옛날에는 도시가 평야와 같이 평탄한 곳이나 경사가 완만한 곳에 주로 발달했다. 오늘날에는 교통이나 산업의 발달이 도시의 발달에 큰 영향을 미친다. 해안 지역은 바다를 통해 다른 지역으로 이동하기 편리하기 때문에 항구 도시나 공업 도시가 발달했다.

 잠깐! 확인해요

우리나라는 동쪽이 높고 서쪽이 낮아 큰 하천도 동쪽에서 서쪽으로 흐른다.　　(ⓞ ｜ X)

확인 톡!톡!　　📍 정답과 해설 3쪽

1 하천 상류에서는 (　　　　)을/를 만들어 물을 저장하고, 저장한 물을 활용해 (　　　　)을/를 만든다.

2 서해안, 남해안, 동해안에서는 각 해안의 특징에 따라 다양한 모습을 볼 수 있다.　　(O ｜ X)

3 (서해안 , 동해안)에서는 갯벌에서 해산물이나 소금을 채취한다.

톡톡 튀는 이야기

우리나라의 다양한 지형

예전부터 우리나라는 '금수강산'이라고 불려 왔습니다. 이것은 '산과 강, 바다가 비단에 수를 놓은 듯이 아름답다.'는 뜻으로, 아름다운 지형이 많은 우리나라의 특징을 잘 표현한 것입니다.

국토 곳곳은 낮은 산지와 평야로 이루어져 있고, 하천은 산지와 어우러져 흐르며, 해안에서는 모래사장, 갯벌, 암석 해안 등과 같은 여러 지형을 볼 수 있습니다.

산지 지형

1 북한산

서울특별시의 북부와 경기도 고양시 사이에 있는 산으로 높이는 837m이다. 산 정상부에 우뚝 솟은 바위들이 신비스럽고 아름답다.

평야 지형

2 호남 평야

전라북도 김제, 고창, 부안 등에 걸친 우리나라 최대의 평야로, 우리나라에서 유일하게 하늘과 땅이 만나는 지평선을 볼 수 있는 곳이다.

하천 지형

3 동강

강원도의 산지를 구불구불 흐르는 하천이다. 주변의 경치가 매우 아름다우며 물의 흐름이 빠른 편이어서 래프팅을 즐기려는 사람들이 많다.

해안 지형

4 채석강

전라북도 부안군에 있는 암석 해안으로, 바닷물에 깎여 형성된 해안 절벽이 마치 수만 권의 책을 쌓아놓은 듯하다.

5 대부도 갯벌

경기도 안산시 대부도 주변은 조석 간만의 차가 크고 물결이 잔잔하기 때문에 넓은 갯벌이 발달하였다.

6 해운대 해수욕장

부산광역시에 있는 해수욕장으로 길이 1.5km, 폭 70~90m에 달하는 넓은 모래사장이 펼쳐져 있다. 수심이 얕고 주변에 편의 시설이 발달하여 많은 관광객이 찾는다.

탐구해요

우리나라 기후의 특징을 알아볼까요?

① 날씨와 기후

(1) **날씨**: 한 지역에서 짧은 기간에 나타나는 대기 상태이다.
(2) **기후**: 오랜 기간 반복되어 나타나는 대기 상태이다. 보충 ❶
(3) **기후를 설명하는 방법**: 기온, ❶강수량, 바람 등과 관련된 정보를 알려 주어야 한다.

> 내용➕ 기온, 강수량, 바람은 기후를 결정짓는 가장 중요한 요소이다. 세계의 기후를 구분할 때도 기온, 강수량, 바람 등을 기준으로 구분한다.

② 우리나라의 기후

(1) **우리나라의 시기별 모습** (속 시원한 활동 풀이)
① 4월: 날이 따뜻해지고 꽃이 핀다. 대체로 맑고 가끔 봄비가 내린다.
② 7월: 큰비도 자주 오고 더위가 심하다. 수풀이 무성해진다.
③ 9월: 공기가 서늘해지고 서리가 내린다. 단풍이 물들고 낙엽이 쌓인다.
④ 12월: 추운 바람이 불고, 눈이 오며 얼음이 언다. 해가 짧고 밤이 길다.

▲ 4월

▲ 7월

▲ 9월

▲ 12월

(2) **우리나라 기후의 특징**: ❷중위도에 위치해 사계절이 나타나고, 계절에 따른 기온 차이가 크다. 보충 ❷
① 여름에는 남쪽의 바다에서 덥고 습한 바람이 불어오고, 겨울에는 북서쪽의 대륙에서 차고 건조한 바람이 불어온다. (시험 대비 핵심 자료)
② 여름에는 덥고 비가 많이 오고, 겨울에는 춥고 눈이 내린다.
③ 봄과 가을은 온화하고 여름과 겨울보다 짧다.
(3) **계절에 따른 사람들의 생활 모습**

여름철 옷차림	겨울철 옷차림
바람이 잘 통하는 얇고 가벼운 옷을 입음.	보온이 잘 되는 두껍고 따뜻한 옷을 입음.

보충 ❶

◉ **기후 요소**
어떤 지역의 기후를 구성하는 여러 가지 지표를 말한다. 기후 요소로는 기온, 강수량, 바람, 습도, 증발량 등이 있다. 이 중 기온, 강수량, 바람을 기후의 3요소라고 한다.

보충 ❷

◉ **사계절**

사계절이 생기는 것은 지구의 자전축이 기울어진 상태로 태양 주위를 공전하기 때문이다. 우리나라를 비롯해 일본, 중국, 미국, 캐나다, 오스트레일리아, 프랑스, 독일 등 중위도에 위치한 여러 나라에서 사계절이 나타난다.

용어 사전

❶ **강수량**(降: 내릴 강, 水: 물 수, 量: 헤아릴 량): 비, 눈, 우박, 안개 등이 일정 기간 동안 일정한 곳에 내린 물의 양이다.
❷ **중위도**(中: 가운데 중, 緯: 씨줄 위, 度: 법도 도): 보통 남북위 30°~60°에 해당하는 지역이다. 위도에 따라 달라지는 대표적인 요소는 기후이다.

1 단원

속 시원한 활동 풀이

스스로 활동 노랫말에 나타난 시기별 날씨를 비교해 보고 우리나라 기후의 특징을 이야기해 봅시다.

4월이라 봄이니, 날은 따뜻해지고 온갖 꽃 피어나네. 맑은 하늘에 가끔 봄비 오니 나비는 분주히 날아가는구나. …… 7월이라 여름이니, 큰비도 자주 오고 더위도 극심하네. 수풀이 무성하고 물웅덩이 생기니 모기가 모여드는구나. …… 9월이라 가을이니 공기는 서늘해지고, 서리 내리네. 가끔 내리는 비에 단풍은 물들고, 낙엽만 쌓이는구나. …… 12월이라 겨울이니 추운 바람 세차게 불고, 눈 오며 얼음 어네. 해 짧고 밤이 기니 지루하기 그지없구나. ……
　　　　　　　　　　　　　　　　　　　　　　　　 – 정학유, 『농가 월령가』

예
우리나라는 시기별로 다른 날씨가 나타납니다. 우리나라는 사계절이 있습니다.

시험 대비 핵심 자료

● 여름과 겨울의 바람

▲ 여름에 불어오는 바람

▲ 겨울에 불어오는 바람

우리나라는 여름과 겨울에 바람이 불어오는 방향이 다르다. 이처럼 계절에 따라 풍향이 바뀌는 바람을 계절풍이라고 한다. 우리나라의 계절풍은 바다와 대륙이 데워지고 식는 속도가 달라서 발생한다. 여름이 되면 대륙은 빠르게 데워지고 바다는 천천히 데워져서 덥고 습한 바람이 바다에서 대륙으로 분다. 겨울이 되면 대륙이 빠르게 식고 바다는 천천히 식어서 춥고 건조한 바람이 대륙에서 바다로 불게 된다.

잠깐! 확인해요

오랜 기간 반복되어 나타나는 대기 상태를 　　(이)라고 한다.　　　　　(　기후　)

확인 톡!톡!

정답과 해설 3쪽

1 기후를 설명할 때는 (　　　　), 강수량, 바람 등을 알려 주어야 한다.

2 우리나라는 (저위도, 중위도)에 위치해 사계절이 나타난다.

3 우리나라 사람들은 여름에 두꺼운 옷을 입는다. 　　　　　　　　(O | X)

우리나라 기온의 특징을 살펴볼까요?

보충 ❶

◉ 위도에 따른 기온 차이

3월이 되면 제주에는 꽃이 피는 반면, 강원도에는 눈이 내리기도 한다. 이처럼 같은 시기에도 위도에 따라 기온이 다르게 나타난다.

▲ 제주특별자치도(3월)

▲ 강원도(3월)

보충 ❷

◉ 기온에 따른 식생활

우리 국토의 형태가 남북으로 길기 때문에 위도에 따라 북쪽 지역과 남쪽 지역의 기온 차이가 크다. 이에 따라 식생활에도 차이가 나타난다.

▲ 북부 지방의 김치

▲ 남부 지방의 김치

용어 사전

❶ 등온선(等: 같을 등, 溫: 따뜻할 온, 線: 선 선): 기후도에서 기온이 같은 지점을 연결해 이은 선이다.

❷ 내륙(内: 안 내, 陸: 뭍 륙): 바다에서 멀리 떨어져 있는 육지이다.

---

❶ 우리나라 기온의 특징

(1) 기온 특징을 알아보는 방법: 기후도의 ❶등온선을 살펴보면 지역별 기온을 알 수 있다. (속 시원한 활동 풀이)

(2) 계절별 기온 차이: 1월 평균 기온이 8월 평균 기온보다 낮다.

(3) 지역별 기온 차이 보충 ❶

① **남북:** 국토가 남북으로 길게 뻗어 있어 남쪽과 북쪽의 기온 차이가 크다. 남쪽으로 갈수록 기온이 높고, 북쪽으로 갈수록 기온이 낮다.

② **동서:** 북서풍을 막아 주는 태백산맥과 수심이 깊은 동해의 영향으로 겨울철 동해안의 기온이 서해안보다 높은 편이다.

③ **해안과 ❷내륙:** 해안 지역이 내륙 지역보다 겨울에 더 따뜻하다.

> 내용➕ 우리나라는 남쪽과 북쪽의 기온 차이가 동쪽과 서쪽의 기온 차이보다 크다.

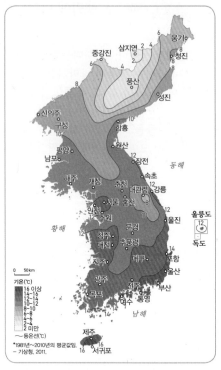

▲ 우리나라의 연평균 기온

❷ 기온에 따른 생활 모습

(1) 기온에 따른 식생활의 차이 보충 ❷

① **북부 지방:** 기온이 낮아 음식이 쉽게 상하지 않아 싱거운 음식이 발달했다.

② **남부 지방:** 기온이 높아 음식이 쉽게 상하기 때문에 소금과 젓갈이 들어간 짠 음식이 발달했다.

(2) 기온에 따른 주생활의 차이 (시험 대비 핵심 자료)

① **북부 지방:** 겨울이 매우 춥기 때문에 내부의 열이 잘 유지되도록 방을 여러 겹으로 배치했다.

② **남부 지방:** 여름이 덥기 때문에 바람이 잘 통하도록 방을 한 줄로 배치하고, 마루가 발달했다.

▲ 북부 지방의 전통 가옥 구조

▲ 남부 지방의 전통 가옥 구조

> 내용➕ 김치와 전통 가옥 구조 외에도 꽃이 피는 시기, 단풍이 드는 시기 등이 지역별 기온에 따라 다르게 나타난다.

속 시원한 활동 풀이

스스로 활동 　**기후도를 보고 우리나라 기온의 특징을 살펴봅시다.**

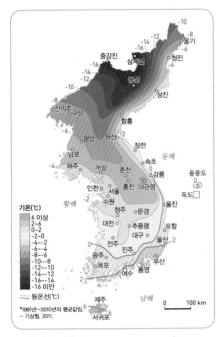

▲ 1월 평균 기온

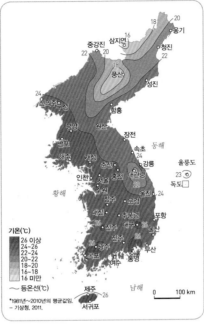

▲ 8월 평균 기온

1 서귀포와 중강진의 1월과 8월 기온을 비교해 봅시다.

예 1월 평균 기온은 서귀포가 중강진보다 높습니다. 8월 평균 기온도 서귀포가 중강진보다 높습니다.

2 서울과 강릉의 1월 평균 기온이 차이가 나는 까닭을 지형과 관련지어 생각해 봅시다.

예 1월 평균 기온은 강릉이 서울보다 높습니다. 그 까닭은 차가운 북서풍을 막아 주는 태백산맥과 수심이 깊은 동해의 영향을 받기 때문입니다.

시험 대비 핵심 자료

● **기온의 영향을 받은 우리나라의 전통 가옥**

우리나라는 기온의 영향으로 지역별 전통 가옥의 구조가 다르게 나타난다. 기온이 높은 남쪽 지역은 일(一)자 형태의 개방적인 가옥 구조가 나타난다. 기온이 낮은 북쪽 지역은 전(田)자 형태의 폐쇄적인 가옥 구조가 나타난다. 또한 추운 겨울을 나기 위해 난방 시설인 온돌을 설치했고, 여름을 시원하게 보내기 위해 대청을 만들었다.

 잠깐! 확인해요

겨울철에는 서해안보다 동해안이 더 따뜻하다. 　　　　　　(◎ | X)

확인 톡톡!

📍 정답과 해설 3쪽

1 우리나라는 남쪽으로 갈수록 연평균 기온이 낮아진다. 　　　　(O | X)

2 겨울에는 (　　　　)와/과 동해의 영향으로 동해안의 평균 기온이 서해안보다 높다.

3 (북부, 남부) 지방은 방이 한 줄로 배치되어 있고, 대청이 발달했다.

우리나라 강수량의 특징을 알아볼까요?

❶ 우리나라 강수량의 특징

(1) 연평균 강수량: 1년간 총 강수량을 여러 해 동안 ❶측정해 평균을 구한 값이다.
(2) 우리나라의 연평균 강수량: 약 1,300mm로 세계 평균보다 많은 편이다. **보충 ①**

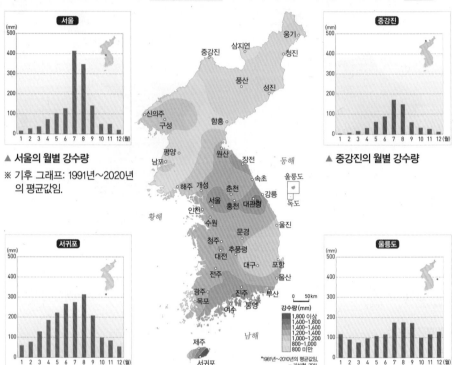

▲ 서울의 월별 강수량
※ 기후 그래프: 1991년~2020년의 평균값임.

▲ 중강진의 월별 강수량

▲ 서귀포의 월별 강수량   ▲ 우리나라의 연평균 강수량   ▲ 울릉도의 월별 강수량

(3) 지역에 따른 강수량의 특징 (쏙 시원한 **활동 풀이**)
① 지역에 따라 강수량의 차이가 크다. **보충 ②**
② 남부 지방은 강수량이 많고, 북부 지방은 강수량이 적다.
(4) 계절에 따른 강수량의 특징 (쏙 시원한 **활동 풀이**)
① 계절에 따라 강수량의 차이가 크다.
② 여름에는 장마와 태풍의 영향으로 비가 많이 내린다.
③ 제주도와 영동 지방, 울릉도 등의 지역은 비나 눈이 많이 내려서 겨울에도 강수량이 비교적 많은 편이다.

❷ 강수량에 따라 나타나는 다양한 생활 모습

(1) 여름에 비가 많이 내리는 지역: 돈대와 같이 ❷홍수에 대비한 시설을 만들었다. (시험 대비 **핵심 자료**)
(2) 겨울에 눈이 많이 내리는 지역: 눈이 많이 쌓였을 때 생활할 수 있는 우데기 등을 설치하고, 눈을 이용한 축제를 열기도 한다.

내용➕ 눈이 많이 내리는 지역에서는 눈에 빠지거나 미끄러지지 않도록 설피를 신기도 했다.

(3) 비가 적게 내리는 지역: 강수량이 적고 햇빛이 풍부한 서해안 일부 지역에서는 염전이 발달했다.

▲ 우데기

(시험 대비) 핵심 자료

● 우리나라의 강수 특성을 반영한 시설

▲ 빗물 펌프장

우리나라는 강수량이 여름철에 집중되기 때문에 물을 효율적으로 관리하기 위한 시설을 만들어 사용하고 있다. 빗물 펌프장은 비가 한꺼번에 많이 올 때 홍수가 나지 않도록 빗물을 하천으로 보내는 시설이다. 저수지는 농업용수와 생활용수를 저장하기 위한 시설이다.

(속 시원한) 활동 풀이

 스스로 활동

지역별 연평균 강수량의 특징을 살펴봅시다.

1 연평균 강수량이 1,400mm 이상인 지역을 빗금쳐 표시해 봅시다.

예 제주도와 남해안 일대, 서울과 대관령 부근입니다.

2 연평균 강수량이 1,000mm 이하인 지역을 빗금쳐 표시해 봅시다.

예 평양, 함흥, 청진, 중강진 등 북부 지방입니다.

3 다음 문장에서 옳은 내용을 골라 ○표해 봅시다.

· 우리나라의 연평균 강수량은 남쪽에서 북쪽으로 갈수록 점점 (많아 /(적어))집니다.
· 우리나라에서 비가 많이 오는 지역은 (신의주 /(서귀포))와 (서해안 /(남해안)) 일대입니다.

우리나라 여러 지역의 강수량을 분석해 봅시다.

1 지역별로 비가 가장 많이 내리는 달을 찾고 어느 계절인지 이야기해 봅시다.

예 중강진과 서울은 7월 강수량이 가장 많고, 서귀포는 8월 강수량이 가장 많습니다. 따라서 여름철에 강수량이 가장 많습니다.

2 겨울철 강수량이 많은 지역을 찾아보고 그 특징을 이야기해 봅시다.

예 겨울철 강수량이 많은 지역은 서귀포와 울릉도입니다. 제주도와 울릉도는 바다를 지나면서 습기를 머금은 바람의 영향으로 겨울철에 눈이 많이 내립니다.

잠깐! 확인해요

우리나라는 여름보다 겨울에 강수량이 많은 편이다.   (○ |(X))

확인 톡!

◉ 정답과 해설 3쪽

1 1년간 내린 총 강수량을 여러 해 동안 측정해 평균을 구한 값은?   (   )

2 우리나라는 북부 지방의 연평균 강수량이 남부 지방보다 많다.   (○ | X)

3 울릉도에서는 외벽인 (   )을/를 만들어 눈이 많이 쌓였을 때 생활할 수 있는 시설을 만들었다.

우리나라에서 발생하는 자연재해는 무엇일까요?

❶ 자연재해

(1) **자연재해의 의미**: 피할 수 없는 자연 현상으로 일어나는 피해이다. (속 시원한 활동 풀이)

내용⁺ 사람의 부주의나 고의로 발생하는 산불 등은 자연재해라고 할 수 없다.

(2) **자연재해의 종류**: 태풍, 홍수, 가뭄, 폭염, 폭설, 황사, 지진, 해일 등이 있다.

내용⁺ 자연재해를 분류하면 크게 기상과 관련된 자연재해(태풍, 홍수, 가뭄, 폭염, 폭설 등)와 지반과 관련된 자연재해(지진, 화산 등)로 구분할 수 있다.

❷ 우리나라에서 주로 발생하는 자연재해

(1) **계절과 상관없이 발생하는 자연재해** (시험 대비 핵심 자료)

종류	의미	피해
지진	지구 내부의 힘을 받아 땅이 흔들리고 갈라지는 현상임.	각종 시설이 파손되거나 화재, 지진 해일, 산사태 등이 함께 일어나 막대한 피해를 줌.

(2) **특정 계절에 주로 발생하는 자연재해**

① 봄에 주로 발생하는 자연재해

종류	의미	피해
황사	중국이나 몽골에 있는 사막의 ❶미세한 모래와 먼지가 바람을 타고 날아와 떨어지는 현상임. 보충 ❶	눈병이나 호흡기 질환을 일으킬 수 있음.
가뭄	비가 거의 오지 않는 기간이 오랫동안 계속되어 물이 부족한 현상임.	땅이 메말라 갈라지고 농작물이 마름.

② 여름과 가을에 주로 발생하는 자연재해 (시험 대비 핵심 자료)

종류	의미	피해
홍수	장마와 태풍 등으로 강과 하천의 물이 넘쳐 땅이 물에 잠기게 되는 현상임.	집과 도로가 물에 잠김.
폭염	하루 최고 기온이 33℃ 이상 올라 매우 더운 날씨가 지속되는 현상임.	오랜 시간 야외 활동을 할 경우에 일사병, 열사병 등 건강에 이상이 생길 수 있음.
태풍	적도 부근에서 발생하는 열대성 저기압으로 거센 바람과 많은 비를 동반함. 보충 ❷	비가 많이 내리면 홍수가 발생하고 거센 바람으로 가로수가 뽑히거나 유리창이 깨지기도 함.

내용⁺ 폭염은 주로 여름에 발생하고, 홍수와 태풍은 여름과 가을에 발생한다.

③ 겨울에 주로 발생하는 자연재해

종류	의미	피해
❷폭설	짧은 시간에 많은 양의 눈이 오는 현상임.	폭설로 도로에 눈이 많이 쌓이면 통행이 어려워짐.
한파	겨울철에 기온이 갑자기 내려가면서 매우 추워지는 현상임.	저체온증에 걸리거나 수도가 얼어붙는 등의 피해가 발생함. 보충 ❸

내용⁺ 기상과 관련된 자연재해는 각 계절의 특성에 따라 발생한다.

보충 ❶

◉ **황사와 미세 먼지**

황사는 주로 중국, 몽골 등 사막 지대에서 불어오는 흙먼지이다. 미세 먼지는 자동차의 배기 가스, 공장 등에서 배출하는 매연 때문에 발생하는 미세한 먼지이다. 미세 먼지는 주로 인간의 활동으로 발생하므로 자연재해로 분류하지 않는다.

▲ 대기질 안내판

보충 ❷

◉ **열대성 저기압**

열대 지방의 바다 위에서 발생하는 저기압을 통틀어 일컫는 말이다. 이 저기압의 내부에서는 중심에 가까울수록 바람이 강하고 비도 심하게 내린다.

보충 ❸

◉ **한파**

겨울철에 기온이 갑자기 내려가는 현상이다. 급격한 저온 현상으로 중대한 피해가 예상될 때에 기상청이 미리 발표한다.

용어 사전

❶ **미세**(微: 작을 미, 細: 가늘 세): 분간하기 어려울 정도로 아주 작은 것을 말한다.
❷ **폭설**(暴: 사나울 폭, 雪: 눈 설): 갑자기 많이 내리는 눈을 말한다.

속 시원한 활동 풀이

👊 스스로 활동 자연재해와 관련된 나의 경험을 떠올려 정리해 봅시다.

1️⃣ 내가 직접 겪거나 보고 들었던 자연재해를 떠올려 봅시다.

2️⃣ 인터넷 신문 기사, 기상청 누리집이나 백과사전 등에서 관련 정보를 찾아봅시다.

3️⃣ 사진이나 그림, 그래프 등 자료를 수집하여 나의 경험을 바탕으로 내용을 정리해 봅시다.

종류	예 폭설	
겪은 날	2×××. 1. 10.	**계절** 겨울
겪은 일	갑자기 내린 많은 눈으로 도로에 눈이 많이 쌓여 학교에 갈 수 없었습니다.	
특징	• 겨울에 주로 발생합니다. • 눈이 계속 내리면 비닐하우스나 건물이 무너질 수도 있습니다.	
새로 알게 된 점	겨울에 눈이 많이 내리면 봄에 가뭄 피해를 줄일 수 있다고 합니다.	

잠깐! 확인해요

☐☐☐☐(이)란 피할 수 없는 자연 현상으로 일어나는 피해를 말한다.   (자연재해)

시험 대비 핵심 자료

● **경주 지진**

1차 지진	• 남남서쪽 9km 지역 • 오후 7시 44분 규모 5.1
2차 지진	• 남남서쪽 8km 지역 • 오후 8시 33분 규모 5.8

2016년 9월 12일에 발생한 경주 지진은 규모 5.8로 우리나라에서 지진 관측이 시작된 후 가장 강력한 지진이었다. 이 지진으로 사람들이 다치고, 건물과 수도 배관 등이 갈라졌다. 우리나라도 점차 지진의 발생이 증가하고 있다. 지진의 강도를 나타내는 단위는 규모로, 0~9까지로 나타낼 수 있다.

● **태풍의 영향**

태풍으로 큰 피해를 입기도 하지만 긍정적인 영향도 발생한다. 태풍은 저위도 지방의 뜨거운 공기를 이동시켜 지구의 공기를 순환시킨다. 또한 바닷물을 위아래로 순환하게 해 적조 현상을 해결하기도 한다.

확인 톡!톡!

📍 정답과 해설 3쪽

1 비가 거의 오지 않는 기간이 오랫동안 계속되어 발생하는 물 부족 현상은?   (   )

2 강과 하천의 물이 넘쳐 땅이 물에 잠기게 되는 현상을 (황사, 홍수)(이)라고 한다.

3 하루 최고 기온이 33℃ 이상 올라 매우 더운 날씨가 지속되는 현상을 한파라고 한다.   (O | X)

자연재해의 피해를 줄이기 위한 방법을 알아볼까요?

❶ 정부와 지자체의 노력

(1) **정확한 ❶예보와 ❷경보 시스템**: 자연재해의 피해를 줄이기 위해서는 정확한 예보와 이를 신속하게 알리는 경보 시스템이 중요하다.

① 기상청에서는 자연재해가 예상될 때 기상 특보를 발령한다. 보충 ❶

② 기상 특보를 통해 재해 피해를 예방하는 대책과 생활 안전 수칙을 알 수 있다.

(2) **자연재해의 피해를 줄이기 위한 시설**: 자연재해에 대비해 미리 시설을 ❸정비하면 생명과 재산을 보호할 수 있다. (시험 대비) 핵심 자료

자연재해	피해를 줄이기 위한 시설
홍수와 가뭄	물을 관리하는 시설인 댐과 보, 제방 등을 만듦.
폭염	햇빛을 피할 수 있도록 그늘막을 설치함. 보충 ❷
폭설	눈을 치울 수 있도록 곳곳에 제설 자재 보관함을 설치함.
지진	건물이 지진에 견딜 수 있도록 건물을 보강함.
해일	해안에 파도를 막아주는 방파제를 만듦.

❷ 개인의 노력

(1) **생활 안전 수칙과 행동 요령의 실천**: 자연재해가 발생했을 때 적절하게 행동해 피해를 줄이는 것이 중요하다. (쏙 시원한) 활동 풀이

(2) **자연재해별 생활 안전 수칙과 행동 요령** 보충 ❸

▲ 황사

▲ 태풍

▲ 폭염

▲ 홍수

▲ 한파와 폭설

▲ 지진

자연재해	생활 안전 수칙과 행동 요령
황사	외출할 때 마스크를 착용하고, 집에 돌아온 후에는 손발을 깨끗하게 씻음.
태풍	침수 위험이 있는 지역이나 산사태 위험 지역 등에 사는 주민은 안전한 곳으로 대피함.
폭염	물을 충분하게 마시고 한낮 외부 활동을 자제함.
홍수	물에 잠긴 전봇대 주변 등 감전 위험이 있는 곳은 가지 않음.
한파와 폭설	외출할 때 모자, 장갑, 목도리 등을 착용하고 미끄럽지 않은 신발을 신음.
지진	건물 안에서는 흔들림이 멈출 때까지 책상이나 탁자 아래로 들어가 몸을 보호함.
가뭄	세수나 양치를 할 때 물을 받아서 씀.

보충 ❶

● **긴급 재난 문자와 안전 재난 문자**

긴급 재난 문자는 재난이 발생했을 때 빠른 대처를 위해 휴대 전화로 보내는 문자 메시지이다. 폭염이나 황사 등 기상 특보가 발령되어 안전에 주의를 요할 경우에는 안전 재난 문자로 발송한다.

보충 ❷

● **그늘막**

폭염을 대비해 그늘막 쉼터가 설치되어 있다. 그늘막은 대기 시간이 길어 그늘이 필요하고 보행량이 많은 횡단보도 주변에 설치한다. 태풍 등 위험 상황에 대비하기 위해 누구나 접을 수 있는 접이식 구조이다.

보충 ❸

● **국민 재난 안전 포털**

국민 재난 안전 포털(http://www.safekorea.go.kr/)에서 우리나라에서 주로 발생하는 자연재해와 그에 따른 적절한 행동 수칙, 자연재해로 인한 피해 통계 등을 살펴볼 수 있다.

용어 사전

❶ **예보**(豫: 미리 예, 報: 갚을 보): 앞으로 일어날 일을 미리 알리는 보도를 말한다.

❷ **경보**(警: 경계할 경, 報: 갚을 보): 위험이 닥쳐올 때 경계하도록 미리 알리는 것이다.

❸ **정비**(整: 가지런할 정, 備: 갖출 비): 기계나 설비가 제대로 작동하도록 보살피고 손질하는 것이다.

시험 대비 **핵심 자료**

● **댐과 보, 제방**

댐과 보, 제방은 홍수와 가뭄에 대비해 만든 시설이다. 댐은 계곡이나 하천을 가로질러 쌓은 것으로 주로 물을 저장하기 위해 건설한다. 보는 하천의 물 높이를 일정하게 유지하기 위해 만든 시설로, 댐보다 규모가 작다. 제방은 하천 변이나 해안으로 물이 넘치는 것을 막기 위해 만든 시설물이다. 하천 주변에 담처럼 쌓아 하천이 범람해도 물이 넘치지 않도록 한다.

▲ 의암댐(강원도 춘천)

▲ 집중 호우로 물이 불어난 전주천   제방은 물의 양이 급격하게 늘어나도 주변으로 넘치는 것을 막아 준다.

속 시원한 **활동 풀이**

 다 함께 활동

1 자연재해가 발생하였을 때 대처 방안을 자연재해 카드 놀이로 알아봅시다.

활동 방법
① 카드를 잘 섞어 책상에 뒤집어 놓습니다.
② 순서를 정하고 카드를 두 장씩 골라 뒤집습니다.
③ 짝이 맞지 않는 카드는 다시 뒤집어 놓고, 짝이 맞는 카드가 나오면 카드를 가져갑니다.
④ 카드를 가장 많이 모은 사람이 이깁니다.

2 카드 놀이를 하며 새롭게 알게 된 자연재해 대처 방안을 이야기해 봅시다.
예 지진이 발생하면 가스와 전기를 차단하고 문을 열어 출구를 확보한 뒤 진동이 멈춘 후에 밖으로 대피해야 합니다.

잠깐! 확인해요

자연재해에 대비해 시설을 정비하면 피해를 줄일 수 있다.   (◎ | X)

 확인 톡!톡!

📍 정답과 해설 3쪽

1 정확한 (   )와/과 신속한 경보 시스템을 통해 자연재해로 인한 피해를 줄일 수 있다.

2 (   )이/가 발생하면 물을 충분하게 마시고 한낮의 외부 활동을 자제한다.

3 지진이 발생했을 때 건물 안에서는 흔들림이 멈출 때까지 책상이나 탁자 아래로 들어가 몸을 보호한다.
                                                                                    (O | X)

우리나라의 자연재해와 생활 안전 수칙을 소개해 볼까요?

❶ 자연재해의 피해를 줄이는 방법

(1) **자연재해에 대비**: 우리나라에서 발생하는 자연재해의 특징을 알고 ❶대비해야 한다.

(2) **생활 안전 수칙 실천**: 자연재해가 발생했을 때 어떻게 행동해야 하는지 알고, 실천하는 자세가 필요하다. `보충 ❶`

❷ 자연재해 소개 책자를 만드는 방법

❶ 우리나라에서 자주 발생하는 자연재해 중 한 가지를 선택한다.
❷ 자연재해가 주로 발생하는 계절, 발생 원인, 영향, 예방 시설, 생활 안전 수칙 등을 조사한다.
❸ 조사한 내용을 글과 그림으로 정리하여 책자로 만든다.

💬 **내용＋** 자연재해에 관한 내용을 조사할 때는 인터넷 검색하기, 기상청 누리집과 백과사전에서 정보 찾기 등의 방법을 활용할 수 있다.

❸ 자연재해 소개 책자를 만드는 활동 (속 시원한 활동 풀이)

(1) 우리나라에서 자주 발생하는 자연재해 중 한 가지 선택하기: `예` 가뭄, 지진 등

(2) 발생하는 ❷시기와 원인, 영향, 예방 시설, 생활 안전 수칙 등을 조사하기 `보충 ❷`

`예`

가뭄	
발생 시기	주로 봄에 발생함.
발생 원인	비가 오랫동안 내리지 않아 강수량이 부족해 발생함.
영향	땅이 갈라지고 작물이 마름. 하천수와 지하수가 고갈되어 식수와 생활용수가 부족해짐.
예방 시설	댐이나 저수지, 보를 만들어 물을 저장함. `보충 ❸`
생활 안전 수칙	물을 아껴 쓰는 습관이 필요함.

`예`

지진	
발생 시기	계절과 상관없이 발생함.
발생 원인	지구 내부의 힘으로 발생함.
영향	건물과 시설물이 파손됨.
예방 시설	지진 발생은 예측이 어려워 발생하는 즉시 알릴 수 있도록 경보 시스템을 갖추는 것이 중요함.
생활 안전 수칙	실내에 있을 때 지진이 발생하면 책상이나 탁자 아래로 들어가서 몸을 보호함. 승강기 대신 계단을 이용해 대피함.

(3) 조사한 내용을 책자로 만들고 소개하기: `예` "가뭄과 관련된 내용으로 책자를 만들었어요.", "지진을 소개하는 책자를 만들었어요." 등

◀ 가뭄과 지진 소개 책자

 활동 풀이

우리나라의 자연재해와 생활 안전 수칙 소개하기

선택한 자연재해	예 폭염
주로 발생하는 계절	예 여름
발생 원인	예 하루 최고 기온이 33℃ 이상 올라 매우 더운 날씨가 지속되면서 발생한다.
영향	예 폭염이 지속될 때 오랜 시간 야외 활동을 하면 일사병이나 열사병 등 건강에 이상이 생길 수 있다.
예방 시설	예 • 그늘막 쉼터 • 도로에 물 뿌리기
생활 안전 수칙	예 • 물을 충분하게 마신다. • 낮 동안의 불필요한 외부 활동은 자제한다. • 필요한 외출은 오후나 저녁 시간을 이용한다.

📍정답과 해설 3쪽

1 자연재해의 피해를 줄이기 위해서는 자연재해의 특징을 알고 그에 알맞은 (   )을/를 해야 한다.

2 자연재해가 발생했을 때는 적절한 안전 수칙을 실천하는 자세가 필요하다.   (O ┆ X)

3 자연재해 종류와 생활 안전 수칙을 소개하는 책자 만들기 활동을 순서대로 배열해 보세요. (   )

ㄱ 조사한 내용을 글과 그림으로 정리하여 책자로 만듭니다.
ㄴ 우리나라에서 자주 발생하는 자연재해 중 한 가지를 선택합니다.
ㄷ 자연재해가 주로 발생하는 계절, 발생 원인, 영향, 예방 시설, 생활 안전 수칙 등을 조사합니다.

'국토의 자연환경'에서 배운 내용을 떠올리며 정답에 해당하는 좌표를 지도에 표시하고 연결해 봅시다.

1 하천 주변에는 넓고 평평한 땅인 (평야)이/가 나타난다.
- 평야 → 22, 55로
- 산맥 → 22, 59로

2 우리나라 (동)해안은 해안선이 단조로운 편이다.
- 동 → 25, 52로
- 서 → 23, 54로

3 겨울철 강릉의 기온이 서울보다 따뜻한 까닭은 (태백산맥) 때문이다.
- 태백산맥 → 28, 55로
- 소백산맥 → 22, 51로

4 우리나라의 대부분 지역은 (여름)철에 강수량이 집중된다.
- 여름 → 29, 59로
- 겨울 → 22, 58로

5 중국이나 몽골 사막에서 발생한 (황사)은/는 호흡기 질병을 일으킬 수 있다.
- 태풍 → 28, 55로
- 황사 → 25, 57로

6 (지진)이/가 발생하면 건물 안에서는 책상 아래로 들어가 몸을 보호한다.
- 장마 → 24, 51로
- 지진 → 21, 59로

* 앞의 숫자는 세로선의 숫자를, 뒤의 숫자는 가로선의 숫자를 의미합니다. 출발 지점의 좌표는 '21, 59'입니다.

핵심 꿀꺽 질문

우리나라 지형의 특징을 설명할 수 있나요?	
우리나라 기후의 특징을 설명할 수 있나요?	
우리나라의 자연재해 종류와 대처 방안을 설명할 수 있나요?	

1 지형에 대한 설명으로 알맞지 <u>않은</u> 것은 어느 것입니까? (　　)

① 섬은 주위가 물로 둘러싸인 땅이다.
② 산지는 높고 낮은 산이 모여 이룬 지형이다.
③ 평야는 산지에 넓게 펼쳐진 땅으로 농사를 지을 수 있다.
④ 해안은 바다와 육지가 서로 맞닿은 곳의 육지 부분이다.
⑤ 하천은 물이 일정한 길을 형성하며 땅의 표면을 흐르는 물줄기이다.

2 다음 사진에서 나타나는 우리나라 지형은 무엇인지 쓰시오.

중요
3 지도의 ㉠~㉢에 해당되는 하천을 쓰시오.

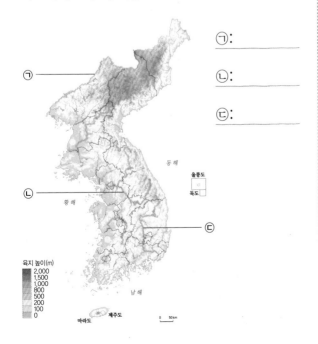

㉠:

㉡:

㉢:

4 어떤 지형을 이용한 생활 모습인지 쓰시오.

• 상류에서는 댐을 만들어 전기를 생산한다.
• 중·하류에서는 민물고기나 재첩을 잡는 어업 활동을 한다.

5 다음 글을 읽고 ㉢은 우리나라 해안 중에서 어디인지 쓰시오.

우리나라는 삼면이 바다로 둘러싸여 있으며 서해안, 남해안, 동해안에서 볼 수 있는 해안의 특징이 다르다. ㉠, ㉡은 바다와 육지의 드나듦이 심해 해안선이 복잡하다. 이에 비해 ㉢은 비교적 해안선이 단순하다.

중요
6 해안을 이용한 생활 모습으로 알맞지 <u>않은</u> 것은 어느 것입니까? (　　)

① 동해안은 항구가 발달하여 공업이 발달하였다.
② 동해안에는 모래사장을 활용한 해수욕장이 많다.
③ 남해안에는 파도가 잔잔해 양식업이 발달하였다.
④ 서해안에는 갯벌이 있어 간척 사업을 하기도 한다.
⑤ 서해안에서는 밀물과 수위 차이를 이용해 조력 발전소를 짓기도 하였다.

7 ㉠, ㉡에 들어갈 알맞은 말을 쓰시오.

㉠ 한 지역에서 짧은 기간에 나타나는 대기 상태
㉡ 오랜 기간 반복되어 나타나는 대기 상태

㉠:

㉡:

8 우리나라 기후의 특징으로 알맞은 것은 어느 것입니까? ( )

① 중위도에 위치하여 사계절이 나타난다.
② 계절에 따라 기온 차이가 작은 편이다.
③ 봄과 가을이 여름과 겨울보다 길게 나타난다.
④ 여름에는 북서쪽의 대륙에서 더운 바람이 불어온다.
⑤ 겨울에는 남쪽의 해양에서 춥고 건조한 바람이 불어온다.

9 빈칸에 들어갈 알맞은 단어를 쓰시오.

> 우리나라는 동쪽과 서쪽 지역에도 기온 차이가 나타난다. 이는 북서풍을 막아주는 □□□□와/과 동해의 영향으로 겨울철 동해안의 기온이 서해안보다 높은 편이다.

10 겨울이 길고 추운 북부 지방에서 나타나는 생활 모습을 보기 에서 모두 고른 것은 어느 것입니까? ( )

보기
㉠ 돈대   ㉡ 정주간
㉢ 대청   ㉣ 싱거운 김치

① ㉠, ㉡   ② ㉠, ㉢   ③ ㉡, ㉢
④ ㉡, ㉣   ⑤ ㉢, ㉣

[11-12] 다음 자료를 보고 물음에 답하시오.

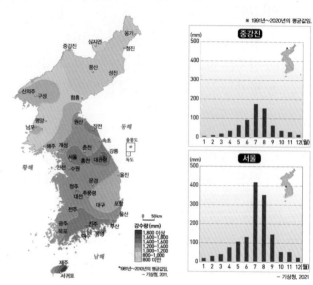

〈우리나라의 연평균 강수량과 중강진·서울의 강수량〉

11 자료에 대한 설명으로 알맞지 <u>않은</u> 것은 어느 것입니까? ( )

① 신의주가 서귀포보다 비가 많이 온다.
② 연평균 강수량은 남에서 북으로 갈수록 적어진다.
③ 서울, 강릉, 부산 등은 연평균 강수량이 1,400mm 이상이다.
④ 우리나라에는 장마와 태풍의 영향으로 주로 여름철에 비가 많이 내린다.
⑤ 연평균 강수량은 일정한 지역에 일 년 동안 내린 총강수량을 여러 해 동안 측정해 구한 평균값이다.

12 강수량 그래프를 보면 우리나라의 강수량이 집중되는 계절은 언제입니까? ( )

① 봄   ② 여름   ③ 가을
④ 겨울   ⑤ 계절과 관련 없음

13 밑줄 친 시설의 이름이 무엇인지 쓰시오.

'<u>이것</u>'은 겨울철에 눈이 많이 내리는 울릉도에서 볼 수 있다. 눈이 쌓여도 집 안에서 생활할 수 있도록 설치한 외벽이다.

_____

중요
14 다음 글에서 설명하는 자연재해를 쓰시오.

하루 최고 기온이 33℃ 이상 올라 매우 더운 날씨가 지속되는 현상을 말한다. 이러한 상황에서 오랜 시간 야외 활동을 할 경우에는 일사병, 열사병 등 건강에 이상이 생길 수 있다.

_____

15 각 계절에 주로 발생하는 자연재해를 연결하시오.

(1) 봄 • • ㉠ 황사, 가뭄

(2) 여름 • • ㉡ 태풍

(3) 여름·가을 • • ㉢ 홍수·폭염

(4) 겨울 • • ㉣ 폭설, 한파

16 자연재해로 인한 피해를 줄이기 위한 시설로 알맞지 **않은** 것은 어느 것입니까? ( )

① 등대
② 댐, 보
③ 방파제
④ 그늘막
⑤ 내진 설계 건물

워드 클라우드와 함께하는 서술형 문제

[17-18] 워드 클라우드의 단어를 이용하여 서술형 문제의 답을 쓰시오.

댐 안전 제방 **저장** 관리 범람 보
외부 활동 시설 마스크 **대처** 감전
책상 대피 한파 체온 위험 **외출**

17 다음에서 설명하는 자연재해를 쓰고, 이와 관련된 안전 수칙이나 행동 요령을 쓰시오.

중국이나 몽골에 있는 사막의 미세한 모래와 먼지가 바람을 타고 날아와 떨어지는 현상을 말한다. 이것은 눈병이나 호흡기 질환을 일으킬 수 있다.

_____

18 사진에서 나타나는 자연재해를 예방하기 위한 노력에는 무엇이 있는지 **두 가지** 쓰시오.

_____

기후와 관련된 지역 축제

축제는 일상에서 벗어나 참여하고 즐기는 놀이로, 지역의 특성을 담고 있는 특별한 행사입니다. 우리나라에서는 사계절의 기후 특징을 활용한 지역 축제가 많이 열리고 있습니다. 계절별로 살펴보면 봄에는 꽃과 관련된 축제, 여름에는 무더위를 이겨내는 축제, 가을에는 단풍이나 추수와 관련된 축제, 겨울에는 눈이나 얼음과 관련된 축제가 주로 열리고 있습니다.

봄

영등포 여의도 봄꽃 축제

매년 봄(대략 4월경)에 서울특별시 영등포구 여의도에서 개최되는 축제로, 활짝 핀 벚꽃을 즐기기 위해 열린다.

보령 머드 축제

매년 여름(대략 7월경)에 충청남도 보령시 대천해수욕장에서 개최되는 축제로, 머드를 이용하여 마사지나 각종 놀이를 즐기기 위해 열린다.

가을

문경 사과 축제

매년 가을(대략 10월경)에 경상북도 문경시에서 개최되는 축제로, 지역 특산품인 사과를 널리 알리고 판매하기 위해 열린다.

겨울

태백산 눈 축제

매년 겨울(대략 1월경)에 눈이 많이 내리는 강원도 태백시에서 개최되는 축제이다. 태백산 눈 축제에는 눈 조각 경연 대회, 태백산 등반 대회, 눈썰매 타기 등의 행사가 열린다.

우리나라 인문환경의 변화를 살펴볼까요?

● **한강의 기적**
우리나라는 1960년대 이후 약 30년간 빠르게 경제 성장을 이루었다. 이처럼 짧은 기간에 이룬 우리나라의 경제 발전을 두고 '한강의 기적'이라고 표현했다.

▲ 서울 남대문

❶ 인문환경

(1) 인문환경의 의미: 인간 ❶활동의 결과로 만들어진 환경이다.
(2) 인문환경의 종류: 논, 밭, 건물, 도로, 옷, 음식, 놀이 등이 있다.

> 내용❶ 환경은 인문환경과 자연환경으로 구분할 수 있다. 자연환경은 산, 하천, 바다 등 자연 그대로의 것이다.

❷ 우리나라 인문환경의 변화

(1) 우리나라 인문환경 변화의 특징: 짧은 시간에 빠르게 변화했고 사람들의 생활 모습 변화에 영향을 미쳤다. 보충❶ (시험 대비) 핵심 자료

> 내용❶ 우리나라는 1960년대 이후 경제가 빠르게 성장하면서 인문환경도 빠른 속도로 변화했다.

(2) 이야기로 살펴보는 인문환경의 변화 (속 시원한) 활동 풀이
① 할머니의 어린 ❷시절 이야기

> 할머니가 너만큼 어렸을 때는 실개천이 졸졸 흐르는 마을에 살았지. 자동차 구경은 읍내에 가야만 할 수 있었어. 학교까지 한 시간이 넘게 걸어야 했고, 학교에 갔다 오면 농사일을 돕거나 집안일을 했지. 필요한 물건은 5일에 한 번씩 열리는 장에 가야만 구할 수 있었어.

② 엄마의 어린 시절 이야기

> 엄마가 초등학생일 때 서울로 이사를 했어. 할아버지는 공장에 다니시고 할머니는 시장에서 일을 하셨지. 엄마가 다닌 초등학교는 한 반에 50명이 넘었어. 시장에 가면 전국에서 서울로 온 지방 사람들이 쓰는 사투리 소리가 가득했지.

> 내용❶ 과거에는 자연환경이 생활 모습에 큰 영향을 미쳤지만, 오늘날에는 인구, 교통, 산업, 문화 등의 인문환경의 영향이 더 커졌다.

(3) 과거와 오늘날의 인문환경 비교

구분	과거	오늘날
사는 곳	촌락에 사는 사람이 많음.	도시에 사는 사람이 많음.
하는 일	농사일을 함.	회사에 다니거나, 공장에 다니는 사람들이 많음.
필요한 물건을 구하는 법	5일에 한 번씩 열리는 장에서 구매함.	집 근처의 슈퍼마켓에 가거나 인터넷으로 구매함.
인구	한 반에 50명이 넘을 정도로 학급당 학생 수가 많았음.	학생 수가 점점 감소하고 있음.
교통	자동차를 가진 사람이 적었음.	자동차를 타고 고속 국도를 통해 다른 지역으로 이동함.

> 내용❶ 과거 생활 모습을 담은 이야기나 영상, 사진 등을 활용해 과거와 오늘날의 인문환경의 모습을 비교할 수 있다.

❶ **활동**(活: 살 활, 動: 움직일 동): 어떤 일의 성과를 거두기 위해 힘쓰는 것을 말한다.
❷ **시절**(時: 때 시, 節: 마디 절): 일정한 시기나 때를 말한다.

1단원

시험 대비 핵심 자료

● 사진으로 살펴보는 우리나라 인문환경의 변화

▲ 1970년대 서울

▲ 2020년대 서울

1960년대 이후 촌락에 살던 많은 사람들이 도시로 이동했고, 그중 수도인 서울로 많은 인구가 집중되었다. 그 과정에서 촌락과 도시 모두 여러 변화를 겪었다. 교통과 산업은 도시를 중심으로 발달했다. 교통과 산업이 발달한 도시는 규모가 점점 커졌다. 촌락은 인구가 감소하여 일손 부족 등의 문제가 발생했고, 도시는 인구가 급격하게 증가하면서 주택 부족, 쓰레기 처리, 교통 정체 등 여러 문제가 발생했다.

속 시원한 활동 풀이

다 함께 활동   우리나라의 인문환경이 옛날과 어떻게 달라졌는지 살펴봅시다.

1 할머니와 엄마가 어렸을 때 모습과 현재의 생활 모습을 비교했을 때 달라진 모습을 찾아봅시다.

예 할머니가 어렸을 때는 농촌에 살았습니다. 자동차가 매우 적었고, 학교까지도 걸어 다녔습니다. 필요한 물건은 오일장에서 구매했습니다. 엄마가 어렸을 때는 다양한 지역에서 서울로 이사 오는 사람이 많았습니다. 사람들은 공장, 시장에서 일했습니다. 또 초등학생도 매우 많았습니다. 현재는 많은 사람이 도시에 살고, 자동차가 매우 많습니다. 학교가 멀면 버스를 타고 갑니다. 필요한 물건은 집 근처의 슈퍼마켓에 가거나 인터넷으로 주문할 수 있습니다. 또 회사에 다니는 사람도 많고, 병원, 시청, 시장, 공장, 연구소 등 다양한 곳에서 일을 합니다. 또 초등학교 한 반의 학생수가 감소했습니다.

2 위에서 찾은 내용을 바탕으로 우리나라 인문환경이 어떻게 달라졌는지 이야기해 봅시다.

예 다양한 지역의 사람들이 서울로 모여들었습니다. 사람들이 주로 하는 일이 달라졌고 교통이 발달했습니다.

확인 톡!톡!

정답과 해설 5쪽

1 학교, 건물, 교통, 문화 등 인간 활동의 결과로 만들어진 환경은?   (   )

2 우리나라의 인문환경은 짧은 시간에 빠르게 변화했다.   (O | X)

3 (과거 , 오늘날)에는 도시에 사는 사람이 많다.

우리나라 인구 구성은 어떻게 변화하였을까요?

❶ 우리나라의 인구 구성

(1) 우리나라의 ❶인구: 우리나라의 총인구는 약 5,100만 명(2022년 기준)이다.

(2) 인구 구성: 일정한 지역의 인구를 성별, ❷연령 등의 기준으로 나눈 구성 상태이다.

(3) 우리나라 인구 구성의 특징

① 우리나라 인구의 절반 정도가 서울과 인천, 경기도에 산다.

② 남자와 여자가 각각 절반씩이다.

③ 전체 인구에서 비중은 청장년층 인구 > 노년층 인구 > 유소년층 인구 순이다. 한 해에 사망한 사람이 새로 태어난 아이보다 조금 많다. 보충❶

(4) 인구 피라미드: 지역의 인구를 성별과 연령별로 나타낸 그래프로, 인구 피라미드를 분석하면 인구 구성의 변화를 한눈에 알 수 있다. 보충❷

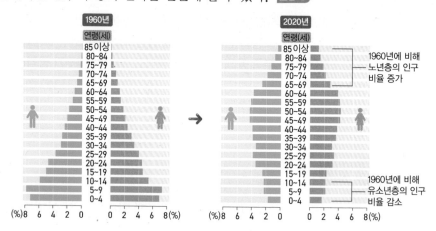

(5) 우리나라 인구 구성의 변화

① 2020년에는 1960년보다 출생아 수가 줄어들어 저출산·고령화 현상이 뚜렷해졌다. 〔속 시원한 활동 풀이〕

② 전체 인구 중 유소년층 인구 비율이 줄어들고, 노년층 인구 비율이 증가했다.

❷ 우리나라의 인구 분포

(1) 인구 분포: 사람이 어디에 얼마나 모여 사는 가를 나타내는 것이다.

(2) 인구 밀도: 일정한 지역의 넓이(1km²)에 사는 인구수의 정도를 말한다.

(3) 우리나라 인구 분포의 변화 〔속 시원한 활동 풀이〕

시기	특징
1960년대 이전	• 농사지을 땅이 많은 남쪽과 서쪽 평야 지역의 인구 밀도가 높음. • 산지가 많은 북동부 지역은 인구 밀도가 낮음.
1960년대 이후	• 서울, 부산 등 도시의 인구 밀도가 높아짐. • 촌락의 인구 밀도가 낮아짐.

(4) 우리나라 인구 분포의 특징

① 인구의 약 70%가 대도시에 집중되어 있다.

② 촌락은 노년층의 비율이 높고, 도시는 유소년층과 청장년층의 비율이 높다.

③ 인구 분포의 지역적 불균형으로 여러 문제가 발생했다. 보충❸

속 시원한 활동 풀이

스스로 활동 인구 피라미드를 보고 우리나라 인구 구성의 특징을 분석해 봅시다.

1 다음 문장에서 옳은 내용을 골라 ○표해 봅시다.

- 2020년에는 1960년보다 ((출생아 수)/ 사망자 수)가 줄어들어 저출산·고령화 현상이 뚜렷해졌다.
- 2020년에는 유소년층 인구의 비중이 (많은 /(적은)) 편이고, 노년층 인구 비중은 ((많은)/ 적은) 편이다.

2 2050년에 우리나라의 인구 구성이 어떻게 변화할지 예상해 오른쪽 그래프에 인구 피라미드로 나타내 봅시다.

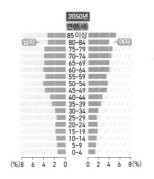

스스로 활동 인구 분포 지도를 보고 우리나라 인구 분포의 특징을 알아봅시다.

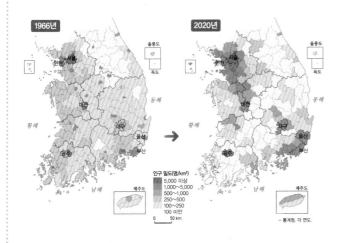

1 1966년과 2020년의 인구 분포 지도에서 인구 밀도가 높은 지역을 찾아봅시다.

예 1966년에는 남쪽과 서쪽 평야 지역과 일부 도시의 인구 밀도가 높습니다. 2020년에는 서울, 경기, 인천, 부산, 울산, 대구 등 대도시와 그 주변의 인구 밀도가 높습니다.

2 2020년의 인구 분포 지도에서 인구 밀도가 높은 지역과 낮은 지역의 특징을 이야기해 봅시다.

예 인구 밀도가 높은 지역은 대도시이고, 인구 밀도가 낮은 지역은 산지와 농어촌 지역입니다.

잠깐! 확인해요

우리나라는 유소년층 비율이 줄어들고 노년층 비율이 늘어나고 있다.   ((○)| X)

확인 톡톡!

📍정답과 해설 5쪽

1 일정한 지역의 인구를 성별, 연령 등을 기준으로 나눈 구성 상태는?   (   )

2 (   )은/는 지역의 인구를 성별과 연령별로 나타낸 그래프이다.

3 우리나라는 현재 남쪽과 서쪽 평야 지역의 인구 밀도가 높다.   (○ | X)

우리나라 도시 발달의 특징을 알아볼까요?

보충 ❶

● **밤에 찍은 우리나라의 위성 사진**

밤에 촬영한 우리나라의 위성 사진을 살펴보면 도시의 분포를 알수 있다. 사람이 많이 모여 사는 곳은 불빛으로 밝게 빛난다.

보충 ❷

● **신도시**

넓은 의미의 신도시는 계획적으로 새로 개발된 도시이다. 좁은 의미로는 주로 대도시의 인구 분산을 목적으로 새롭게 건설된 도시를 말한다.

보충 ❸

● **세종특별자치시**

2012년 7월 1일에 출범한 우리나라의 유일한 특별자치시이다. 정부 기관의 이전으로 행정 도시로 발달했다.

용어 사전

❶ **기능**(機: 틀 기, 能: 능할 능): 권한이나 직책, 능력 등에 따라 일정한 분야에서 하는 역할과 작용을 말한다.

❷ **분담**(分: 나눌 분, 擔: 멜 담): 나누어서 맡는 것을 말한다.

❶ 도시의 변화

(1) **1960년대 이전**: 주로 큰 강이 있고 넓은 평야가 펼쳐진 곳에 도시가 발달했다.

(2) **1960년대 이후**: 사람들이 일자리를 찾아 도시로 모여들면서 도시의 모습과 분포 등에서 여러 가지 변화가 나타났다.

❷ 우리나라의 도시 발달

(1) **우리나라 도시 수와 도시별 인구수 변화** (속 시원한 활동 풀이)

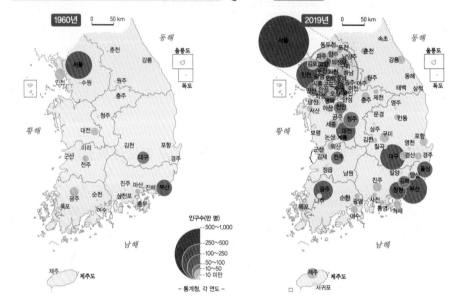

(2) **1960년과 2019년의 도시 발달의 특징 비교** 보충 ❶

① 도시의 수와 도시 인구가 크게 늘어났다.

② 수도권과 남동쪽 해안 지역의 도시 수와 도시 인구가 크게 증가했다.

③ 인구 100만 명이 넘는 도시가 늘어났다.

(3) **시기별 도시 발달의 특징**

시기	도시 발달의 특징
1960년대	경제 개발 정책과 공업의 발달로 일자리가 있는 서울, 부산, 인천, 대구, 광주 등과 같은 큰 도시로 인구가 이동했음.
1970년대	남동쪽 해안에 대규모 공업 단지가 조성되면서 포항, 울산, 김해, 창원 등이 도시로 성장함.
1980년대 이후	수도인 서울에 인구와 ❶기능이 집중되었고 이로 인해 발생한 문제를 해결하고자 했음. 국토를 균형 있게 발전시키기 위해 노력함.

(4) **도시 발달 과정에서 발생한 문제를 해결하기 위한 노력** (시험 대비 핵심 자료)

① 신도시 건설: 서울에 집중된 인구와 기능을 ❷분담하기 위해 경기도에 신도시를 건설했다. 예 고양, 성남, 김포, 안산, 시흥 등 보충 ❷

② 공공 기관의 지방 이전: 수도권에 집중된 공공 기관을 지방으로 옮겨 국토를 균형 있게 발전하도록 했다. 예 세종특별자치시 보충 ❸

1
단원

속 시원한 활동 풀이

스스로 활동 우리나라 도시 발달의 특징을 분석해 봅시다.

1 1960년과 2019년의 지도에서 인구가 100만 명이 넘는 도시의 수를 비교해 봅시다.

예 1960년에 인구수가 100만 명이 넘는 도시는 서울과 부산입니다. 2019년에는 인구 100만 명이 넘는 도시가 크게 증가했습니다.

2 1960년과 비교하여 2019년에 도시가 가장 많이 증가한 지역을 찾아봅시다.

예 경기도의 도시 수가 가장 크게 증가했습니다.

시험 대비 핵심 자료

◉ **도시 발달 과정에서 발생한 문제 해결**

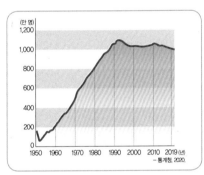

▲ 서울의 인구 변화

▲ 인구가 늘어나는 도시에 나타나는 문제

▲ 인구가 줄어드는 촌락에 나타나는 문제

우리나라의 수도인 서울은 1960년대 산업화 이후 인구가 빠른 속도로 증가했다. 1980년대 후반 서울의 인구가 천만 명을 돌파했다. 인구 밀도가 높아지자 주택 부족, 교통 혼잡 등의 문제가 발생했다. 이러한 문제를 해결하기 위해 경기도에 서울의 기능을 분담하는 신도시를 건설했다. 고양, 성남, 김포 등에는 대규모 주거 단지를 만들고, 안산, 시흥 등에는 공업 단지를 건설했다. 수도권의 인구는 지속적으로 성장했고, 현재 우리나라 전체 인구의 절반 정도가 수도권에 거주한다. 최근에는 국토가 균형 있게 발전할 수 있도록 지방에 혁신 도시를 건설하고 수도권에 있는 공공 기관을 이전하고 있다.

잠깐! 확인해요

서울에 집중된 인구와 기능을 분산하기 위해 □□□을/를 만들었다.   (신도시)

확인 톡!톡!

◉ 정답과 해설 5쪽

1 1960년대 이후 교통과 산업의 발달로 도시 분포에 변화가 나타났다.   (O ㅣ X)

2 (   )년대에는 남동쪽 해안에 대규모 공업 단지가 조성되면서 포항, 울산, 김해, 창원 등이 도시로 성장했다.

3 최근에는 국토를 균형 있게 발전시키기 위해 공공 기관을 (수도권, 지방)(으)로 옮겼다.

우리나라의 산업 발달 과정에서 나타난 특징을 분석해 볼까요?

보충 ❶

◉ **서비스업**
상업, 운송업, 금융업, 의료 산업, 교육 산업 등 사람들의 생활을 편리하게 해 주는 산업이다.

❶ 산업 발달의 변화

(1) 우리나라 ❶산업 구조의 변화 (속 시원한 활동 풀이)

시기	산업 구조
1960년대 이전	농업, 어업, 임업을 주로 함.
1970년대 이후	자동차, 조선, 석유 화학 등의 공업이 발달함. 상업, 금융업, 운송업 등 사람들의 생활을 편리하게 해 주는 산업도 발달하기 시작함. 보충 ❶
1990년대 이후	반도체, 정보 통신, 생명 공학 등 첨단 산업이 빠르게 발달하고 있음.

(2) 산업 구조의 변화로 달라진 국토의 모습

① 울산광역시: 농업과 어업 중심에서 자동차 산업과 ❷중화학 공업 중심의 산업 구조로 변화했다.

② 서울특별시 구로구: ❸경공업 중심에서 첨단 산업 단지로 변화했다.

❷ 오늘날 산업 발달의 모습

보충 ❷

◉ **제주의 관광 산업**
제주도는 화산 폭발로 형성된 화산섬으로 다양한 화산 지형이 분포해 있다. 화산, 오름, 용암동굴 등 독특한 자연환경을 이용한 관광 산업이 발달했다.

▲ 만장굴(용암동굴)

(1) 산업 발달에 영향을 미치는 요인: 자연환경과 인문환경의 차이로 지역마다 각기 다른 산업이 발달했다.

(2) 우리나라의 주요 산업 발달 지역 (속 시원한 활동 풀이)

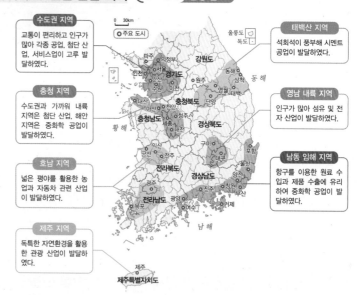

지역	설명
수도권 지역	편리한 교통, 많은 인구를 바탕으로 각종 공업, 첨단 산업, 서비스업이 고루 발달함.
태백산 지역	원료인 석회석이 풍부해 시멘트 공업이 발달함.
충청 지역	수도권과 가까워 내륙 지역은 첨단 산업, 해안 지역은 중화학 공업이 발달함.
호남 지역	넓은 평야를 활용한 농업과 자동차 관련 산업이 발달함.
영남 내륙 지역	인구가 많아 섬유 및 전자 산업이 발달함.
남동 임해 지역	항구를 통해 원료 수입과 제품 수출에 유리해 중화학 공업이 발달함.
제주 지역	독특한 자연환경을 활용해 관광 산업이 발달함. 보충 ❷

용어 사전

❶ **산업**(産: 낳을 산, 業: 업 업): 인간의 생활을 경제적으로 풍요롭게 하기 위한 생산 활동이다.
❷ **중화학 공업**(重: 무거울 중, 化: 될 화, 學: 배울 학, 工: 장인 공, 業: 업 업): 철강, 금속 기계, 화학, 석유 공업 등 무게가 무거운 물건을 만드는 공업이다.
❸ **경공업**(輕: 가벼울 경, 工: 장인 공, 業: 업 업): 섬유, 식품, 고무 공업 등 부피에 비해 무게가 가벼운 물건을 만드는 공업이다.

속 시원한 활동 풀이

 스스로 활동

우리나라 산업 구조의 변화를 분석해 봅시다.

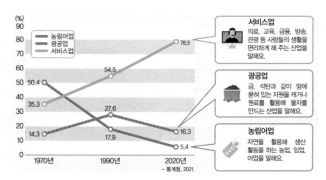

◀ 산업별 종사자 비율

서비스업
의료, 교육, 금융, 방송, 관광 등 사람들의 생활을 편리하게 해 주는 산업을 말해요.

광공업
금, 석탄과 같이 땅에 묻혀 있는 자원을 캐거나 원료를 활용해 물자를 만드는 산업을 말해요.

농림어업
자연을 활용해 생산 활동을 하는 농업, 임업, 어업을 말해요.

1️⃣ 위 표를 보고 다음 문장에서 옳은 내용을 골라 ○표해 봅시다.

> · 1970년에 우리나라 사람들이 가장 많이 종사한 산업은 (㉠농림어업㉡ / 광공업 / 서비스업)이다.
> · 2020년에 우리나라 사람들이 가장 많이 종사한 산업은 (농림어업 / 광공업 /㉠서비스업㉡)이다.

2️⃣ 우리나라의 주요 산업이 어떻게 변화했는지 이야기해 봅시다.

예 과거에는 농림어업 중심이었지만, 현재는 서비스업 중심의 산업 구조로 변화했습니다.

✋ **다 함께 활동**   지역별로 발달한 다양한 산업을 살펴봅시다.

1️⃣ 각 지역에 해당하는 산업 발달의 모습을 찾아 붙여 봅시다.

2️⃣ 지역별로 산업이 다르게 발달한 까닭은 무엇인지 이야기해 봅시다.

> · 수도권 지역에 여러 산업이 고르게 발달한 까닭은 예 교통이 편리하고 인구가 많기 때문입니다.
> · 남동 임해 지역에 중화학 공업이 발달한 까닭은 예 항구를 이용한 원료 수입과 제품 수출에 유리하기 때문입니다.

🐀 **잠깐! 확인해요**

산업 구조가 변화하면서 사람들의 생활 모습도 달라졌다.   (◎ | X)

 확인 톡!톡!

📍 정답과 해설 5쪽

1 우리나라의 산업 구조를 살펴보면 1990년대 이후 (농림어업, 첨단 산업)이/가 빠르게 발달하고 있다.

2 우리나라는 자연환경과 인문환경의 차이로 지역마다 각기 다른 산업이 발달했다.   (O | X)

3 인구가 많아 섬유 및 전자 산업이 발달한 지역은?   (   )

우리나라의 교통 발달 과정에서 나타난 특징을 분석해 볼까요?

보충 ❶

◉ 1일 생활권
생활권은 등하교, 출퇴근, 쇼핑, 여가 활동 등 일상생활을 할 때 활동하는 범위이다. 하루 안에 업무를 보고 돌아올 수 있는 범위를 1일 생활권이라고 한다. 고속 철도의 개통 이후 전국 대부분의 지역이 1일 생활권이 되었다.

보충 ❷

◉ 강릉선 고속 철도 개통의 영향
2017년 강릉선 고속 철도가 개통되고 2020년에는 동해역까지 연장되면서 열차를 중심으로 한 동해안 관광이 크게 성장했다. 강릉역의 이용객은 연간 200만 명이 넘고, 동해역의 이용객도 고속 철도의 개통 이전과 비교해 2배 이상 증가했다.

용어 사전

❶ **개통**(開: 열 개, 通: 통할 통): 길, 다리, 철로, 전화 등을 완성하거나 이어 통하게 하는 것을 말한다.
❷ **생활권**(生: 날 생, 活: 살 활, 圈: 우리 권): 행정 구역과는 관계없이 통근이나 통학, 쇼핑 따위의 일상 생활을 하느라고 활동하는 범위이다.
❸ **물자**(物: 만물 물, 資: 재물 자): 어떤 활동에 필요한 여러 가지 물건이나 자료이다.

❶ 우리나라의 교통 발달

(1) 교통도: 도로, 철도, 항구, 공항 등 교통망을 중심으로 여러 가지 교통 현상을 나타낸 지도이다.

(2) 우리나라의 교통도: 과거와 오늘날의 교통도를 비교하면 우리나라 교통 발달의 특징을 알 수 있다. (속 시원한 활동 풀이)

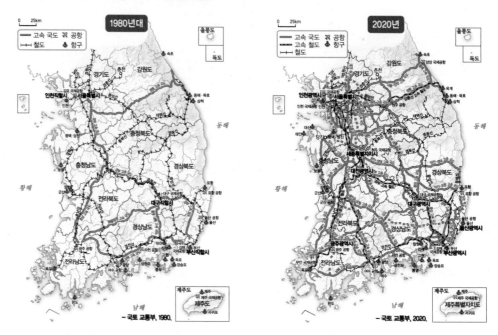

(3) 1980년대 교통도와 비교한 2020년 교통도의 특징
① 고속 국도의 수가 늘어 지역을 더욱 촘촘하게 연결하고 있다.
② 새로운 교통 시설인 고속 철도가 등장했다.
③ 항구와 공항의 수가 늘어났다.

> 내용➕ 항구는 주로 공업이 발달한 지역을 중심으로 증가했다.

(4) 교통 발달로 달라진 국토의 모습
① 1970년 경부 고속 국도의 ❶개통으로 서울과 부산이 1일 ❷생활권이 되었다. 보충 ❶
② 2004년 고속 철도 개통으로 지역 간 이동이 이전보다 빠르고 편리해졌다.
③ 항구와 공항의 수가 늘어나면서 지역 간 교류가 더욱 활발해졌다.

❷ 교통의 발달이 생활 모습에 미치는 영향 (시험 대비 핵심 자료)

(1) 생활권 확대: 교통망이 촘촘하게 연결되면 사람과 ❸물자가 빠르고 편리하게 다른 도시로 이동할 수 있다.

(2) 산업의 발달
① 교통의 발달로 물자 운송이 편리해지면서 공업이 발달한다.
② 사람들의 이동이 활발해지면서 관광 산업이 발달한다. 보충 ❷

> 내용➕ 교통이 발달하면서 더 많은 물자를 더 빠른 시간에 운송할 수 있게 되었다.

시험 대비 **핵심 자료**

● 교통의 발달이 사람들의 생활 모습에 미치는 영향

도시 간 이동	철도 교통을 이용하여 빠르고 편리하게 다른 도시로 이동함.
빠른 배송	발달한 교통망을 이용하여 빠른 배송 서비스가 가능해짐.
원료 이동	제품 생산에 필요한 많은 양의 원료를 한꺼번에 주고받음.
관광 자원 활성화	편리한 교통을 바탕으로 지역의 다양한 관광 자원이 활성화됨.

속 시원한 **활동 풀이**

 **스스로 활동**　1980년대와 2020년의 교통도를 비교해 보고 달라진 점을 찾아봅시다.

1 1980년대 우리나라 교통수단과 시설로는 어떤 것들이 있는지 찾아 써 봅시다.

예 고속 국도, 철도, 공항, 항구가 있습니다.

2 1980년대 우리나라 사람들이 주로 이용한 교통수단은 무엇이었을지 생각해 봅시다.

예 도로 교통과 철도를 주로 이용했을 것 같습니다.

3 1980년대와 비교할 때 2020년에 새롭게 등장한 교통수단은 무엇인지 써 봅시다.

예 고속 철도가 새롭게 등장했습니다.

4 1980년대와 비교할 때 2020년의 고속 국도 노선 수에는 어떤 변화가 있는지 이야기해 봅시다.

예 우리나라 각 지역을 연결하는 고속 국도 노선의 수가 증가하여, 고속 국도 노선망이 더욱 촘촘해졌습니다.

잠깐! 확인해요

교통의 발달로 지역 간 이동 시간이 줄면서 사람들의 생활 모습도 달라졌다.　　(◎ ｜ X)

확인 톡!톡!
📍 정답과 해설 **5**쪽

1 교통망을 중심으로 여러 가지 교통 현상을 나타낸 지도는?　　　　　(　　　)

2 1980년대 교통도와 비교했을 때 2020년 교통도에 고속 철도가 새롭게 등장했다.　(O ｜ X)

3 경부 고속 국도가 개통되면서 서울과 부산이 (　　　　　)이/가 되었다.

함께 해요

인문환경의 변화로 달라진 국토의 모습을 이야기로 소개해 볼까요?

① 인문환경 변화의 특징

(1) **인구와 ●도시의 관계:** 인구가 많은 지역에 주요 도시가 분포한다.
(2) **인구와 산업의 관계:** 산업이 발달한 지역에 인구가 많다. 보충 ❶
(3) **인구와 교통의 관계:** 교통이 발달한 곳에 인구가 많다. 보충 ❷
(4) **산업과 교통의 관계:** 교통이 편리한 곳을 중심으로 산업이 발달했다.

② 인문환경의 변화로 달라진 국토의 모습을 이야기로 소개하는 방법

❶ ●인구 분포도, 도시별 인구수 지도, 산업 발달 지역 지도, 교통도를 겹쳐 보고 인구, 도시, 산업, 교통이 어떻게 서로 관련되어 변화하는지 말해 본다.
❷ 인문환경 카드를 밑판에 순서대로 놓는다.
❸ 밑판에 인구, 도시, 산업, 교통의 변화와 관련된 장면을 글로 표현한다.
❹ 놓인 카드의 순서에 따라 원인과 결과를 고려해 우리나라 국토의 변화 모습을 설명한다.

③ 인문환경의 변화로 달라진 국토 모습을 이야기로 소개하는 활동 (속 시원한 활동 풀이)

(1) **인구, 도시, 산업, 교통 지도를 겹쳐 보고 어떻게 관련되어 변화하는지 말해보기:**
예 "인구 분포도와 교통도를 겹쳐 보니 교통이 발달한 곳의 인구가 많아요." 등

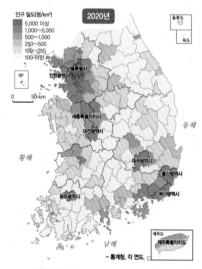

▲ 인구 분포도

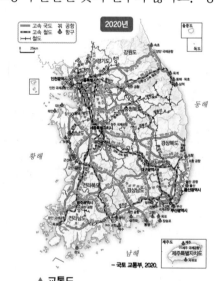

▲ 교통도

(2) **인문환경 카드를 밑판에 순서대로 놓기:** 예 교통 → 산업 → 인구 → 도시 등
(3) **인구, 도시, 산업, 교통의 변화와 관련된 장면을 글로 표현하기:** 예 우리 집 근처에 고속 국도 건설 공사가 한창이다. → 고속 국도가 개통되고 서울까지 걸리는 시간이 줄어들었다. 우리 고장에 공장이 많이 건설되었다. → 공장이 계속 늘어나자 인구가 증가했다. → 인구가 많아지자 '군'이었던 우리 고장이 '시'가 되었다. 등
(4) **우리나라 국토의 변화 모습을 설명하기:** 예 "우리나라의 인구, 교통, 산업, 도시는 서로 긴밀하게 영향을 주고받으며 발달했어요." 등

보충 ❶

◉ **충청남도 당진시**
1990년대 당진시에 산업 단지가 조성되어 공장이 들어서면서 일자리를 찾아 당진으로 이사를 오는 사람들이 늘어났다. 서해안 고속 국도와 서해 대교 개통 이후 수도권과 접근성이 높아지면서 산업이 더욱 발달했다.

보충 ❷

◉ **대전광역시**
과거 대전광역시는 '한밭'이라고 불리던 것처럼 주로 농사를 짓는 지역이었다. 그러나 교통의 발달과 함께 도시가 성장해 오늘날은 인구 100만 명이 넘는 대도시로 성장했다.

용어 사전

❶ **도시**(都: 도읍 도, 市: 저자 시): 일정한 지역의 정치·경제·문화의 중심이 되는, 사람이 많은 지역이다.
❷ **인구 분포도**(人: 사람 인, 口: 입구, 分: 나눌 분, 布: 베포, 圖: 그림 도): 인구의 지역별, 산업별 등의 분포 상태를 나타내는 지도이다.

인문환경의 변화로 달라진 국토의 모습을 이야기로 소개하기

교통 카드

예 우리 지역은 중소도시로 기차역이 있었지만 고속 철도가 다니지 않았습니다. 그런데 얼마 전부터는 우리 지역의 기차역에도 고속 철도가 정차하기 시작해 수도권으로 이동하는 시간이 훨씬 짧아졌습니다.

산업 카드

예 고속 철도가 정차하니 수도권으로 출퇴근하는 시간이 줄어들었습니다. 그래서 우리 지역에 여러 기업의 공장이 새로 들어서게 되었습니다.

인구 카드

예 여러 기업의 공장이 새로 들어서면서 우리 지역으로 이사를 오는 사람들도 늘어났습니다. 그래서 새로운 아파트가 많이 건설되고, 그 주변으로 다양한 편의 시설과 문화 시설이 들어섰습니다.

도시 카드

예 사람들이 살기 좋은 환경이 조성되고 우리 지역으로 사람들이 많이 이사를 오면서 우리 지역의 인구가 많이 늘어났고, 과거에 비해서 훨씬 규모가 큰 도시로 발달했습니다.

발표할 내용

예 교통은 인구가 많은 곳을 중심으로 발달하고, 교통이 발달하면 산업이 발달합니다. 산업의 발달로 일자리가 늘어나면 인구가 증가합니다. 인구가 증가하면 도시가 성장하고, 주변 지역에도 영향을 미칩니다. 이처럼 우리나라의 인문환경은 서로 영향을 주고받으면서 발달했습니다.

📍 정답과 해설 5쪽

1 우리나라는 (   )이/가 많은 지역을 중심으로 교통이 발달하고 산업이 성장했다.

2 교통이 발달하면 사람과 물자의 이동이 편리해져 산업이 성장하고 일자리가 많아지지만, 사람들은 도시를 떠나 농촌으로 이동하게 된다.   (O | X)

3 인구, 도시, 산업, 교통과 같은 인문환경은 서로 (   )을/를 주고받으며 발달하는 관계에 있다.

즐겁게 정리해요

⬤ '국토의 인문환경'에서 배운 내용을 떠올리며 기차역까지 가는 길을 찾아봅시다.

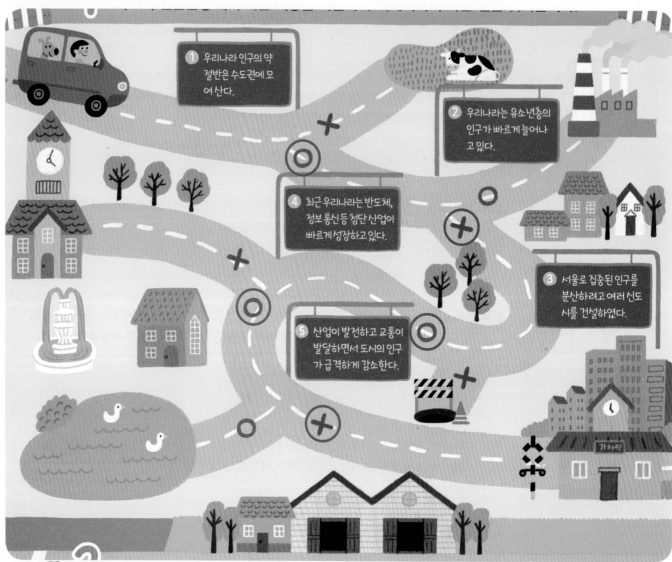

핵심 꿀꺽 질문

우리나라 인구 구성 및 분포의
특징을 설명할 수 있나요?

우리나라 도시 발달의 특징을
설명할 수 있나요?

우리나라 산업 구조의 변화 및 교통
발달의 특징을 설명할 수 있나요?

1 옛날과 오늘날의 우리나라 인문환경 모습을 비교한 설명으로 알맞지 <u>않은</u> 것은 어느 것입니까?
( )

① 오늘날에는 촌락보다 도시가 발달했다.
② 옛날에는 5일마다 한번씩 시장이 열렸다.
③ 옛날에는 학급의 학생 수가 오늘날보다 많았다.
④ 옛날에는 다른 지역을 이동할 때 시간이 덜 걸렸다.
⑤ 오늘날에는 옛날보다 사람들이 주로 하는 일이 달라졌다.

[2-3] 다음 그래프를 보고 물음에 답하시오.

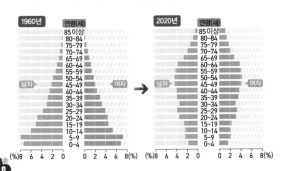

중요
2 위와 같이 일정한 지역의 인구를 성별과 연령별로 나타낸 그래프를 무엇이라고 하는지 쓰시오.

_____

3 위 그래프에 대한 설명으로 알맞은 것은 어느 것입니까? ( )

① 2020년에는 1960년보다 출생아 수가 줄어들었다.
② 그래프에서 세로축은 남녀 인구 비율을 나타낸다.
③ 그래프에서 가로축은 나이를 5세 간격으로 나눈 것이다.
④ 2020년에는 유소년층 인구의 비중이 많고 노년층 인구 비중이 적은 편이다.
⑤ 인구 구성에 따라 그래프의 모양이 달라지는데 노년층이 많을수록 피라미드형이 된다.

4 우리나라 인구 분포에 대한 설명으로 알맞지 <u>않은</u> 것은 어느 것입니까? ( )

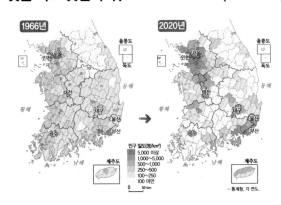

① 1960년대에는 남서쪽 평야 지역의 인구 밀도가 높다.
② 1960년대에는 강원도 산지 지역의 인구가 적은 편이다.
③ 2020년에 대도시의 인구 밀도가 더 높아졌다.
④ 2020년 지도를 보면 수도권에 집중되어 있던 인구가 지방으로 많이 흩어진 모습이다.
⑤ 이러한 변화의 까닭은 산업화로 촌락에 살던 사람이 도시로 이동했기 때문이다.

5 도시와 촌락의 인구 분포가 고르지 않아 나타나는 문제가 <u>아닌</u> 것은 어느 것입니까? ( )

① 도시: 교통 혼잡   ② 촌락: 일자리 부족
③ 도시: 주택 부족   ④ 촌락: 의료 시설 부족
⑤ 도시: 주차 문제

6 천안에 대한 알맞지 <u>않은</u> 설명을 보기 에서 골라 쓰시오.

보기
㉠ 천안은 신도시로 지정되었다.
㉡ 교통이 편리해지자 공장이 생겨났다.
㉢ 1960년대 천안에서는 주로 농사를 지었다.
㉣ 1970년대 이후 고속 국도와 고속 철도가 생겨 교통의 중심지가 되었다.

_____

[7-8] 다음 지도를 보고 물음에 답하시오.

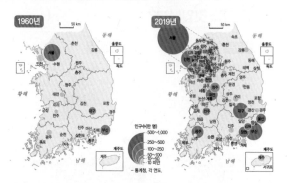

7 2019년의 지도에서 인구수 100만 명이 넘는 도시를 찾아 3곳 이상 쓰시오.

8 1960년과 비교하여 2019년에 도시가 가장 많이 증가한 지역은 어느 곳입니까? (　　　)

① 강원도　　② 경기도　　③ 충청북도
④ 전라남도　　⑤ 경상남도

9 빈칸에 들어갈 알맞은 단어를 쓰시오.

> 도시 발달 과정에서 수도인 서울에 인구와 기능이 집중된 문제를 해결하기 위해서 1980년대부터 경기도에 ⬚⬚⬚을/를 건설하였다.

10 수도권에 집중된 인구와 기능을 분산하려는 노력으로 알맞지 않은 것은 어느 것입니까?
(　　　)

① 수도권의 공공 기관을 지방으로 이전한다.
② 진주, 나주와 같은 지방 혁신 도시를 만든다.
③ 지방에 있는 기업의 본사는 서울로 이전을 장려한다.
④ 지방 도시들의 의료, 문화 시설을 늘리기 위해 노력한다.
⑤ 행정 기능을 분산하기 위해 세종시와 같은 특별자치시를 만든다.

[11-12] 다음 그래프를 보고 물음에 답하시오.

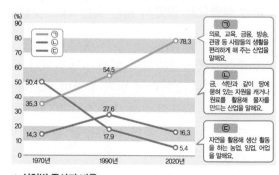

▲ 산업별 종사자 비율

11 위 그래프의 ㉠, ㉡, ㉢에 들어갈 산업을 골라 쓰시오.

| 농림어업　　　광공업　　　서비스업 |

12 위 그래프에 대한 설명으로 알맞지 않은 것은 어느 것입니까? (　　　)

① 1970년에 사람들이 가장 많이 종사한 산업은 농림어업이다.
② 1990년에 가장 많이 종사한 산업은 광공업이다.
③ 2020년에 가장 적게 종사한 산업은 농림어업이다.
④ 현재는 자연을 활용해 생산 활동을 하는 산업의 비중이 가장 작다.
⑤ 우리나라는 과거 농림어업 중심의 산업 구조였지만, 현재는 서비스업 중심의 산업 구조이다.

13 우리나라의 공업 지역과 발달한 산업을 바르게 연결하시오.

(1) 태백산 지역　　•　　•㉠ 중화학 공업

(2) 수도권 지역　　•　　•㉡ 시멘트, 석탄 공업

(3) 남동 임해 지역　　•　　•㉢ 첨단 산업, 서비스업

14 1980년대와 2020년대 교통도를 비교한 설명으로 알맞지 <u>않은</u> 것은 어느 것입니까? (   )

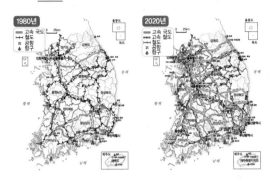

① 1980년대에는 공항을 가장 많이 이용했다.
② 2020년 지도에 고속 철도가 새로 등장했다.
③ 1980년대에 비해 2020년대에는 고속 국도의 수가 늘어났다.
④ 1980년대의 교통 시설은 고속 국도, 공항, 철도, 항구 등이 있다.
⑤ 2020년대 교통 시설은 고속 국도, 공항, 철도, 고속 철도, 항구가 있다.

15 빈칸에 들어갈 알맞은 말을 쓰시오.

> 1970년대 경부 고속 국도가 개통되면서 서울과 부산이 1일 생활권이 되었다. 그리고 2004년에는 □□□□이/가 개통되면서 전 국토가 반나절 생활권이 되었다.

16 교통 발달로 나타난 생활 모습의 변화로 알맞은 것은 어느 것입니까? (   )

① 물자가 빠르게 이동한다.
② 지역 간 이동 시간이 늘어나 사람들의 왕래가 적어진다.
③ 제품 생산에 필요한 원료를 주고받는 양은 변화가 없다.
④ 철도의 개통이나 공항의 건설은 관광 산업에 영향을 미치지 않는다.
⑤ 교통이 편리해서 다른 지역보다는 지역 안에서의 이동이 활성화된다.

워드 클라우드와 함께하는 **서술형 문제**

[17-18] 워드 클라우드의 단어를 이용하여 서술형 문제의 답을 쓰시오.

인구 분포 **지역** 도시 시설 변화 **발달**
부족 농업 대도시 **광역시** **중심**
촌락 **집중** 중화학 어업 공업

17 지도를 보고 알 수 있는 우리나라 인구 분포의 특징을 <u>한 가지</u> 쓰시오.

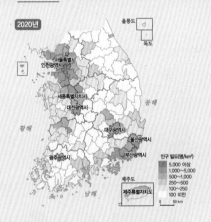

18 다음 글을 읽고 울산광역시의 산업 구조가 어떻게 변화하였는지 비교하여 쓰시오.

> 우리 지역은 1950년대까지만 해도 농사를 짓거나 바다에서 수산물을 얻어 사는 사람들이 많았다. 1968년에는 자동차 공장이 세워졌다. 이곳은 항구에서 원료를 수입하고, 제품을 만들어 수출하기 유리한 환경을 갖추고 있다. 우리 지역은 자동차 공장, 정유 공장, 석유 화학 공장, 조선소 등이 발달했다.

톡톡 튀는 이야기

우리나라 시대별 인구 정책의 변화

우리나라 시대별 인구 정책 포스터를 살펴보면 우리나라의 인구 정책의 변화를 알 수 있습니다. 1980년대까지는 출산율이 너무 높아 낮추려는 정책을 펼쳤습니다. 1990년대에는 여자아이보다 남자아이를 선호해 남자아이가 많아지는 문제가 발생하자, 이를 해결하기 위한 정책을 펼쳤습니다. 2000년대 이후에는 출산율이 세계 최저 수준으로 떨어지자 출산율을 높이려는 정책을 펼치고 있습니다.

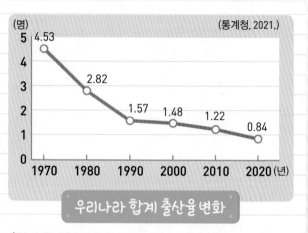

우리나라 합계 출산율 변화

*합계 출산율: 여성 1명이 평생 동안 낳을 것으로 기대되는 평균 출생아 수

1960년대

알맞게 낳아서 훌륭하게 기르자!

1970년대

딸·아들 구별 말고
둘만 낳아 잘 기르자.

2010년대

가가호호 아이 둘 셋,
하하호호 희망 한국.

2000년대

아빠! 혼자는 싫어요.
엄마! 저도 동생을 갖고 싶어요.

1990년대

선생님 착한 일 하면
여자 짝꿍 시켜주나요.

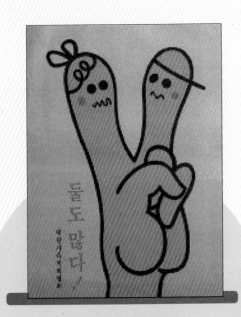

1980년대

둘도 많다!

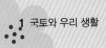

1 국토와 우리 생활   **71**

단원을 마무리 해요   1. 국토와 우리 생활

정리 이 단원에서 배운 내용을 글과 그림으로 정리해 봅시다.

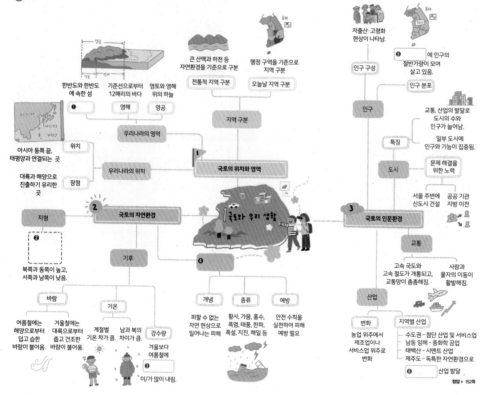

정답 ▶ 152쪽

정답

❶ 영토

❷ 서↓ 동↑

❸ 비

❹ 자연재해

❺ 수도권

❻ 관광

창의 우리 국토의 특징을 나타내는 상징물을 만들어 봅시다.

만드는 방법

❶ 우리 국토의 여러 가지 특징 가운데 하나를 씁니다.
- 우리나라는 동쪽이 높고 서쪽은 낮은 편이다.
- 예 우리나라는 바다와 대륙을 연결하는 곳에 있다.

❷ 우리 국토의 특징에 어울리는 동작, 동물, 물건 등을 떠올립니다.

❸ 떠올린 동작, 동물, 물건 등으로 상징물을 만든 후, 내가 만든 작품을 친구들에게 소개합니다.

우리 국토의 상징물

예 동고서저
우리나라의 지형은 동쪽이 높고 서쪽이 낮습니다. 이 모양이 고양이가 기지개를 켤 때의 모습과 닮았다고 생각합니다.

예 이음이
우리나라가 대륙과 바다를 연결하는 곳에 위치하고 있는 것이 마치 친구와 친구 사이를 이어주는 사람 같다고 생각합니다.

세상 속으로

미래 우리 국토 인기 제품 만들기

미래의 우리 국토 모습 떠올리기

예 우리나라는 현재 저출산·고령화 사회입니다. 앞으로도 사람들이 아이를 잘 낳지 않을 것 같고, 의료 기술의 발달로 노인 인구가 더욱 늘어나 고령 사회가 될 것 같습니다. 이러한 경우 건강이 좋지 않아 혼자 생활하기 힘든 노인 인구가 많아질 것인데, 이를 도울 수 있는 일손이 필요하게 될 것입니다.

변화된 모습에 필요한 제품 기획하기

⚙ **개인 맞춤형 인공지능 일손 돕기 로봇**

생김새
- 평소에는 사람을 닮은 모양으로 있다가 필요할 때는 휠체어나 교통수단처럼 이용할 수 있는 모습으로 변함.
- 손과 함께 다양한 도구들이 있어 상황에 맞게 사용할 수 있음.

주요 기능
- 사용자의 음성을 인식해 심부름을 하거나 필요한 행동을 수행할 수 있음.
- 카메라가 내장되어 있어 노인의 상황을 보호자가 볼 수 있도록 함.
- 위급한 상황에서는 자체적으로 판단하여 병원으로 연락할 수도 있음.

> **로봇 그리기**

나의 아이디어 제품 소개하기

예 제가 제안하는 아이디어 제품은 '노인 일손 돕기 로봇'입니다. 앞으로 우리나라는 더욱 고령화 사회가 될 것이기 때문에 노인 인구가 늘어나지만 아프거나 힘이 없는 노인들을 도울 수 있는 일손이 많이 부족할 것으로 예상됩니다. 그래서 미래에는 사람 대신 노인들을 도울 수 있는 로봇을 활용하면 좋을 것 같습니다.

이 로봇은 인공지능 기술을 통해 개인에 대한 건강데이터를 수집해 맞춤으로 서비스를 제공할 수 있습니다. 만약 다리가 불편한 노인이라면 휠체어처럼 기능을 변화시켜 직접 타고 다닐 수도 있습니다. 심부름을 해야 할 경우에는 말로 명령을 내리면 그 명령에 따라 필요한 물건이나 약을 가져다 주는 기능도 있습니다.

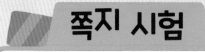
1 한 나라의 영역은 그 나라의 (   )이/가 미치는 범위를 말하며 영토, 영해, 영공으로 이루어집니다.

2 예로부터 우리나라는 인문환경을 기준으로 국토를 구분하였고, 이는 오늘날 행정 구역을 정하는 기준이 되었습니다. (○ , ✕)

3 우리나라의 전통적 지역 구분에서 철령관 동쪽의 (   )은/는 태백산맥을 기준으로 서쪽의 영서 지방과 동쪽의 영동 지방으로 구분합니다.

4 (   )은/는 국토를 효율적으로 관리하기 위해 구분한 단위로 도, 특별자치도, 특별시, 광역시, 특별자치시가 있습니다.

5 우리나라의 지형은 대체로 동쪽이 높고 서쪽이 낮아 주요 하천들은 대부분 동쪽에서 서쪽으로 흐르고, 하천 주변에는 모래나 흙이 쌓여 (   )이/가 만들어집니다.

6 우리나라 해안의 특징으로 동해안은 비교적 해안선이 단순하고, 남해안과 서해안은 해안선이 복잡하고 섬이 많습니다. (○ , ✕)

7 우리나라는 중위도에 위치하여 (   )이/가 나타나고, 계절에 따른 기온 차이가 큰 특징을 보입니다.

8 우리나라의 기온은 여름과 겨울의 기온 차이가 크며, 북쪽으로 갈수록 기온이 높고 남쪽으로 갈수록 기온이 낮아집니다. (○ , ✕)

9 (   )은/는 1년간 총 강수량을 여러 해 동안 측정하여 평균을 구한 값을 말합니다.

10 일정한 지역의 인구를 성별, 연령 등의 기준으로 나눈 구성 상태를 (   )(이)라고 합니다.

11 우리나라는 도시가 발달하는 과정에서 수도 서울에 집중된 인구와 기능을 분산시키기 위해 경기도에 (   )을/를 건설하였습니다.

12 과거 우리나라는 농업·어업·임업을 주로 하였으나, 이후에는 서비스업과 중화학 공업이 발달하고 지금은 첨단 산업이 빠르게 발달하고 있습니다. (○ , ✕)

1 지구상의 위치를 표현하기 위한 용어에 관한 설명으로 알맞지 <u>않은</u> 것은 어느 것입니까? (   )

① 적도: 지구의 자전축과 일치하며 서경과 동경을 나누는 선
② 위선과 경선: 위치를 찾기 편리하도록 지도나 지구본에 나타낸 가상의 선
③ 본초 자오선: 북극과 남극을 잇는 선 중에서 영국의 그리니치 천문대를 지나는 선
④ 위도: 적도를 기준으로 남북을 각각 90°로 나누어 북쪽과 남쪽의 위치를 나타낸 것
⑤ 경도: 본초 자오선을 기준으로 동서를 각각 180°로 나누어 동쪽과 서쪽의 위치를 나타낸 것

2 우리 국토의 위치를 설명할 때 빈칸 ㉠, ㉡에 들어갈 알맞은 말을 쓰시오.

> • 우리나라는 아시아 대륙의 [㉠] 쪽에 위치한 반도이다.
> • 우리나라는 북위 33°~43°, [㉡] 124°~132°에 위치해 있다.

㉠:

㉡:

3 우리 국토의 지리적 특성을 보기 에서 골라 기호를 쓰시오.

> **보기**
> ㉠ 우리 국토는 태평양과 접해 있다.
> ㉡ 우리 국토는 북쪽이 대륙과 연결되어 있다.
> ㉢ 우리 국토는 삼면이 바다로 둘러싸인 반도이다.
> ㉣ 우리 국토는 몽골, 러시아와 국경을 접하고 있다.

4 우리나라 영토의 동쪽 끝은 어디인지 쓰시오.

5 우리나라 영해의 범위에 대한 설명이다. 빈칸에 들어갈 알맞은 말을 쓰시오.

> 우리나라의 영해는 영해를 설정하는 기준선으로부터 약 12 □□ 까지이다.

6 우리나라의 전통적 지역 구분에 따른 지역 명칭으로 알맞지 <u>않은</u> 것은 어느 것입니까? (   )

① 관동 지방   ② 강원 지방
③ 영남 지방   ④ 호서 지방
⑤ 경기 지방

7 우리나라 행정 구역에 관한 설명으로 알맞은 것은 어느 것입니까?   (   )

① 북한을 제외하고 특별시는 7곳이 있다.
② 제주도는 특별자치시로 지정되어 있다.
③ 행정 구역은 인구수와 관계없이 변하지 않는다.
④ 각 시·도의 중심지에 시청이나 도청이 주로 위치한다.
⑤ 지도의 행정 구역은 옛날부터 국토를 구분하는 기준이다.

8 우리나라 지형의 특징으로 알맞지 <u>않은</u> 것은 어느 것입니까? (　　　)

① 국토의 약 70%는 산지이다.
② 평야는 하천을 따라 발달했다.
③ 평야는 대부분 동쪽에 발달했다.
④ 하천은 대부분 동쪽에서 서쪽으로 흐른다.
⑤ 북동쪽에 높은 산이 많고, 서쪽과 남쪽은 산지가 적고 낮은 편이다.

9 해안을 이용한 생활 모습을 보기 에서 **두 가지** 골라 기호를 쓰시오.

보기

㉠ 해안 지역에서는 주로 어업 활동을 한다.
㉡ 동해안은 갯벌을 간척하여 농경지로 이용한다.
㉢ 서해안은 모래사장을 활용한 관광업이 발달했다.
㉣ 남해안은 물이 깨끗하고 파도가 잔잔해 양식업이 발달했다.

중요
10 빈칸 ㉠, ㉡에 해당되는 말은 어느 것입니까?
(　　　)

우리나라는 중위도에 위치하여 사계절이 나타나고 계절에 따라 다른 방향에서 불어오는 바람의 영향을 받는다. 여름에는 ㉠ 에서 덥고 습한 바람이 불어오고, 겨울에는 ㉡ 에서 차갑고 건조한 바람이 불어온다.

	㉠	㉡		㉠	㉡
①	남쪽	북서쪽	②	남쪽	북동쪽
③	북쪽	남서쪽	④	북쪽	남동쪽
⑤	동쪽	남동쪽			

11 다음 기후도를 보고 알 수 있는 우리나라 기온의 특징으로 알맞은 것은 어느 것입니까?(　　　)

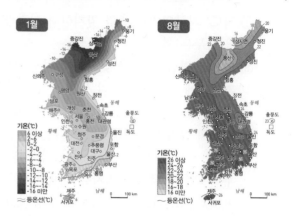

① 8월 평균 기온은 울릉도가 대구보다 높다.
② 1월 평균 기온은 강릉보다 서울이 더 높다.
③ 제주도의 1월 평균 기온은 영하로 떨어진다.
④ 1월은 북쪽으로 갈수록 기온이 낮아지고, 8월은 남쪽으로 갈수록 기온이 낮아진다.
⑤ 강릉이 겨울에 따뜻한 이유는 북서쪽에서 부는 바람을 산맥이 막아주기 때문이다.

12 다음과 같은 생활 모습이 나타나는 지방을 쓰시오.

13 울릉도의 겨울철 강수량이 많은 이유로 가장 알맞은 것은 어느 것입니까? (　　　)

① 겨울에는 기온이 높기 때문이다.
② 여름에는 강수량이 거의 없기 때문이다.
③ 장마와 태풍이 자주 일어나기 때문이다.
④ 우리나라의 북쪽에 위치해 있기 때문이다.
⑤ 동해를 지나면서 습기를 머금은 바람의 영향을 받기 때문이다.

14 사진의 시설은 어떤 자연재해를 예방하기 위한 것입니까? ( )

① 지진
② 한파
③ 황사
④ 폭염
⑤ 홍수

15 인구 피라미드를 보고 빈칸 ㉠, ㉡, ㉢에 들어갈 알맞은 말을 쓰시오.

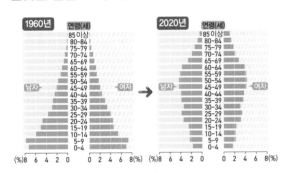

• 2020년에는 1960년보다 ㉠ 수가 줄어들어 저출산·고령화 현상이 뚜렷해졌다.
• 2020년에는 유소년층 인구의 비중은 ㉡ 편이고, 노년층 인구 비중은 ㉢ 편이다.

16 다음 글의 밑줄 친 '이 도시'는 어느 곳인지 쓰시오.

'이 도시'는 수도권에 집중된 인구와 기능을 분산시키기 위한 노력으로 조성한 지역이다. 특히, 행정 기능을 분산하기 위해 정부 청사를 '이 도시'로 이전했다.

17 우리나라의 산업 발달 과정에서 나타난 특징으로 알맞지 않은 것은 어느 것입니까? ( )

① 과거에는 농업, 어업, 임업을 주로 했다.
② 1970년대 이후에는 자동차, 조선, 석유 화학 등의 공업이 발달했다.
③ 1980년대에는 반도체, 정보 통신, 생명 공학 등의 첨단 산업이 발달했다.
④ 2020년대에는 서비스업에 종사하는 인구가 가장 많다.
⑤ 우리나라는 자연환경과 인문환경의 차이로 지역마다 각기 다른 산업이 발달했다.

18 빈칸에 들어갈 알맞은 단어를 쓰시오.

1970년대에는 ☐☐☐☐☐☐이/가 개통되면서 서울과 부산이 1일 생활권이 되었다.

19 ㉠, ㉡에 들어갈 알맞은 단어를 각각 쓰시오.

• 교통망이 촘촘히 연결되면서 지역 간의 ㉠ 이/가 활발해진다.
• 사람과 물자의 이동이 활발해지면서 다양한 ㉡ 이/가 발달한다.

20 인문환경의 변화로 달라진 국토의 모습을 알아보는 자료로 알맞지 않은 것은 어느 것입니까? ( )

① 기후도
② 교통도
③ 인구 분포 지도
④ 도시 분포 지도
⑤ 산업 발달 지역 지도

[1-2] 다음 자료를 보고 물음에 답하시오.

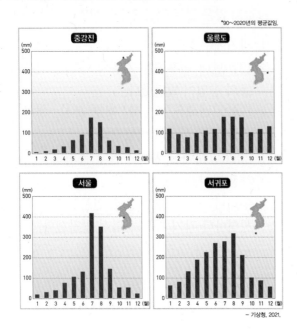

*'90~2020년의 평균값임.

- 기상청, 2021.

1 서울, 중강진 등지에서 겨울철에 비해 여름철에 강수량이 많은 이유를 쓰시오.

_____

_____

2 울릉도와 제주도는 겨울철에도 강수량이 비교적 많은 까닭을 쓰시오.

_____

_____

3 홍수가 자주 발생하는 지역, 겨울철에 눈이 많이 내리는 지역 등 지역별로 강수량의 차이에 따라 나타나는 생활 모습을 두 가지 쓰시오.

_____

_____

[4-6] 다음 자료를 보고 물음에 답하시오.

〈우리나라 인문환경의 변화와 발달 과정의 특징〉

인구	㉠
촌락의 인구는 감소하고, 도시의 인구는 증가했습니다.	수도권과 대도시 주변으로 분포가 집중되어 있습니다.

㉡	교통
농림어업 중심의 구조에서 서비스업 중심의 구조로 변화했습니다.	고속 국도, 고속 철도 등이 새로 건설되어 교통망이 촘촘해졌습니다.

4 빈칸 ㉠, ㉡에 들어갈 알맞은 단어는 무엇인지 쓰시오.

㉠: _____

㉡: _____

5 ㉠이 발달하면서 인구가 집중되는 문제를 해결하기 위한 노력을 두 가지 쓰시오.

_____

_____

6 지역마다 각각 다른 ㉡이 발달하게 되는 까닭을 쓰시오.

_____

_____

2 인권 존중과 정의로운 사회

공부 계획표

• 자신의 일정에 맞게 계획을 세워보고, 실제 학습일을 적어봅시다.
• 학습을 마무리한 후 얼마나 학습 목표를 달성하였는지 스스로 점검해 봅시다.

2. 인권 존중과 정의로운 사회

친구들과 교내 캠페인을 위해 법원에 왔어요. 함께 캠페인에 쓸 낱말 카드를 찾아볼까요?

사회랑 놀아요

교내 캠페인에 사용할 낱말 카드를 찾아라!

법원 견학을 마치고 밖으로 나왔는데, 마침 바람이 불어 교내 캠페인에 사용할 낱말 카드가 날아가 버렸어. 친구들아! 공원 곳곳에 흩어진 낱말 카드를 함께 찾아 줄래?

❓ 찾은 낱말 카드를 모아 교내 캠페인의 주제를 완성해 보고, 그 의미에 관해 이야기해 봅시다.

❓ 찾은 낱말 카드를 모아 교내 캠페인의 주제를 완성해 보고, 그 의미에 관해 이야기해 봅시다.

[예] 교내 캠페인의 주제는 '정의로운 사회'로, 인권을 존중하는 정의로운 사회를 만들자는 내용의 캠페인입니다.

도움+ 공원 곳곳에 흩어진 낱말 카드를 찾아보아요.

⭐ 이 단원에서 나는

📍교과서 87쪽

도움+ 제시된 낱말을 연결해 나만의 학습 계획을 세워 보아요.

인권의	○ ○	의미를	○ ○	알고 싶어요.
법의	○ ○	중요성을	○ ○	탐구하고 싶어요.
헌법의	○ ○	역할을	○ ○	조사하고 싶어요.

[예] 인권의 의미를 알고 싶어요. 법의 중요성을 알고 싶어요. 법의 역할을 조사하고 싶어요. 헌법의 중요성을 탐구하고 싶어요.

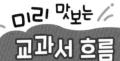

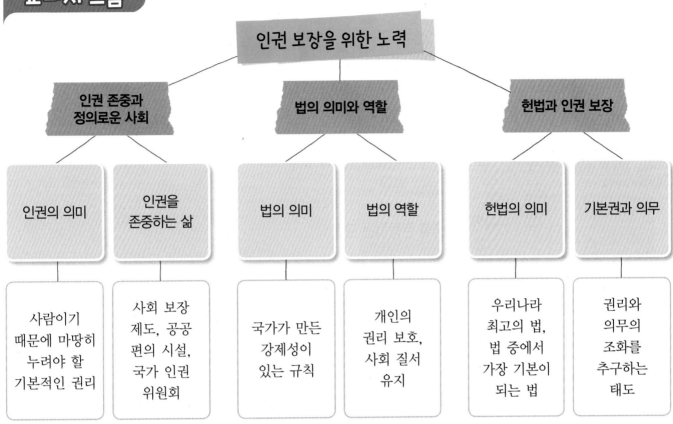

인권 보장을 위한 노력

인권 존중과 정의로운 사회

법의 의미와 역할

헌법과 인권 보장

| 인권의 의미 | 인권을 존중하는 삶 | 법의 의미 | 법의 역할 | 헌법의 의미 | 기본권과 의무 |

사람이기 때문에 마땅히 누려야 할 기본적인 권리

사회 보장 제도, 공공 편의 시설, 국가 인권 위원회

국가가 만든 강제성이 있는 규칙

개인의 권리 보호, 사회 질서 유지

우리나라 최고의 법, 법 중에서 가장 기본이 되는 법

권리와 의무의 조화를 추구하는 태도

- 인권의 의미와 중요성을 알 수 있어요.
- 법의 의미와 역할을 알 수 있어요.
- 헌법의 의미와 인권 보장을 위한 헌법의 역할을 알 수 있어요.

핵심 용어

① 인(人) 권(權)
사람 인 · 권세 권

❶ 사람이기 때문에 마땅히 누려야 할 기본적인 권리입니다. 누구나 차별 없이 보장받습니다.

② 법(法)
법 법

❷ 국가가 만든 강제성이 있는 규칙으로, 사회 구성원들의 합의에 따라 만들어집니다.

③ 헌(憲) 법(法)
법 헌 · 법 법

❸ 우리나라 최고의 법으로, 법 중에서 가장 기본이 됩니다. 헌법에는 국민의 권리와 의무, 국가 구성 기관에 관한 내용이 들어 있습니다.

인권이란 무엇일까요?

① 인권

(1) 인권의 의미: 사람이기 때문에 마땅히 누려야 할 기본적인 ❶권리이다. 보충❶, ❷

(2) 인권의 특성 (속 시원한 활동 풀이)

① 누구나 태어날 때부터 보장받는다.

② 다른 사람이 힘이나 권력을 이용해 함부로 빼앗을 수 없고, 다른 사람에게 넘겨줄 수도 없다.

③ 모든 사람은 똑같은 권리가 있다.

② 인권을 존중하는 모습

(1) 생활 속에서 인권을 존중하는 모습 (속 시원한 활동 풀이)

어려운 상황에 처한 사람들에게 쉴 곳과 음식을 제공하고 의료를 지원함.

키가 작은 어린이를 위해 승강기에 발판을 설치함.

노약자나 몸이 불편한 사람들을 위해 교통 약자석을 설치함.

청소년이 교육을 받고 충분히 쉴 수 있도록 함.

시각 장애인이 안전하고 편리하게 이동하도록 ❷점자 블록을 설치함.

(2) 인권을 존중하는 태도의 필요성: 모든 사람이 나와 똑같은 권리가 있으므로 다른 사람의 인권을 존중하는 태도가 필요하다.

보충 ❶

◉「세계 인권 선언」

1948년 12월 10일 국제 연합 총회에서 채택된 인권에 관한 세계 선언문이다. 모든 사람이 자유롭고, 평등하고, 존엄하게 살아가기 위해서는 자유와 권리를 보편적으로 보호해야 할 장치가 필요하다는 점에 전 세계가 처음으로 합의한 것이다.

보충 ❷

◉「유엔 아동 권리 협약」에서 제시한 아동의 4대 권리

「유엔 아동 권리 협약」은 18세 미만 아동의 권리를 보호하기 위해 맺어졌다. 이 협약에서 제시한 아동의 4대 권리는 생존에 필요한 권리(생존권), 유해한 것으로부터 보호받을 권리(보호권), 잠재 능력을 최대한 발휘하는 데 필요한 권리(발달권), 자신의 생활에 영향을 주는 일에 의견을 말하고 존중받을 권리(참여권)이다.

용어 사전

❶ **권리**(權: 권세 권, 利: 이로울 리): 어떤 일을 행하거나 타인에 대해 당연히 요구할 수 있는 힘이나 자격이다.

❷ **점자 블록**(點: 점 점, 字: 글자 자, block): 시각 장애인의 안전을 위해 도로에 깐 블록이다. 점자 블록에는 발바닥의 촉감으로 위치와 방향을 알 수 있도록 표면에 돌기가 나 있다.

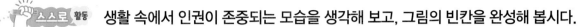

속 시원한 활동 풀이

스스로 활동 생활 속에서 인권이 존중되는 모습을 생각해 보고, 그림의 빈칸을 완성해 봅시다.

예 시각 장애인을 위해 점자 블록을 설치했습니다.

예 몸이 불편한 사람을 위해 교통 약자석을 설치했습니다.

스스로 활동 그림에 나타난 인권의 특성을 이야기해 보고, 내가 실천할 수 있는 인권 존중 태도를 발표해 봅시다.

인권은 사람이면 누구나 가질 수 있다.	인권은 태어날 때부터 주어진다.	인권은 빼앗길 수도, 빼앗을 수도 없다.

예 인권은 태어나는 순간부터 사람들에게 주어지는 것입니다. 모든 사람에게 차별없이 평등하게 주어진 것이며, 다른 사람이 함부로 빼앗을 수 없는 권리입니다.

예 다른 사람의 권리를 존중하는 태도가 필요합니다.

확인 톡! 톡!

📍 정답과 해설 9쪽

1 사람이기 때문에 마땅히 누려야 할 기본적인 권리는?　(　　　)

2 힘이나 권력을 이용해 다른 사람의 인권을 빼앗을 수 있다.　(O ㅣ X)

3 모든 사람이 나와 똑같은 권리가 있으므로 다른 사람의 권리를 (　　　)하는 태도가 필요하다.

인권 신장을 위해 노력한 옛 사람들의 활동을 알아볼까요? (1)

보충 ❶

⦿ 국제 아동의 해
국제 연합은 1959년 아동 권리 선언을 채택했으며, 이 선언 채택 20주년이자 야누시 코르차크 탄생 100주년을 기념해 1979년을 '국제 아동의 해'로 선포했다.

❶ 어린이의 인권 신장을 위해 노력한 사람들

(1) 어린이의 인권 신장을 위해 노력한 우리나라의 인물

방정환 (시험 대비) 핵심 자료
- '어린 것', '애 녀석'으로 불리며 인권을 존중받지 못했던 어린이를 하나의 인격체로 존중해야 한다는 의미로 '어린이'라는 말을 사용함.
- 어린이가 존중받고 행복하게 자라기를 바라는 마음으로 1923년 '어린이날'을 만듦.
- 어린이들을 위해 외국의 재미있는 책을 번역했고, 『어린이』라는 잡지를 만듦.

(2) 어린이의 인권 신장을 위해 노력한 다른 나라의 인물

야누시 코르차크
- 폴란드의 의사이자 교육자
- 제2차 세계 대전 중 부모를 잃은 어린이들을 위해 '고아들의 집'을 열어 아이들을 보살핌.
- 아픈 어린이를 돌보아 주고 형편이 어려운 어린이를 무료로 치료해 주어 전쟁 중에도 어린이들이 인간답게 살 수 있도록 헌신함.
- 국제 연합은 야누시 코르차크의 정신을 기리며 그가 태어난 지 100년이 되던 해인 1979년을 '국제 아동의 해'로 지정함. 보충 ❶

보충 ❷

⦿ 아파르트헤이트(인종 차별 정책)
1948년부터 1990년대까지 남아프리카 공화국에서 시행한 인종 차별 정책으로, 백인의 특권은 보장하고 유색인종은 정치, 경제적으로 차별 대우했다. 1994년 넬슨 만델라가 대통령으로 당선된 후, 완전 폐지되었다.

❷ 신분이나 인종 차별을 없애려고 노력한 사람들

(1) ❶신분 차별을 없애려고 노력한 우리나라의 인물

허균
- 신분이 천하다는 이유로 능력을 펼칠 기회조차 주지 않는 조선 시대의 신분 제도에 문제가 있다고 생각함.
- ❷양반 신분임에도 백성의 처지에서 당시의 신분 제도의 잘못된 점을 비판함.
- 신분으로 차별받는 사람들의 인권을 다룬 『홍길동전』을 씀.

(시험 대비) 핵심 자료

(2) 인종 차별을 없애려고 노력한 다른 나라의 인물

넬슨 만델라
- 흑인 인권 운동가이자 남아프리카 공화국에서 평등 선거로 선출된 최초의 흑인 대통령
- 27년간 감옥에서 편지를 쓰며 남아프리카 공화국 정부의 인종 차별 정책이 부당하다는 것을 전 세계에 알림. 보충 ❷
- 1990년대 초에 인종 차별 정책의 폐지를 끌어냄.
- 1994년 남아프리카 공화국의 대통령이 된 후에도 용서와 화해의 정신을 전 세계에 전파함.

용어 사전

❶ 신분(身: 몸 신, 分: 나눌 분): 개인의 사회적인 위치나 계급을 말한다.
❷ 양반(兩: 두 량, 班: 나눌 반): 조선 시대에 지배층을 이루던 신분으로, 문관과 무관을 합쳐 양반이라고 불렀다.

공부한 날　　월　　일

시험 대비 **핵심 자료**

● 『어린이』와 어린이날

▲ 잡지 『어린이』

▲ 어린이날 선전문이 포함된 신문

- 어린이를 내려다보지 마시고 쳐다보아 주시오.
- 어린이를 가까이 하시어 자주 이야기하여 주시오.
- 어린이에게 경어를 쓰시되 늘 부드럽게 하여 주시오.
- 잠자는 것과 운동하는 것을 충분하게 하여 주시오.
- 어린이를 책망하실 때에는 쉽게 성만 내지 마시고 자세히 타일러 주시오.
- 어린이들이 서로 모여 즐겁게 놀 만한 놀이터나 기관 같은 것을 지어주시오.

　　　　　　　　　　　　－ 제1회 어린이날 선전문 「어른에게 드리는 글」 중

아동 문학가 방정환은 순수 아동 잡지 『어린이』를 만들었다. 방정환은 어린이를 잘 자라게 하는 것이 독립운동이라고 생각했다. 1923년 방정환을 포함한 아동 문화 운동 단체인 '색동회'가 만든 어린이날은 원래 5월 1일이었다가 1927년 날짜를 5월 첫째 주 일요일로 변경했다. 1945년 광복 이후에는 5월 5일로 지정되었고, 1975년부터는 정식 공휴일로 제정했다. 1923년 제1회 어린이날에 배포된 선전문의 「어른에게 드리는 글」에는 어린이의 인권을 보장하기 위한 내용이 담겨 있다.

● 『홍길동전』

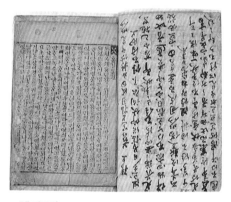

▲ 『홍길동전』

허균이 지은 『홍길동전』은 최초의 한글 소설이다. 『홍길동전』은 서자이지만 비범한 재주와 능력을 지닌 홍길동이라는 주인공을 통해 당시 사회의 적서 차별의 신분적 불평등과 지배층의 무능을 비판한 사회 소설이다. 허균의 눈에 비친 당시 조선 사회에 대한 날카로운 비판과 새로운 사회를 향한 갈망이 율도국이라는 이상향으로 나타나 있다.

확인 **톡!톡!**

　　　　　　　　　　　　　　　　　　　　　　　　　　　　　정답과 해설 9쪽

1 (　　　　)은/는 어린이를 위해 외국의 재미있는 책을 번역하고, 『어린이』라는 잡지를 만들었다.

2 야누시 코르차크는 신분 차별을 없애려고 노력한 인물이다.　　　　　　(○ ∣ X)

3 남아프리카 공화국 정부의 인종 차별 정책이 부당하다는 것을 전 세계에 알린 인물은?　(　　　　　　)

인권 신장을 위해 노력한 옛 사람들의 활동을 알아볼까요? (2)

❸ **사회적 약자의 인권 신장을 위해 노력한 사람들**

(1) 가난하고 버림받은 사람들의 인권을 위해 노력한 사람

테레사 수녀 보충 ❶ (시험 대비) 핵심 자료
• 가난하고 아픈 사람들을 도와주고 보살피는 데 평생을 바침.
• 버림받은 사람에게도 인권이 있음을 알리고 그들을 존중함.
• 인도의 ❶콜카타에 '사랑의 선교 수녀회'를 만들고, 그곳에서 소외된 자들을 돌봄.

(2) 시각 장애인의 인권을 위해 노력한 사람

루이 브라유
• 1800년대 초 ❷점자를 만들어 시각 장애인들도 책을 읽을 수 있도록 함.
• 오늘날 세계 각국에서 루이 브라유가 만든 점자 '브라유'를 사용하고 있음. 보충 ❷

❹ **인권 신장을 위해 노력한 사람들의 활동 모습** (속 시원한) 활동 풀이

『어린이』라는 잡지를 만든 방정환

어린이들과 행진하는 야누시 코르차크

『홍길동전』을 쓰는 허균

감옥에서 편지를 쓰는 넬슨 만델라

가난하고 아픈 사람을 돌보는 테레사 수녀

점자 브라유를 만든 루이 브라유

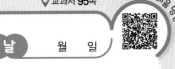

공부한 날   월   일

2
단원

시험 대비 핵심 자료

● 테레사 수녀와 노벨 평화상

> 저는 가난한 사람들을 위해 청빈을 선택합니다. 그러나 배고프고, 벌거벗고, 집이 없으며, 신체에 장애가 있고, 눈이 멀고 질병에 걸려서 사회로부터 돌봄을 받지 못하고 거부당하며 사랑받지 못하여 사회에 짐이 되고 모든 이들이 외면하는 사람들의 이름으로 이 상을 기쁘게 받습니다.
>
> – 1979년 노벨 평화상을 수상하며 남긴 말

테레사 수녀가 노벨 평화상을 수상하며 남긴 말이다. 노벨 평화상은 매해 지구촌의 평화를 위해 노력한 사람이나 단체에 주는 상이다. 세계 여러 나라에서 가난하고 아픈 사람들을 위해 희생해 '마더 테레사'라 불렸던 테레사 수녀는 1979년 노벨 평화상을 수상했다.

속 시원한 활동 풀이

🖐 다 함께 활동 **인권 신장을 위해 노력한 인물을 더 찾아보고, 소책자를 만들어 친구들에게 소개해 봅시다.**

예

🐭 잠깐! 확인해요

허균은 『홍길동전』을 지어 당시의 □□ 제도를 비판하였다.   (신분   )

확인 톡!톡!

📍정답과 해설 9쪽

1 테레사 수녀와 루이 브라유는 사회적 약자의 인권 신장을 위해 노력한 사람들이다.   (O | X)

2 테레사 수녀가 소외된 사람들을 돌보기 위해 인도의 콜카타에서 처음 만든 단체는? (   )

3 루이 브라유는 시각 장애인을 위해 (   )을/를 만들었다.

인권 신장을 위한 옛날의 제도를 살펴볼까요?

① 옛날에 인권이 침해되었을 때의 해결 방법

(1) **신분이 높은 사람**: ❶상소를 올리거나 여러 기관에 자신의 억울함을 직접 말한다.

(2) **일반 백성**

① 억울한 일을 당해도 이를 알리기 어려웠다.

② 억울한 일을 해결하기 위해 신문고 제도, 상언 제도, ❷격쟁, ❸삼복제 등의 제도를 마련해 백성들이 억울함을 호소하고 해결하도록 했다.

② 인권 신장을 위한 옛날의 제도

제도	장면	설명
신문고 제도 (시험 대비 핵심 자료)		부당한 일을 당한 백성이 대궐 밖에 있는 '신문고'라는 북을 쳐서 임금에게 알린 제도
상언 제도 (보충 ❶)		• 신분과 관계없이 억울한 일을 쓴 문서를 임금에게 제출해 자신의 억울함을 호소한 제도 • 양반이나 중인 등 글을 하는 백성들이 주로 이용
격쟁 (보충 ❷)		억울한 일을 당한 사람이 임금이 행차할 때 징이나 꽹과리, 북 등을 쳐서 임금에게 억울함을 호소한 제도
삼복제		• 사형과 같은 무거운 형벌을 내릴 때 세 번의 재판을 거치도록 한 제도 • 신분과 관계없이 억울하게 벌을 받는 일이 없도록 세 번의 재판을 받도록 한 제도

내용❶ 오늘날에는 억울한 일이나 어려운 일을 당하면 관련 기관에 신고해 도움을 청하거나 법원의 재판을 통해 해결할 수 있다.

보충 ❶

◉ **상소와 상언**

상소는 보통 관원, 유생, 사림 등이 왕에게 올리는 문서이다. 상언은 일반 백성이 올리는 문서이다. 상소가 사회 전반적인 문제를 다루는 것에 비해, 상언은 주로 개인적인 사정을 호소하는 수단이었다.

보충 ❷

◉ **격쟁**

격쟁은 왕이 행차하는 길가에서 징이나 꽹과리를 쳐서 이목을 집중시킨 다음에 왕의 물음을 기다리는 형태의 소원 수단이다. 문자를 모르거나 익숙하지 않은 사람들도 참여할 수 있어 하층 세력인 양인, 승려, 노비 등 평민과 천민이 선호했다.

용어 사전

❶ **상소**(上: 윗 상, 疏: 소통할 소): 임금에게 글을 올리던 일 또는 그 글을 말한다.

❷ **격쟁**(擊: 칠 격, 錚: 쇳소리 쟁): 징이나 꽹과리를 쳐서 억울함을 호소한 조선 시대 인권 신장을 위한 제도이다.

❸ **삼복제**(三: 석 삼, 覆: 다시 복, 制: 절제할 제): 사형과 같은 죄에 해당하는 죄인을 세 번 심리하던 제도이다.

(시험 대비) 핵심 자료

● 신문고 제도와 국민 신문고

▲ 국민 신문고 누리집 화면

▲ 신문고(서울특별시 종로구)

옛날의 신문고 제도와 비슷한 오늘날의 제도로 국민 신문고가 있다. 국민 신문고 누리집(https://www.epeople.go.kr/)에 접속해 억울한 일이 있거나 인권 침해를 당했을 때 직접 글을 써서 상황을 알릴 수 있다.

국민 신문고는 국민 권익 위원회가 운영하는 온라인 국민 참여 포털이다. 민원 신청, 예산 낭비 신고, 갑질 피해 신고, 정책 참여, 제안 신청, 부패·공익 신고 등을 웹사이트나 앱에서 쉽게 할 수 있다.

(속 시원한) 활동 풀이

다 함께 활동

공공 기관 누리집에서 인권 신장을 위한 옛날의 제도와 비슷한 오늘날의 제도를 모둠별로 조사해 봅시다.

예 • 컴퓨터를 이용해 민원을 신청하고 신청 결과를 확인할 수 있는 국민 신문고가 있습니다.

• 원칙적으로 한 사건에 대해 급이 다른 법원에서 세 번까지 재판을 받을 수 있는 삼심제가 있습니다.

잠깐! 확인해요

옛날에 백성들은 대궐 밖의 □□□을/를 쳐서 임금에게 억울한 일을 알릴 수 있었다.   (신문고   )

확인 톡! 톡!

📍 정답과 해설 9쪽

1 옛날에 일반 백성들은 억울한 일을 당하면 상소를 올려 자신의 억울함을 호소했다.   (O ㅣ X)

2 징이나 꽹과리, 북 등을 쳐서 임금에게 억울함을 호소한 제도는?   (   )

3 삼복제는 사형과 같은 무거운 형벌을 내릴 때 (두 번, 세 번)의 재판을 거치도록 한 제도이다.

탐구
해요

생활 속에서 인권 보장이 필요한 사례를 찾아볼까요?

① 인권 침해

(1) 인권 **①침해의 의미**: 인간으로서 누려야 할 기본적인 권리를 침해당하는 것을 말한다.

(2) **인권 침해의 사례**: 편견이나 차별, 사이버 폭력, 사생활 침해 등 보충 ①, ②

(3) **인권 침해의 해결 방법**: 인권 침해를 당하는 사람의 어려움을 공감하고 상대방의 입장을 존중하는 태도를 가져야 한다.

② 우리 주변에서 일어나는 인권 침해 사례 〔속 시원한 활동 풀이〕

건물에 휠체어 **②경사로**나 육교에 승강기를 설치하지 않아 장애인과 노약자가 자유롭게 이동할 수 없음.

크고 높은 건물로 햇볕을 쬐지 못하거나 공사장에서 발생하는 **③소음**으로 인해 건강을 해침.

도로에 대형 트럭이 많이 다녀 어린이의 안전을 위협함.

피부색이 다르다고 똑같이 대우하지 않고 놀리거나 차별함.

③ 학교에서 일어나는 인권 침해 사례 〔속 시원한 활동 풀이〕

편견이나 차별	사이버 폭력	사생활 침해

남자는 공기놀이를 하면 안 된다며 남자와 여자를 구별함.	스마트폰 대화방에서 단체로 욕설을 퍼부음.	친구의 수첩을 몰래 본 뒤 다른 친구들에게 내용을 퍼뜨림.

속 시원한 활동 풀이

스스로 활동 그림에서 인권 침해 사례를 찾아 표시하고, 왜 인권 침해인지 그 까닭을 이야기해 봅시다.

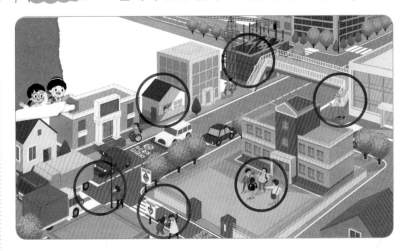

예
- 육교에 승강기가 없어 할아버지가 불편해 하는 것은 노약자가 자유롭게 이동할 권리를 침해하는 것이기 때문입니다.
- 장난으로 친구들끼리 폭력을 사용하는 것은 신체적, 정신적 상처를 입힐 수 있기 때문입니다.

다 함께 활동 우리 주변의 인권 침해 사례를 찾아보고, 해결 방법을 토의해 봅시다.

> 제목: 속상한 날   ○월 ○일 ○요일
> 점심시간에 반 친구들이 축구를 하고 있었다. 재미있어 보여서 나도 같이 하려고 친구들에게 다가갔다. 그런데 갑자기 민형이가 내 앞을 가로막으며, "넌 여자라서 안 돼!"라고 말하였다. 난 그저 재미있어 보여서 같이 하고 싶었던 건데……. 너무 속상하고 화가 나서 어떻게 해야 할지 모르겠다.

1 위 사례가 인권 침해인지 생각해 보고, 인권 침해라면 어떤 문제가 생길지 써 봅시다.
예 인권 침해에 해당하는 사례입니다. 왜냐하면 남자와 여자가 하는 운동을 구분하는 것은 차별이기 때문입니다.

2 주변에서 인권 침해를 보거나 당한 경우가 있다면 모둠 친구들과 이야기해 봅시다.
예 부모님께서 제 일기장을 허락 없이 읽으셨던 적이 있습니다.

3 인권 침해 해결을 위해 어떻게 해야 하는지 친구들과 토의해 봅시다.
예 사생활을 존중해 어린이의 인권도 지켜 주어야 합니다. 편견을 가지고 사람들을 차별하거나 판단하지 않아야 합니다.

잠깐! 확인해요

편견이나 차별, 사이버 폭력은 상대방의 인권을 존중하지 않는 모습이다.   (◎ | X)

확인 툭! 툭!

정답과 해설 9쪽

1 인간으로서 누려야 할 기본적인 권리를 침해당하는 것은?   (   )

2 피부색이 다르다고 친구를 놀리는 것은 인권 침해에 해당하지 않는다.   (O | X)

3 친구의 수첩을 몰래 본 뒤 다른 친구들에게 내용을 퍼뜨리는 것은 (   )(이)다.

우리 사회는 인권 보장을 위해 어떤 노력을 하고 있을까요?

❶ 인권 보장을 위한 국가와 지방 자치 단체의 노력 〔보충 ❶〕

(1) 다양한 사회 보장 제도 시행: 국민이 질병, ❶빈곤 등을 겪지 않고 안정적인 생활을 할 수 있도록 사회 보장 제도를 만들어 시행한다.

무료 예방 접종	모든 국민을 질병으로부터 보호하기 위해 사회적 예방 접종이 필요한 사람들에게 무료로 예방 접종을 시행함.
기초 연금 지급	저소득층 노인의 생활 안정에 도움을 주기 위해 매달 일정액의 연금을 지급함.

(2) 장애인 공공 편의 시설 설치: 장애인이 안전하고 편리하게 공공시설을 이용할 수 있도록 점자 블록, 휠체어 리프트 장치 등 편의 시설을 설치한다. 〔보충 ❷〕

▲ 시각 장애인용 음향 신호기 설치

▲ 장애인 전용 주차 구역 설치

(3) 국가 인권 위원회 설치: 인권 침해 ❷사안이 발생하면 이를 조사하고, 인권 침해를 당한 사람을 도와준다. 〔시험 대비 핵심 자료〕 〔쏙 시원한 활동 풀이〕

❷ 인권 보장을 위한 단체와 학교의 노력

(1) 인권 단체 활동: 사회적 약자의 인권을 보호하기 위해 노력하고, 편견이나 차별을 없애기 위한 인식 개선 캠페인을 벌인다.

인권 단체의 나눔과 봉사 활동	나눔과 봉사 활동을 통해 사회적 약자의 인권을 보장하고자 함.
캠페인 활동	편견이나 차별을 없애고 더불어 살아가는 사회를 만들기 위해 캠페인을 벌임.

(2) 어린이 인권 교육 실시: 인권 교육을 실시해 인권의 소중함을 배우고, 문화의 다양성을 존중하는 태도를 기를 수 있도록 한다.

인권 체험 행사	어린이 인권 체험 행사를 통해 편견과 차별을 예방하고 인권의 소중함을 배움.
다문화 이해 교육	❸다문화 이해 교육을 통해서 문화의 다양성을 인정하고 존중하는 태도를 기름.

어린이들에게 자유를(FTC)
캐나다의 크레이그 킬버거는 신문에서 파키스탄 소년이 어린이 노동 반대 운동을 벌이다 숨졌다는 기사를 읽고 충격을 받았다. 그리고 친구들과 함께 만든 인권 단체가 '어린이들에게 자유를(Free the Children)'이다. 그는 어린이들도 힘을 모아 서로를 도울 수 있다는 것을 알리고 캠페인 활동을 펼쳐 나갔다.
그들은 성금을 모아 세계 곳곳에 많은 학교를 세우고, 100만 명이 넘는 어린이들에게 도움을 주었다.

보충 ❶

◉ 지방 자치 단체
특별시장·광역시장·특별자치시장·도지사·시장·군수·구청장, 시·도 의회, 시·군·구 의회 등 지역 주민들이 구성한 자치 단체를 말한다. 주민의 복리에 관한 사무를 처리하고 재산을 관리하며 법령의 범위 안에서 자치에 관한 규정을 제정할 수 있다.

보충 ❷

◉ 일상생활 속 공공 편의 시설
휠체어를 이용하는 사람들이 계단을 이용할 수 있는 휠체어 리프트, 건물의 기본적인 위치와 구조에 관한 정보를 점자로 제공하는 시각 장애인용 점자 안내도와 같은 공공 편의 시설을 발견할 수 있다.

▲ 시각 장애인용 점자 안내도

1층 안내

용어 사전

❶ **빈곤**(貧: 가난할 빈, 困: 괴로울 곤): 가난해 살기 어려운 것을 말한다.
❷ **사안**(事: 일 사, 案: 책상 안): 법률이나 규정 따위에서 문제가 되는 일이나 안을 말한다.
❸ **다문화**(多: 많을 다, 文: 글월 문, 化: 될 화): 한 사회 안에서 여러 민족이나 여러 국가의 문화가 혼재하는 것을 이르는 말이다.

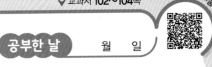
시험 대비 핵심 자료

● 어린이의 인권을 보장하는 국가 인권 위원회

◀ 국가 인권 위원회 인권e 누리집 화면

국가 인권 위원회는 어린이의 인권을 보장하기 위해 여러 가지 노력을 기울이고 있다. 대표적으로 '살색' 크레파스의 표준 명칭을 '살구색'으로 변경할 것, 도서관에서 초등학생이 어린이 열람실만 이용하게 하는 제한을 폐지할 것을 권고했다. 그뿐만 아니라 학교 스포츠부에서의 인권 침해 금지, 학교 폭력 사건을 조사하는 과정에서 인권을 존중할 것 등을 권해 학교 내에서 어린이의 인권 보장을 돕고 있다. 그리고 학대 피해 아동이 가정으로부터 분리되는 과정에서 발생할 수 있는 인권 침해 상황에 대한 실태 조사를 실시한다. 이를 통해 아동 학대를 예방하고 뿌리 뽑기 위해 노력한다.

속 시원한 활동 풀이

스스로 활동

1 국가 인권 위원회가 인권 보장을 위해 어떤 노력을 하고 있는지 찾아봅시다.
예 모든 개인의 인권을 보호하고 향상하기 위해 노력합니다. 남녀 차별적인 인식을 없애기 위해 초·중·고등학교 교과서에 차별적인 부분(내용, 삽화)이 있는지 살펴보고 내용을 수정하라고 권고합니다.

2 인권 보장을 위한 우리 사회의 다양한 노력을 신문이나 누리집에서 더 찾아 발표해 봅시다.
예 놀이터 개선 과정에 지역 주민과 아동이 직접 참여해 만들어진 어린이 놀이터 사례를 찾았습니다.

잠깐! 확인해요

우리 사회에서는 국가, 지방 자치 단체, 시민 등이 인권 보장을 위해 노력한다.   (◎ | X)

확인 톡!톡!

📍 정답과 해설 9쪽

1 국가와 지방 자치 단체는 인권 보장을 위해 무료 예방 접종, 연금 지급 등과 같은 (   )을/를 시행한다.

2 인권 침해 사안이 발생하면 이를 조사하고 인권 침해를 당한 사람을 도와주는 기관은? (   )

3 학교에서는 인권의 소중함을 배우기 위한 인권 교육을 실시한다.   (O | X)

함께 해요

생활 속에서 인권 보호를 실천해 볼까요?

❶ 인권 보호의 실천

(1) 인권 보호 실천의 중요성
① 인권 보호를 위해 작은 일부터 실천하는 것이 중요하다.
② 나의 인권뿐만 아니라 다른 사람의 인권도 지킬 수 있다.
③ 인권은 사회 구성원들의 끊임없는 관심과 다양한 노력으로 보호받을 수 있다.

(2) 인권 보호 실천 방법 보충❶
① 인권 ❶표어나 포스터를 만들 수 있다.
② 인권 캠페인을 벌일 수 있다. 보충❷
③ 인권 개선 편지를 온라인으로 쓸 수 있다.
④ 인권 동영상을 만들거나 인권 사진을 찍을 수 있다.

> 내용➕ 제시된 인권 보호 실천 방법 외에도 인권 개선 편지 쓰기, 인권과 관련한 책 읽기, 인권을 존중하는 말하기 등의 실천 방법이 있다.

(3) 생활 속에서 인권 보호를 실천하는 방법
① 일상생활에서 인권이 보호되지 않는 사례를 조사한다.
② 인권 보호를 실천하는 방법을 찾는다.
③ 인권 보호 실천 방법 중 한 가지를 선택해 실천한다.
④ 활동 후 소감과 결과에 관해 토의한다.

❷ 생활 속에서 인권 보호를 실천하는 활동 (속 시원한 활동 풀이)

(1) 인권이 보호되지 않는 사례 조사하기: 예 저학년에게 높은 ❷음수대, 높은 데 달려 있는 화장실 가방 고리 등
(2) 인권 보호를 실천하는 방법 찾기: 예 인권 보호를 위한 제안서 쓰기, 포스터 만들기, 동영상 만들기 등
(3) 인권 보호 실천 방법을 선택해 실천하기: 예 "저학년도 편하게 이용할 수 있는 음수대의 모습을 포스터로 만들었어요.", "피부색이 다른 친구를 차별하지 말자는 내용을 포스터로 표현했어요." 등

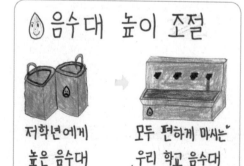

▲ 인권 보호를 실천하는 방법(포스터 만들기)

(4) 활동 소감과 결과 토의하기: 예 "인권은 우리의 관심과 노력으로 보호받을 수 있다는 것을 알게 되었습니다." 등

보충 ❶

◉ 인권 공익 광고
기업이나 단체가 공공의 이익을 목적으로 하는 광고를 공익 광고라고 한다. 공익 광고 중에는 인권을 주제로 인간 존중의 정신을 사람들에게 널리 알리고자 하는 것도 있다.

혼자서는 감당할 수 없는 무게입니다

▲ 보이지 않는 폭력

보충 ❷

◉ 여성 인권
한국 여성 인권 진흥원에서는 여성 긴급 전화를 운영하고 있다. 1366은 구조와 보호가 필요한 여성이 1년 365일에 하루를 더하여 충분하고 즉각적인 서비스를 제공한다는 의미로 연중 24시간 운영하는 전화이다.

용어 사전

❶ 표어(標: 표 표, 語: 말씀 어): 주의, 주장, 강령 따위를 간결하게 나타낸 짧은 어구이다.
❷ 음수대(飮: 마실 음, 水: 물 수, 臺: 돈대 대): 물을 마실 수 있도록 한 시설이다.

 활동 풀이

생활 속에서 인권 보호 실천하기

일상생활에서 인권이 보호되지 않는 사례	예 남자는 공기놀이를 하면 안 된다며 저를 공기놀이에 껴주지 않았습니다.
인권 보호를 실천하는 방법	예 그림 문자(픽토그램)로 표현하기  장애인 픽토그램 레스토랑 픽토그램 화장실 픽토그램 비상구 픽토그램
표현하고 싶은 인권 보호 내용	예 성별에 관계없이 모든 친구들이 함께 공기놀이를 하는 모습을 그림 문자로 표현하고 싶습니다. 왜냐하면 남자는 공기놀이를 하면 안 된다며 남자와 여자를 구별하는 것은 편견이나 차별에 해당하기 때문입니다.
활동 결과 및 소감	예 모든 친구들이 함께 놀이를 하는 모습을 그림 문자로 표현했습니다. 남자가 하는 놀이와 여자가 하는 놀이가 따로 있다고 구분하는 것은 인권 침해라는 것을 알게 되었습니다. 

 톡!톡!

📍정답과 해설 9쪽

1 인권 보호를 위해 작은 일부터 (   )하는 것이 중요하다.

2 인권은 사회 구성원들의 끊임없는 관심과 노력으로 보호받을 수 있다.   (○ | X)

3 인권 보호를 실천하면 다른 사람의 인권을 지킬 수 (있다 , 없다).

'인권을 존중하는 삶'에서 배운 내용을 떠올리며 문제에 알맞은 O, X 카드를 선택하여 낱말 카드를 완성해 봅시다.

소 식
1 누구나 태어날 때부터 인권을 가진다.

공 중
2 인권을 보호하기 위해 나와 다른 모습의 사람들은 무시한다.

한 국
3 방정환은 어린이날을 만들어 어린이가 꿈과 희망을 가지고 성장할 수 있도록 노력하였다.

행 인
4 옛날에는 인권을 존중하기 위한 제도가 없었다.

권 리
5 국가와 지방 자치 단체는 국민의 인권을 보장하기 위해 다양한 제도를 만들어 시행한다.

❶ 소 ❷ 중 ❸ 한 ❹ 인 ❺ 권

핵심 꿀꺽 질문

인권의 의미를 설명할 수 있나요?	
인권 신장을 위한 노력을 조사할 수 있나요?	
인권의 중요성을 말할 수 있나요?	
인권 보호를 실생활에서 실천할 수 있나요?	

중요

1 빈칸 ㉠, ㉡에 들어갈 알맞은 말을 쓰시오.

> • 사람에게는 나이, 성별, 인종 등과 관계없이 누구나 사람으로서 존중받고 행복하게 살아 갈 ㉠ 이/가 있다.
> • 사람이기 때문에 마땅히 누려야 할 기본적인 권리를 ㉡ (이)라고 한다.

㉠: ＿＿＿＿＿＿＿＿＿＿＿＿＿＿＿

㉡: ＿＿＿＿＿＿＿＿＿＿＿＿＿＿＿

2 인권의 의미로 알맞지 <u>않은</u> 것은 어느 것입니까?
                            (   )

① 모든 사람은 나와 똑같은 권리가 있다.
② 모든 권리 중에서 나의 인권만 가장 소중하다.
③ 다른 사람의 인권을 존중하는 태도가 필요하다.
④ 사람은 누구나 태어날 때부터 인권을 보장받는다.
⑤ 인권은 다른 사람이 힘이나 권력을 이용해 함부로 빼앗을 수 없다.

3 인권을 존중하는 모습으로 알맞지 <u>않은</u> 것은 어느 것입니까?   (   )

① 청소년이 충분히 쉴 수 있도록 한다.
② 홍수로 피해를 본 사람들을 도와준다.
③ 시각 장애인을 위해 점자 블록을 설치한다.
④ 노약자에게 교통 약자석을 양보하지 않는다.
⑤ 키가 작은 어린이를 위해 승강기에 발판을 설치한다.

4 빈칸에 들어갈 알맞은 말을 쓰시오.

> 모든 사람은 나와 똑같은 인권이 있으므로 다른 사람의 인권을 ☐☐하는 태도가 필요하다.

중요

5 다음 글에서 잘못된 부분을 찾아 바르게 고쳐 쓰시오.

> 인권은 누구나 태어날 때부터 갖게 되는 권리로 모든 사람이 가질 수 있는 권리이다. 인권은 다른 사람이 힘이나 권력을 이용해 빼앗을 수 있는 권리이다.

＿＿＿＿＿＿＿＿＿＿＿＿＿＿＿＿＿＿＿＿＿

6 인권에 대한 설명으로 알맞지 <u>않은</u> 것을 보기 에서 모두 골라 기호를 쓰시오.

> **보기**
> ㉠ 인권은 태어난 이후 법이 정하는 바에 의하여 갖게 된다.
> ㉡ 인권은 나이, 성별, 인종 등과 관계없이 누구나 갖게 되는 권리이다.
> ㉢ 인권은 국가 권력이나 타인에 의해 함부로 빼앗길 수 없는 권리이다.
> ㉣ 나의 인권이 가장 소중하기 때문에 다른 사람의 인권은 존중하지 않아도 된다.

＿＿＿＿＿＿＿＿＿＿＿＿＿＿＿＿＿＿＿＿＿

7 다음 글에서 설명하는 '이 사람'의 이름을 쓰시오.

> 과거 우리나라에서는 어린이의 인권을 무시하는 경우가 많았다. 이를 본 '이 사람'은 어린이가 존중받고 행복하게 자라기를 바라는 마음으로 1923년 '어린이날'을 만들었다.

8 신분으로 차별받는 사람들의 인권을 다루기 위해 허균이 지은 책은 어느 것입니까? ( )

① 흥부전 ② 심청전
③ 홍길동전 ④ 별주부전
⑤ 콩쥐팥쥐

9 다음 글에서 설명하는 사람을 쓰시오.

> • 가난한 사람과 버림받은 아이들을 위해 평생을 바쳤다.
> • 인도의 콜카타에 '사랑의 선교 수녀회'를 만들어 소외된 자들을 돌보았다.

10 인권 신장을 위한 옛날의 제도에 대한 설명으로 알맞은 것을 보기 에서 골라 기호를 쓰시오.

보기

> ㉠ 신문고 제도: 부당한 일을 당한 백성이 대궐밖에 있는 신문고라는 북을 쳐서 임금에게 알린 제도
> ㉡ 격쟁: 신분에 관계없이 억울한 일을 쓴 문서를 임금에게 제출해 자신의 억울함을 호소한 제도
> ㉢ 상언 제도: 억울한 일을 당한 사람이 징이나 꽹과리, 북 등을 쳐서 임금에게 억울함을 호소한 제도
> ㉣ 삼복제: 사형과 같은 무거운 형벌을 내릴 때 억울하게 벌을 받는 일이 없도록 두 번의 재판을 거치도록 한 제도

11 우리 주변에서 일어나는 인권 침해 사례로 알맞지 않은 것은 어느 것입니까? ( )

① 친구를 놀리지 않고 사이좋게 지낸다.
② 도로에 대형 트럭이 많이 다녀 위험하다.
③ 공사장 소음이 커 공부하는 데 방해가 된다.
④ 육교에 승강기가 없어 노인이 편하게 이동하기 어렵다.
⑤ 옆에 새로 생긴 건물 때문에 한낮에도 햇빛이 잘 들어오지 않는다.

중요

12 올바른 인권 존중 자세를 보기 에서 모두 골라 기호를 쓰시오.

보기

> ㉠ 친구의 수첩을 몰래 보고 다른 친구들에게 그 내용을 퍼뜨린다.
> ㉡ 앨리스는 피부색이 다르지만 소중한 친구니까 사이좋게 지낸다.
> ㉢ 친구들과 올바르게 스마트폰 사용하는 방법을 배워서 사이버 공간에서도 바른 말을 사용한다.
> ㉣ 점심시간에 주은이가 축구를 같이하려고 했지만, 축구는 남자들이 하는 스포츠라서 끼워주지 않는다.

13 사진은 인권 보장을 위한 어떤 노력인지 쓰시오.

14 인권 보장을 위한 사회 보장 제도로 알맞은 것은 어느 것입니까? ( )

① 국가 인권 위원회를 설치한다.
② 다문화 이해 교육을 실시한다.
③ 장애인을 위한 공공 편의 시설을 설치한다.
④ 편견이나 차별을 없애기 위한 인식 개선 캠페인을 벌인다.
⑤ 사회적 보호가 필요한 사람들에게 무료로 예방 접종을 실시한다.

15 다음 설명에 해당하는 '이 기관'을 쓰시오.

• '이 기관'은 인권 침해 사안이 발생하면 이를 조사하고 인권 침해를 당한 사람을 도와준다.
• '이 기관'은 '살색' 크레파스의 표준 명칭을 '살구색'으로 변경할 것을 권고했다.

_____

16 인권 보호를 실천하는 방법으로 알맞지 않은 것은 어느 것입니까? ( )

① 인권 사진 찍기
② 인권 표어 만들기
③ 인권 동영상 만들기
④ 인권 포스터 만들기
⑤ 우정 글귀 표현하기

워드 클라우드와 함께하는 **서술형 문제**

[17-18] 워드 클라우드의 단어를 이용하여 서술형 문제의 답을 쓰시오.

인권 권리 **존중** 어린이 봉사
보장 편견 문화 다양성 차별 사회적 약자

17 다음 자료를 보고, 인권 보장을 위해 어떤 노력을 했는지 쓰시오.

'어린이들에게 자유를(FTC)'이라는 인권 단체는 어린이들이 일을 해서 모은 돈으로 학교를 세우고 많은 어린이들에게 도움을 주었다. 이 단체는 어린이들도 힘을 모아 서로 도울 수 있다는 것을 알리고 캠페인 활동을 펼쳐 나갔다.

_____

_____

18 다음 자료를 읽고, 인권을 존중하는 올바른 태도를 쓰시오.

오늘 학교에서 어린이 인권 센터를 방문했다. 일상생활에서 인권을 존중받지 못하는 다양한 사례와 피부색으로 놀림을 받고 차별받는 친구의 이야기를 들을 수 있었다. 그리고 점심시간에는 다른 나라의 음식들이 담긴 도시락을 먹었다. 처음에는 낯선 음식이라 천천히 먹었지만, 먹다 보니 음식마다 개성이 있어 즐겁게 식사를 할 수 있었다.

_____

_____

배리어 프리(Barrier Free)

배리어 프리는 '장벽(Barrier)을 허문다(Free).'는 뜻으로, 장애인, 노인, 이동 약자 등의 사회적 약자도 살기 좋은 사회를 만들기 위해 물리적, 제도적 장벽을 허물자는 운동입니다. 배리어 프리는 사회적 약자의 편리한 이동을 위한 서비스부터 시작해 문화와 예술 분야까지 다양하게 적용되고 있습니다.

무장애 버스 정류장과 저상 버스

이동에 편리한 시설물

배리어 프리 영화

법이란 무엇일까요?

보충 ❶

● **법의 종류**
헌법, 법률, 조약, 대통령령·총리령·부령, 지방 자치 단체의 조례와 규칙이 있다.

❶ 법

(1) 법의 의미: 사람들이 지켜야 할 여러 가지 행동 기준 가운데 국가가 만든 강제성이 있는 **❶규범**을 말한다. **보충 ❶**

> **내용➕** 법은 사회 구성원들의 합의에 따라 만들어지기 때문에 개인은 물론 단체, 국가에 이르기까지 모두가 지켜야 할 기준이 된다.

(2) 법의 성격

① 사회 구성원 모두가 지켜야 할 행동의 기준으로, 지키지 않으면 **❷제재**를 받는다.

② 고정된 것이 아니라 시대나 사회 변화에 따라 바뀌거나 새로 만들어지기도 한다. **보충 ❷**

(3) 생활 속 법의 예 (속 시원한 활동 풀이)

① 어린이 보호 구역: 교통사고의 위험으로부터 어린이를 보호한다.

② 교육 환경 보호 구역: 학교의 보건이나 위생, 학습 환경을 보호한다.

③ 어린이 식품 안전 보호 구역: 어린이의 건강을 해치는 식품의 판매를 금지한다.

④ 폐회로 텔레비전(CCTV): 범죄를 예방하거나 억제하고 범인을 발견하는 데 도움을 준다.

⑤ 신호등: 녹색등이 켜지면 건너가고 빨간색등이 켜지면 멈추어야 한다.

▲ 폐회로 텔레비전

보충 ❷

● **시대나 사회 변화에 따라 바뀌거나 새로 만들어진 법**
• 감염병 예방법: 감염병 유행에 따른 국가적인 위기 상황에서 예방 수칙을 지키지 않은 사람에게 손해 배상을 청구할 수 있다.
• 어린이 안전법: 어린이집 등 어린이 이용 시설 종사자는 어린이 응급 상황 발생에 대비해 매년 안전 교육을 받아야 한다.
• 개인 정보 보호법: 개인 정보를 처리할 때 처리하는 내용을 당사자가 명확히 알 수 있도록 하고, 각각 동의를 받아야 한다.

▲ 어린이 보호 구역

▲ 어린이 식품 안전 보호 구역

❷ 법과 도덕

(1) 도덕의 의미: 사회 구성원의 양심 등에 비추어 스스로 마땅히 지켜야 할 행동의 기준이다.

용어 사전

❶ **규범**(規: 법 규, 範: 법 범): 인간이 행동하거나 판단할 때에 마땅히 따르고 지켜야 할 가치 판단의 기준을 말한다.
❷ **제재**(制: 억제할 제, 裁: 마를 재): 법이나 규정을 어겼을 때 국가가 처벌이나 금지 따위를 행하는 것을 말한다.

(2) 법과 도덕의 차이점: 법은 지키지 않았을 때 제재를 받는다는 점에서 강제성을 가지지만, 사람들이 자율적으로 지키는 도덕은 지키지 않았을 때 제재를 받지 않는다.

(3) 법으로 제재를 받는 행위와 제재를 받지 않는 행위 (속 시원한 활동 풀이)

법으로 제재를 받는 행위	법으로 제재를 받지 않는 행위
• 프로그램을 불법으로 내려받는 행위 • 주정차 금지 구역에 주차하는 행위	• 지하철 임산부 배려석에 앉아 임산부에게 자리를 양보하지 않는 행위 • 이웃 어른을 보고 인사하지 않은 행위

속 시원한 활동 풀이

1 그림에서 법과 관련 있다고 생각하는 장면에 ○표를 해 보고, 그렇게 생각한 까닭을 이야기해 봅시다.

예

- 어린이 놀이 시설의 안전 상태를 점검하고 수리하는 것은 어린이 놀이 시설을 관리하는 법에 따른 것이기 때문입니다.
- 어린이 보호 구역은 교통사고의 위험으로부터 어린이를 보호하기 위한 것으로, 이곳에서는 차들이 시속 30km 이하로만 다녀야 합니다.
- 신호등은 녹색등이 켜지면 가야 하고, 빨간색 등이 켜지면 멈추어야 하기 때문입니다.

2 다음 사례를 보고 법으로 제재를 받는 행위와 그렇지 않은 행위를 구분해 봅시다.

임산부가 아닌데 임산부 배려석에 앉아 있어.

☐ 법의 제재를 받는 행위
☑ 법의 제재를 받지 않는 행위

이웃 어른을 보고 인사하지 않았어.

☐ 법의 제재를 받는 행위
☑ 법의 제재를 받지 않는 행위

프로그램을 불법으로 내려받고 있어.

☑ 법의 제재를 받는 행위
☐ 법의 제재를 받지 않는 행위

주정차 금지 구역에 주차하였어.

☑ 법의 제재를 받는 행위
☐ 법의 제재를 받지 않는 행위

3 미래 사회의 변화 모습을 상상해 보고, 어떤 법이 필요할지 이야기해 봅시다.

예 • **미래 사회의 변화 모습:** 미래 사회에는 과학 기술이 발달하여 로봇 반려동물이 많아질 수 있습니다.
- **미래 사회에 필요한 법:** 로봇 반려동물을 관리하는 법이 필요할 것 같습니다.

확인 톡! 톡!

정답과 해설 11쪽

1 사람들이 지켜야 할 여러 가지 행동 기준 가운데 국가가 만든 강제성이 있는 규범은?   (   )

2 법은 사람들이 지켜야 할 기준으로 바뀌거나 새로 만들어지지 않는다.   (○ | X)

3 법은 지키지 않았을 때 제재를 받는 (   )을/를 가진다는 점에서 도덕과 차이가 있다.

우리 생활과 관련된 법을 찾아볼까요?

① 일상생활과 관련된 법

(1) 일상생활과 관련된 법의 예 보충① 속 시원한 활동 풀이

아이가 태어나면 ❶출생 신고를 함.

일정한 나이가 되면 초등학교에 입학함.

일할 때 근로 ❷계약서를 작성하고, 건물이나 주택을 살 때 계약서를 작성함.

물품을 살 때 필요한 지식과 정보를 제공받아야 함. 보충②

(2) 일상생활과 관련된 법을 통해 알 수 있는 사실
① 법은 일상생활 곳곳에서 적용되고 있다.
② 법은 우리의 권리를 보호해 준다.
③ 법은 사람들이 안심하고 살 수 있도록 도와준다.

② 학교생활과 관련된 법

(1) 학교생활과 관련된 법의 예 속 시원한 활동 풀이
① 초·중등 교육법: 학생을 교육하고 학교의 운영과 관련한 내용을 정해 둔 법으로, 중·고등 교육에 관한 사항을 정하는 데 목적이 있다.
② 학교 도서관 진흥법: 학교 도서관의 설립과 운영, 지원 등과 관련한 사항이 들어 있는 법이다.
③ 학교 폭력 예방 및 대책에 관한 법률: 학교 폭력을 예방하고 학생의 인권을 보호하기 위한 법이다.
④ 학교 급식법: 학교 급식에 관한 사항을 정해 학교 급식의 질을 향상하고 학생의 건전한 심신의 발달과 국민 식생활 개선에 이바지함을 목적으로 하는 법이다.

(2) 학교생활과 관련된 법을 통해 알 수 있는 사실
① 학교에서 교육받을 수 있는 것도 법에 따른 것임을 알 수 있다.
② 학생들은 학교에서 학생의 건강을 지키거나 인권을 보호하는 법을 통해 더욱 안전하게 교육을 받으며 생활할 수 있다.

보충 ❶

◉ 찾기 쉬운 생활 법령 정보
일상생활과 관련된 법이 궁금할 때 찾아볼 수 있는 누리집이다. 이 누리집에서는 생활 법령을 책자형, 카드 뉴스형, 사례형 등 다양한 방식으로 정리해 두었다.

보충 ❷

◉ 국가 통합 인증 마크(KC 마크)

특정 제품을 유통·판매할 때 반드시 표시하도록 법으로 정한 마크이다. 소비자는 국가 통합 인증 마크를 통해 안전한 제품을 구매할 수 있다.

용어 사전

❶ 출생 신고(出: 날 출, 生: 날 생, 申: 납 신, 告: 아뢸 고: 사람이 태어났음을 관청에 알리는 일을 말한다.

❷ 계약서(契: 맺을 계, 約: 맺을 약, 書: 글 서): 계약이 성립되었음을 증명하기 위해 작성하는 서류를 말한다.

2
단원

속 시원한 활동 풀이

✊ 스스로 활동 **일상생활에서 법이 적용된 사례를 더 찾아 발표해 봅시다.**

📝 • 장애인들이 차별받지 않고 일할 수 있도록 하는 법이 있습니다.
   • 반려동물과 관련해 동물을 보호하고 관리하는 내용을 정해 둔 법이 있습니다.

👏 다 함께 활동 **우리 생활에 필요한 법을 생각해 봅시다.**

1 우리 주변에 어떤 문제 상황이 있는지 친구들과 이야기해 보고, 빈칸에 써 봅시다.

일요일에 학원에 다니지 못하게 하는 법이 있으면 좋겠어.

📝 학교 안에 자전거 편의 시설이 있으면 좋겠어.

식당이 있는 학교에서는 점심을 늦게 먹는 학생들의 점심시간을 충분히 보장해 주어야 한다고 생각해.

📝 학생들이 편하게 쉴 수 있는 공간이 있으면 좋겠어.

2 위와 같은 문제를 해결하기 위해 어떤 법을 만들면 좋을지 생각해 봅시다.
📝 학생의 급식 시간을 보장해 주는 점심시간 보장법을 만들고 싶습니다.

3 위에서 만든 법의 목적이 무엇인지 이야기해 봅시다.
📝 점심시간 보장법은 학교 급식실 여건을 고려해 점심시간을 탄력적으로 운영하여 학생이 급식을 편하게 먹도록 시간을 충분히 확보할 수 있도록 하는 데 목적이 있습니다.

🐱 잠깐! 확인해요

우리의 일상생활은 법과 밀접한 관련을 맺고 있다.   (◎ ㅣ X)

📍 정답과 해설 11쪽

1 아이가 태어나면 법에 따라 출생 신고를 해야 한다.   (O ㅣ X)

2 일상생활 곳곳에서 적용되고 있는 법은 우리의 (   )을/를 보호해 준다.

3 학교생활과 관련된 법 중에서 학교 도서관의 설립과 운영, 지원과 관련한 법은?   (   )

법의 역할이 무엇인지 알아볼까요?

① 법의 필요성

(1) 법이 없을 때 생길 수 있는 문제: 자신의 이익만을 생각해 다른 사람의 권리를 침해하고 사회 질서를 어지럽히는 일이 발생할 수 있다.

(2) 법이 필요한 이유

① 개인의 권리를 보호해 주면서 안심하고 살 수 있도록 도와준다.

② 법을 어기거나 잘못을 저지른 사람을 처벌하는 기준이 되어 사회 질서를 유지하는 데 도움을 준다.

② 법의 역할 (속 시원한 활동 풀이)

(1) 개인의 권리 보호

① ❶개인 정보 보호: 개인 정보 처리 및 보호에 관한 내용을 정해 개인의 자유와 권리를 보호한다. 보충 ❶

② 재판: 개인 간의 분쟁을 해결하기 위해 재판받을 수 있도록 하고 판단 기준을 명확히 제시한다.

③ 안전 관리: 개인의 생명과 신체를 보호하기 위해 재난 및 안전 관리 체제를 확립한다. 보충 ❷

④ ❷구호 활동: 개인의 재산을 보호하기 위해 피해가 있을 때 적극적인 구호 활동을 하거나 예방 대책을 마련한다.

▲ 재판　　　　　　　　　　　　　　　　　▲ 119 안전 신고 센터

(2) 사회 질서 유지

① 범죄 예방: 범죄를 예방해 사람들이 안전하게 살아가도록 해 준다.

② 질병 예방: 질병이나 감염병을 예방해 국민 건강에 이바지한다.

③ 교통사고 예방: 교통사고 및 피해 등을 예방해 일상생활에서의 위험을 막아 준다.

④ 환경 오염 예방: 환경 오염과 환경 훼손을 예방해 건강하고 쾌적한 삶을 누리게 해 준다.

▲ **되살아나는 도시의 하천**　환경 오염과 환경 훼손을 예방해 오염되었던 하천에 철새가 찾아오고, 시민들이 산책이나 운동을 하는 등 쾌적한 생활을 하게 해 준다.

보충 ❶

◉ 「개인 정보 보호법」
개인 정보의 유출, 오용, 남용으로부터 사생활의 비밀 등을 보호하는 것을 목적으로 하고 있는 법이다. 종이 문서에 기록된 개인 정보 외에 컴퓨터 등에 의해 처리되는 정보도 보호 대상에 포함된다.

보충 ❷

◉ 「재난 및 안전 관리 기본법」
각종 재난으로부터 국토를 보존하고 국민의 생명·신체 및 재산을 보호하기 위함을 목적으로 하는 법이다.

용어 사전

❶ **개인 정보**(個: 낱 개, 人: 사람 인, 情: 뜻 정, 報: 갚을 보): 이름, 주민 등록 번호, 직업, 주소, 전화번호와 같은 개인에 대한 자료를 통틀어 이르는 말이다.

❷ **구호**(救: 구원할 구, 護: 보호할 호): 재해나 재난 따위로 어려움에 처한 사람을 도와 보호하는 것을 말한다.

2
단원

속 시원한 활동 풀이

스스로 활동

1 아래 자료에 나타난 법의 역할이 무엇인지 이야기해 봅시다.

> ○○○○ 소방 본부는 생활 안전사고 대응을 위한 119 생활 안전 전담대를 시범 운영 중이다. 119 생활 안전 전담대는 「소방 기본법」에 정하고 있는 생활 안전 활동을 수행하기 위해 해당 구조대 생활 안전 구조 장비를 갖춘 차량 1대와 생활 안전 자격을 가진 대원을 배치한다.
>
> – 『김해 뉴스』, 2021. 7. 16.

예 개인의 권리 보호입니다.

2 일상생활과 관련된 법의 사례를 신문 기사, 방송 자료에서 찾아보고, 그와 관련된 법의 역할을 정리해 봅시다.

예 법의 역할 조사 보고서			
조사 날짜	○○년 ○월 ○일	조사 방법	신문 기사, 방송 자료
조사 자료	○○시가 공공 화장실 2만 곳에 불법 촬영 장비가 설치되었는지 매일 점검하는 계획을 발표했습니다.		
조사 자료에 나타난 법의 역할	사회 질서 유지: 법은 범죄를 예방해 사람들이 안전하게 살아가도록 해 줍니다.		
느낀 점	• 우리 사회의 많은 일들이 법에 따라 이루어지고 있습니다. • 법은 개인의 권리를 보호하고 사회 질서를 유지하는 데 도움을 줍니다.		

잠깐! 확인해요

법은 개인의 권리를 보호하고 사회 질서를 유지하는 역할을 한다.   (◎ | X)

확인 톡!

📍 정답과 해설 11쪽

1 법이 없다면 다른 사람의 권리를 침해하고 사회 질서를 어지럽히는 일이 발생할 수 있다.   (○ | X)

2 법은 개인의 권리를 보호하고 (   )을/를 유지하는 역할을 한다.

3 (   )은/는 개인 간의 분쟁을 해결하기 위해 판단 기준을 명확히 제시해 개인의 권리를 보호해 주는 역할을 한다.

법을 지켜야 하는 까닭을 알아볼까요?

❶ 법을 지켜야 하는 까닭

(1) 법을 어기는 행동이 미치는 영향: 다른 사람에게 피해를 주거나 다른 사람의 권리를 침해할 수 있다. 보충 ❶

(2) 법을 지킨 사례

| 도로 교통과 관련된 법의 ❶개정으로 어린이 보호 구역에 과속 단속 카메라가 많이 설치되었다. 보충 ❷ | → | 학교 도로 주변에서 차들이 천천히 달렸다. | → | 어린이 보호 구역에서 발생하는 교통사고가 줄어들었다. |

▲ 학교 앞 과속 단속 카메라

▲ 어린이 보호 구역

(3) 법을 ❷준수하는 태도의 필요성: 법을 잘 지키는 사회에서는 모두의 권리를 보장받을 수 있고 안전하게 생활할 수 있기 때문에 법이 우리 모두의 행복과 관련 있다는 것을 알고 법을 잘 준수해야 한다.

❷ 법을 지키려는 마음을 준법 서약서에 표현하는 활동 (속 시원한 활동 풀이)

(1) 법을 지키지 않을 때 발생하는 문제 생각하기: 예 "권리를 침해받을 것 같습니다.", "사회 질서가 유지되기 어려워 사회가 혼란에 빠질 수 있습니다."

(2) ❸준법 서약서 작성하기

내용 법을 지키려는 마음을 준법 서약서에 글과 그림으로 나타낼 수 있다.

(3) 준법 서약서 소개하기: 예 "저작권을 잘 지키겠다는 마음을 준법 서약서에 담았습니다."

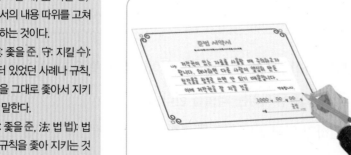

▲ 준법 서약서

▲ 그림으로 표현한 준법 서약

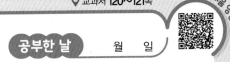

2
단원

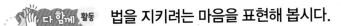

속 시원한 **활동 풀이**

🐟 다 함께 활동   **법을 지키려는 마음을 표현해 봅시다.**

1 법을 지키지 않을 때 어떤 문제가 생길 수 있는지 써 봅시다.

예 사회 질서가 유지되기 어려워 사회가 혼란에 빠질 수 있습니다.
사람들이 피해를 입거나 권리를 침해받을 것 같습니다.

2 법을 지키려는 마음을 담아 준법 서약서를 써 봅시다.

준법 서약서	준법 서약서
예 교통 신호를 잘 지킬 것입니다. 교통 신호를 지키는 것은 나뿐만 아니라 다른 사람의 안전도 지킬 수 있기 때문입니다. 이에 교통 신호를 잘 지킬 것을 약속합니다. 2○○○년 ○월 ○일 김준성	

3 법을 지키려는 마음이 드러난 준법 서약서를 친구들에게 소개해 봅시다.

예 저는 교통 신호를 잘 지킬 것이라는 다짐을 준법 서약서에 썼습니다.
저는 프로그램을 불법으로 다운받지 않겠다고 준법 서약서에 썼습니다.

🐛 잠깐! 확인해요

권리를 보장받고 안전하게 생활하기 위해 법을 잘 지키는 자세가 필요하다.   (◎ ∣ X)

📍 정답과 해설 11쪽

1 법을 어기면 다른 사람의 권리를 (보장, 침해)할 수 있다.

2 법을 잘 지키는 사회에서는 안전한 생활을 보장받는다.   (O ∣ X)

3 법이 우리 모두의 행복과 관련 있다는 것을 알고 법을 (   )하는 태도가 필요하다.

역할놀이로 법의 역할과 필요성을 알아볼까요?

❶ 법의 역할과 필요성을 알아보는 역할놀이

(1) 역할놀이 진행 모습

① 제시된 상황: 다수의 피해자가 발생한 누리집 가짜 입장권 판매 사건

> ○○○씨는 인터넷 포털에서 게시물을 보고 콘서트 입장권을 구매하였습니다. 결제를 하고 나니 입장권이 문자로 와 안심하였습니다. 그런데 이후 콘서트장에 갔더니 입장권이 가짜라는 것이 드러났고 자신 외에도 여러 피해자들이 있다는 것을 알게 되었습니다.

② 역할놀이 등장인물: 입장권 구매자, 입장권 판매자, 경찰관 1, 경찰관 2, ❶판사, ❷기자

③ 등장인물별 역할: 역할놀이 대본을 파악하고 등장인물이 되어 역할을 수행한 다음, 등장인물을 정리한다.

등장인물	역할
입장권 구매자	입장권 판매자로부터 가짜 입장권을 구매함.
입장권 판매자	여러 사람들에게 가짜 입장권을 판매함.
경찰관 1, 2	입장권 구매자의 신고를 받고 사기 친 입장권 판매자를 검거해 조사함.
판사 보충 ❶	가짜 입장권 판매자에게 법에 따라 처벌을 내림.
기자	가짜 입장권 판매와 관련해 취재를 하고 기사를 작성해 뉴스를 보도함.

내용➕ 제시된 상황에서 입장권 구매자가 경찰서에 신고한 까닭, 입장권 판매자가 처벌을 받은 까닭을 생각해 본다.

(2) 역할놀이 진행 방법

> ❶ 제시된 사례에서 어떤 상황이 일어났는지 살펴본다.
> ❷ 역할놀이 대본을 살펴본다.
> ❸ 역할을 정해 역할놀이를 한다.
> ❹ 역할놀이를 하면서 알게 된 사실을 이야기한다.
> ❺ 역할놀이를 통해 알게 된 법의 역할을 이야기한다.

❷ 역할놀이를 통해 알게 된 법의 역할과 필요성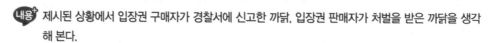

(1) 역할놀이를 통해 알게 된 법의 역할 보충 ❷

① 법을 지키는 것이 중요하다.
② 법은 일상생활에 많은 영향을 준다.
③ 법을 지키지 않으면 다른 사람의 권리를 침해할 수 있다.
④ 법을 지키지 않으면 처벌받는다.

(2) 역할놀이를 통해 알게 된 법의 필요성

① 개인의 권리를 보호해 준다.
② 사람들 사이에 분쟁이 생겼을 때 재판을 통해 문제를 해결하게 한다.
③ 법을 지키지 않은 사람을 처벌함으로써 사회 질서를 유지한다.

속 시원한 **활동 풀이**

역할놀이로 법의 역할과 필요성 알아보기

상황	**예** 영화 산업도 저작권 침해로 골머리를 앓고 있다. 지난 3월 한국 콘텐츠 진흥원이 발표한 '2022년 영화 온라인 불법 유통 실태 조사 및 저작권 보호 조치 모니터링 통계'에 따르면, 1월 개봉 및 온라인 유통을 시작한 한국 영화 163편을 대상으로 불법 유통 실태 조사를 진행한 결과 일반 영화는 온라인 유통을 시작한 후 68%의 영화가 불법으로 유통되었으며, 독립·예술 영화는 46%가 불법 유통되었다. – 「kstarnews」, 2022. 5. 27.
등장인물	**예** ○○영화 불법 유통자, 기자, 판사, 검사, 변호인, 경찰관
역할놀이 대본	**예** • **기자:** 최근 인터넷 상에서 우리나라 영화가 불법으로 유통되는 사례가 급증하면서 저작권에 대한 관심이 높아지고 있습니다. 오늘은 그와 관련한 재판 현장 소식을 전해드리겠습니다. • **판사:** 지금부터 ○○ 영화의 불법 유통과 관련한 저작권 침해 사건에 대한 재판을 시작하겠습니다. • **검사:** 피고인(불법 유통자)은 ○○ 영화를 여러 누리집에 불법으로 유통해 금전적인 이익을 취했습니다. • **판사:** 피의자 분, 인정하십니까? • **영화 불법 유통자:** (고개를 들지 못 하고)네, 죄송합니다. • **변호인:** 피고인은 해당 사건에 대해 잘못을 깊이 반성하고 있습니다. • **판사:** 해당 사건의 수사를 담당한 경찰관이 증인으로 출석했습니다. 증인, 이 사건으로 영화 저작권자가 입은 피해 규모는 어느 정도입니까? • **경찰관:** 네, 영화 수익금 천만 원 정도입니다. • **검사:** 하지만 해당 영화가 지금도 불법으로 유통되고 있어 피해 규모는 더 커질 것으로 예상하고 있습니다. • **판사:** 피고인은 저작권자의 권리를 침해하고 부당한 이익을 취했습니다. 이에 관련법에 따라 피고인에게 벌금과 추징금 판결을 내리겠습니다. • **기자:** 이 사건으로 우리는 다른 사람의 저작권을 침해해서는 안 된다는 사실을 알고, 법에 따른 개인의 권리 보호와 사회 질서 유지에 대해 생각해 보아야 할 것이라고 생각합니다. 이상 법원에서 ○○○ 기자였습니다.

📍정답과 해설 11쪽

1 법의 역할과 필요성을 알아보는 역할놀이에서 법에 따라 처벌을 내리는 사람은?　　　（　　　　）

2 역할놀이를 통해 법을 지키지 않으면 처벌받는다는 것을 알 수 있다.　　　（ O ｜ X ）

3 법을 지키지 않는 사람을 (　　　)함으로써 사회 질서를 유지할 수 있다.

즐겁게 정리해요

'법의 의미와 역할'에서 배운 내용을 떠올리며 바르게 설명한 숫자 카드를 순서대로 찾아 비밀번호를 풀어 법전을 꺼내 봅시다.

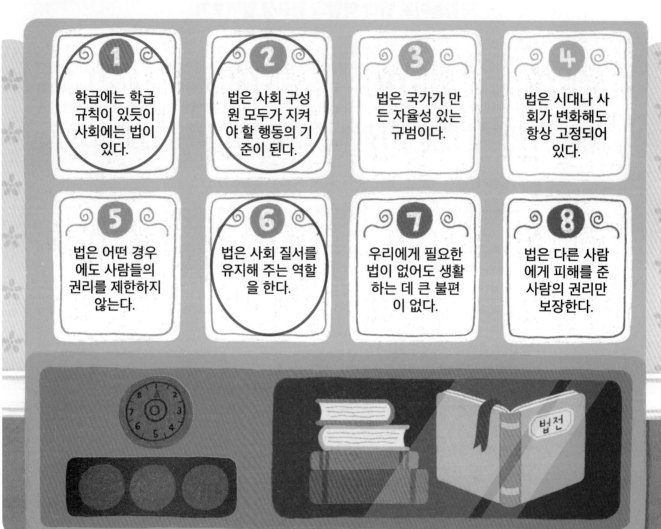

1 학급에는 학급 규칙이 있듯이 사회에는 법이 있다.

2 법은 사회 구성원 모두가 지켜야 할 행동의 기준이 된다.

3 법은 국가가 만든 자율성 있는 규범이다.

4 법은 시대나 사회가 변화해도 항상 고정되어 있다.

5 법은 어떤 경우에도 사람들의 권리를 제한하지 않는다.

6 법은 사회 질서를 유지해 주는 역할을 한다.

7 우리에게 필요한 법이 없어도 생활하는 데 큰 불편이 없다.

8 법은 다른 사람에게 피해를 준 사람의 권리만 보장한다.

핵심 꿀꺽 질문

법의 의미와 성격을 설명할 수 있나요?

법의 역할을 말할 수 있나요?

법을 지키는 태도를 생활 속에서 실천할 수 있나요?

중요

1 법에 대한 설명으로 알맞지 <u>않은</u> 것은 어느 것입니까? (   )

① 지키지 않았을 때 제재를 받지 않는다.
② 사회 구성원들의 합의에 따라 만들어진다.
③ 개인, 단체, 국가 모두가 지켜야 할 기준이다.
④ 시대나 사회 변화에 따라 새로 만들어지기도 한다.
⑤ 사람들이 지켜야 할 여러 가지 행동 기준 가운데 국가가 만든 강제성이 있는 규범이다.

2 일상생활 속 법의 사례로 알맞지 <u>않은</u> 것은 어느 것입니까? (   )

① 이웃 어른을 보면 반드시 인사한다.
② 범죄를 예방하기 위해 폐회로 텔레비전을 설치한다.
③ 어린이 놀이 시설의 안전 상태를 점검하고 수리한다.
④ 교통사고의 위험으로부터 어린이를 보호하기 위해 어린이 보호 구역을 지정한다.
⑤ 학교의 보건이나 위생, 학습 환경을 보호하기 위해 교육 환경 보호 구역을 지정한다.

3 빈칸에 들어갈 알맞은 말을 쓰시오.

법은 사회 구성원들의 합의에 따라 만들어진다. 따라서 개인은 물론, 단체, 국가까지 모두가 지켜야 할 행동의 ☐☐이/가 된다.

4 개념과 해당되는 사례를 바르게 연결하시오.

(1) 법 ·   · ㉠ 임산부에게 임산부 배려석을 양보한다.

(2) 도덕 ·   · ㉡ 저작권 보호를 위해 자료의 출처를 밝힌다.

5 법과 도덕에 대한 설명으로 알맞지 <u>않은</u> 것은 어느 것입니까? (   )

① 법은 지키지 않으면 처벌을 받는다.
② 주정차 금지 구역에 주차하는 것은 법과 관련 있다.
③ 도덕은 강제성을 가지므로 지키지 않으면 제재를 받는다.
④ 임산부 배려석에 앉아 임산부에게 자리를 양보하지 않는 것은 도덕과 관련 있다.
⑤ 도덕은 사회 구성원이 양심 등에 비추어 스스로 마땅히 지켜야 할 행동의 기준이다.

6 빈칸 ㉠, ㉡에 들어갈 알맞은 말을 쓰시오.

• ㉠ 은/는 사람들이 지켜야 할 여러 가지 행동 기준 가운데 국가가 만든 강제성이 있는 규범이다.
• ㉡ 은/는 사회 구성원이 양심 등에 비추어 스스로 마땅히 지켜야 할 행동의 기준이다.

㉠:

㉡:

7 다음 글의 빈칸에 들어갈 알맞은 말을 쓰시오.

이웃 어른이나 학교에서 선생님들께 인사를 하지 않으면 주변 사람들에게 비난을 받지만 처벌을 받지 않는다. 이처럼 자율적으로 지키는 도덕과 달리 법은 지키지 않으면 처벌을 받는 점에서 ☐☐☐을/를 가진다.

8 다음 내용과 관련 있는 법의 성격으로 알맞은 것은 어느 것입니까? (　　　)

> 불과 몇 년 전만 해도 많은 사람들이 불법적인 방법으로 프로그램을 내려받았고, 이에 많은 프로그램 개발자들이 피해를 보았다. 하지만 저작권 보호를 위한 사회적 요구가 늘어나면서 이와 관련한 법이 강화되었다.

① 법은 고정되어 있다.
② 법은 강제성을 가진다.
③ 법은 지키지 않았을 때 제재를 받지 않는다.
④ 법은 스스로 마땅히 지켜야 할 행동의 기준이다.
⑤ 법은 시대나 상황에 따라 새로 만들어지거나 변화되기도 한다.

9 다음 내용과 가장 관련 있는 법을 보기 에서 골라 기호를 쓰시오.

> 최근 안전한 사회를 만들기 위한 사회적 요구가 이어지고 있는데, 특히 어린이의 안전한 활동을 위한 대책을 강화해야 한다는 요구가 주를 이룬다.

보기
㉠ 저작권 보호를 위한 법을 강화한다.
㉡ 상업 시설의 건물 안전 검사를 의무화한다.
㉢ 직장에서 일하는 시간을 정하는 법을 만든다.
㉣ 어린이 이용 시설 종사자들이 주기적으로 안전 교육을 이수하도록 한다.

10 학교생활과 관련된 법으로 알맞지 <u>않은</u> 것은 어느 것입니까? (　　　)

① 학교 급식법
② 교통사고 특례법
③ 초·중등 교육법
④ 학교 도서관 진흥법
⑤ 학교 폭력 예방 및 대책에 관한 법률

11 우리의 일상생활에 법이 적용된 사례로 알맞지 <u>않은</u> 것은 어느 것입니까? (　　　)

① 아이가 태어나면 출생 신고를 한다.
② 미세 먼지가 있는 날에는 마스크를 착용해야 한다.
③ 교육받을 권리를 보장받기 위해 초등학교에 다닌다.
④ 일할 때 권리를 보장받기 위해 근로 계약서를 작성한다.
⑤ 건물이나 주택을 살 때 계약서를 작성해 분쟁을 방지한다.

12 빈칸에 들어갈 알맞은 말을 쓰시오.

> 법은 우리의 □□을/를 보호해 주면서 사회 질서를 유지하여 안심하고 살 수 있도록 도와준다.

13 개인의 권리를 보호하기 위한 법의 역할을 보기 에서 모두 골라 기호를 쓰시오.

보기
㉠ 질병이나 감염병을 예방해 국민 건강에 이바지한다.
㉡ 환경 오염과 환경 훼손을 예방해 건강하고 쾌적한 삶을 누리게 해 준다.
㉢ 개인의 생명과 신체를 보호하기 위해 재난 및 안전 관리 체제를 확립한다.
㉣ 개인 정보 처리 및 보호에 관한 내용을 정해 개인의 자유와 권리를 보호한다.

14 다음에서 설명하는 법의 역할을 쓰시오.

> 최근 대기 오염과 관련한 뉴스를 자주 접할 수 있다. 이에 정부는 환경 오염과 환경 훼손을 예방해 국민이 건강하고 쾌적한 삶을 누릴 수 있도록 이와 관련한 제재를 강화하기로 했다.

_____

중요
15 사회 질서 유지를 위한 법의 역할로 알맞지 <u>않은</u> 것은 어느 것입니까? ( )

① 질병이나 감염병을 예방해 국민 건강에 이바지한다.
② 범죄를 예방해 사람들이 안전하게 살아가게 해 준다.
③ 개인 간의 분쟁을 해결하기 위해 재판받을 수 있도록 한다.
④ 교통사고 및 피해 등을 예방해 일상생활에서의 위험을 막아 준다.
⑤ 환경 오염과 환경 훼손을 예방해 건강하고 쾌적한 삶을 누리게 해 준다.

16 법을 지켜야 하는 까닭으로 알맞지 <u>않은</u> 것은 어느 것입니까? ( )

① 법에 따라 지켜야 할 필요성이 달라진다.
② 법을 잘 지키면 안전하게 생활할 수 있다.
③ 법을 어기면 다른 사람에게 피해를 줄 수 있다.
④ 법을 어기면 다른 사람의 권리를 침해할 수 있다.
⑤ 법을 잘 지키면 모두의 사람의 권리를 보장받을 수 있다.

워드 클라우드와 함께하는 서술형 문제

[17-18] 워드 클라우드의 단어를 이용하여 서술형 문제의 답을 쓰시오.

> 법 도덕 **강제성** 기준 보장 보호 안전
> 권리 준수 사회 질서 분쟁 일상생활

17 다음 사진을 보고 법의 역할을 쓰시오.

▲ 재판

_____

_____

18 다음 자료를 보고 법을 지켜야 하는 까닭을 쓰시오.

> **어린이 보호 구역 내 교통사고 감소**
> 도로 교통과 관련된 법이 개정되어 과속 단속 카메라를 대폭 확대해 설치했다. 그 결과, 초등학교 인근 어린이 보호 구역 내 교통사고가 감소한 것으로 나타났다.
> – 「뉴시스」, 2021. 1. 27.

_____

_____

정의의 여신상

정의의 여신상은 법을 대표하는 상징물입니다. 우리나라와 외국의 정의의 여신상은 어떤 모습을 하고 있을까요?

우리나라 정의의 여신상

우리나라 정의의 여신상은 우리나라 고유의 전통적인 의복을 입고 오른손에는 저울을, 왼손에는 법전을 들고 있습니다. 오른손의 저울은 주관적인 생각을 제외하여 누구에게나 평등한 판단을 내리겠다는 의미입니다. 그리고 왼손의 법전은 법에 따라 공평하게 재판을 하겠다는 의미를 담고 있습니다.

외국의 정의의 여신상

외국의 정의의 여신상은 한 손에는 칼을, 다른 한 손에는 저울을 들고 있습니다. 칼은 법과 질서를 어기는 사람에게는 제재를 가하겠다는 의미를 담고 있습니다. 저울은 우리나라 정의의 여신상과 마찬가지로 평등하게 판결을 내리겠다는 의미를 담고 있습니다. 또한 안대로 눈을 가린 것은 갈등과 범죄에 관해 주관과 편견에 치우치지 않고 공평하고 평등하게 처리해야 한다는 의미를 담고 있습니다.

우리나라 정의의 여신상이 법전을 들고 있는 것은 법의 권위를 상징하며, 눈을 뜨고 있는 것은 사회적 약자를 돕겠다는 의지를 표현한 것이랍니다.

우리나라 정의의 여신상은 칼이 아니라 법전을 들고 있는 게 달라요.

안대를 하지 않고 두 눈도 뜨고 있는 것도 달라요.

헌법이란 무엇일까요?

❶ 헌법

(1) 헌법의 의미: 우리나라 최고의 법으로, 법 중에서 가장 기본이 되는 법을 말한다.

〔시험 대비〕 **핵심 자료** 〔속 시원한〕 **활동 풀이** **보충 ❶**

내용⁺ 헌법은 국민의 자유와 권리를 보장하기 위해 만든 법이다.

(2) 헌법에 담긴 내용
① 대한민국 국민이 누려야 할 권리
② 대한민국 국민이 지켜야 할 의무
③ 국가를 구성하는 여러 기관
④ 국민의 자유와 권리 및 인간다운 생활을 보장하는 인간 ❶존엄을 중시해야 한다는 내용

(3) 헌법에 담긴 가치
① 대한민국의 주인은 국민이며, 국가에서 중요한 일을 결정할 때 국민의 뜻을 존중해야 한다.
② 대한민국은 ❷평화 통일을 지향한다.
③ 대한민국은 국제 평화 유지를 위해 노력해야 한다.
④ 대한민국은 전통문화 발전을 위해 노력해야 한다.

(4) 헌법의 중요성: 헌법을 바탕으로 여러 법을 만들기 때문에 헌법에 어긋나는 법을 만들 수 없다. 〔시험 대비〕 **핵심 자료**

▲ 헌법 재판소 전시관 – 헌법 재판소 존 **보충 ❷**

❷ 헌법의 주요 내용

대한민국 헌법
전문 …… 자율과 조화를 바탕으로 자유 민주적 기본 질서를 더욱 확고히 하여…….
제1조 ② 대한민국의 주권은 국민에게 있고, 모든 권력은 국민으로부터 나온다.
제4조 대한민국은 통일을 지향하며, 자유 민주적 기본 질서에 입각한 평화적 통일 정책을 수립하고 이를 추진한다.
제5조 ① 대한민국은 국제 평화의 유지에 노력하고 침략적 전쟁을 부인한다.
제9조 국가는 전통문화의 계승·발전과 민족 문화의 창달에 노력하여야 한다.
제10조 모든 국민은 인간으로서의 존엄과 가치를 가지며, 행복을 추구할 권리를 가진다. 국가는 개인이 가지는 불가침의 기본적 인권을 확인하고 이를 보장할 의무를 진다.

보충 ❶

◉ 헌법 수호자의 상

헌법 재판소의 정원에 있는 헌법 수호자의 상이다. 오른손에는 저울이 새겨진 법전을, 왼손에는 끊어진 쇠사슬을 들고 있다. 끊어진 쇠사슬은 부당한 권력이나 국민을 억압하던 잘못된 권력 또는 힘을 끊어 낸다는 의미이다.

보충 ❷

◉ 헌법 재판소 사이버 투어

헌법 재판소 누리집에서 제공하는 헌법 재판소 사이버 투어를 통해 헌법 재판소를 실제 견학하는 것처럼 둘러볼 수 있다.

용어 사전

❶ **존엄**(尊: 높을 존, 嚴: 엄할 엄): 인물이나 지위가 감히 범할 수 없을 정도로 높고 엄숙하다는 뜻이다.
❷ **평화**(平: 평평할 평, 和: 화할 화): 전쟁, 분쟁 또는 일체의 갈등 없이 평온한 상태를 말한다.

2
단원

시험 대비 핵심 자료

● 헌법의 의미

헌법을 그림으로 표현한다면 건물 모양으로 나타낼 수 있다. 우리나라 최고의 법인 헌법을 바닥에 두고, 국민의 자유와 권리, 인간다운 생활, 개인 존중, 행복한 삶은 4개의 기둥으로, 인간 존엄은 지붕의 모습으로 표현할 수 있다. 헌법으로 국민의 자유와 권리, 인간다운 생활, 개인 존중, 행복한 삶을 보장받고, 이를 통해 인간으로서 존엄한 생활을 할 수 있다는 것을 나타낸다.

● 제헌절과 헌법 개정

▲ 제71주년 제헌절 기념 현수막이 달린 국회 의사당

제헌절은 헌법을 만들어 국민에게 알린 날로, 대한민국 최초의 헌법이 공포된 1948년 7월 17일을 기념하는 날이다.

헌법을 고치는 것을 '헌법 개정', '개헌'이라고 한다. 우리가 지금 쓰고 있는 헌법은 아홉 번째로 개정한 헌법이다. 헌법을 바꾸기 위해서는 국회 의원 3분의 2 이상이 찬성해야 하고, 그다음 국민 투표를 실시한다. 이처럼 헌법 개정이 여러 절차를 거치는 까닭은 헌법 개정을 신중하게 하기 위함이다.

속 시원한 활동 풀이

스스로 활동

내가 생각하는 헌법의 의미를 한 문장으로 표현하고 그 까닭을 써 봅시다.

예 • 헌법은 건물의 기둥입니다. 왜냐하면 헌법은 국민의 자유와 권리, 자유 민주주의 등 여러 기둥으로 이루어져 우리나라를 지탱해 주기 때문입니다.

• 헌법은 법 중의 왕입니다. 왜냐하면 생활에 적용하는 구체적인 법은 헌법을 바탕으로 해야 하고, 헌법에 어긋나면 안 되기 때문입니다.

확인 톡! 톡!

◉ 정답과 해설 13쪽

1 우리나라 최고의 법으로, 법 중에서 가장 기본이 되는 법은?   (   )

2 헌법에는 국민의 자유와 권리 및 인간다운 생활을 보장하는 (   )을/를 중시해야 한다는 내용이 담겨 있다.

3 헌법에 어긋나는 법을 만들 수 있다.   (O | X)

인권 보장을 위한 헌법의 역할을 알아볼까요? (1)

보충 ❶

◉ 헌법 재판소의 역할
헌법 재판소는 국회에서 만든 법률이 헌법에 어긋나지 않는지 심사한다. 대통령이나 장관이 큰 잘못을 저질러 국회에서 파면을 요구할 때, 국가 기관과 지방 자치 단체 사이에 다툼이 생길 때, 정부가 정당 해산 심판을 요구하면 그 결정을 심판하는 일을 한다.

❶ 헌법과 우리 생활과의 관계

(1) 헌법으로 권리를 보장받는 사례

인터넷 사이트에서 주민 등록 번호를 불법으로 유출당한 사람들이 주민 등록 번호를 바꾸어 줄 것을 구청에 요청함. →

현재의 법으로는 이미 받은 주민 등록 번호를 바꿀 수 없다는 답변을 구청으로부터 받음. →

사람들은 유출된 주민 등록 번호가 ❶악용되는 것을 걱정함. →

주민 등록 번호를 바꿀 수 없는 현재의 법은 인간의 행복한 삶을 보장하는 헌법에 맞지 않는다고 생각함. →

주민 등록 번호의 유출로 피해를 입은 사람들이 ❷헌법 재판을 요청함. →

헌법 재판소는 주민 등록 번호를 변경할 수 없는 것은 개인이 자신의 정보를 결정할 수 있는 권리를 침해하는 것이기 때문에 관련 법 조항을 개정해야 한다고 함.

(2) 사례를 통해 알 수 있는 헌법 재판소의 역할 〔보충 ❶, ❷〕
① 법률이 헌법에 어긋나지 않는지 심판한다.
② 국가 권력이 국민의 기본권을 침해하지 않는지 심판한다.

〔내용⁺〕 헌법 재판소는 대통령, 국회, 대법원장이 각각 세 명씩 선임하여, 아홉 명의 재판관으로 구성된다.

보충 ❷

◉ 헌법 재판소의 구성
헌법 재판소는 아홉 명의 재판관으로 구성된다. 대통령, 국회, 대법원장이 각각 세 명씩 선임하고, 대통령이 임명한다. 헌법 재판소의 소장은 국회의 동의를 얻어야 한다.

❷ 인권 보장을 위한 헌법의 역할을 알아보는 활동

(1) 활동 모습
① 제시된 상황: 전동 킥보드의 속도를 제한해야 하는가?
② 의견: 전동 킥보드의 속도 제한 찬성, 전동 킥보드의 속도 제한 반대

(2) 활동 방법 〔속 시원한 활동 풀이〕

❶ 사례에 나타난 상황을 이야기한다.
❷ 개인의 의견을 선택한다.
❸ 같은 의견을 선택한 사람끼리 모둠을 구성해 자료를 수집한다.
❹ 각 의견에 대한 근거를 바탕으로 토론한다.
❺ 결정문이 나타난 신문 기사를 확인한다.
❻ 토론 결과와 실제 결정을 비교한다.
❼ 인권을 보장하는 헌법의 중요성을 표현한다.

용어 사전

❶ **악용**(惡: 악할 악, 用: 쓸 용): 알맞지 않게 쓰거나 나쁜 일에 쓰는 것을 말한다.
❷ **헌법 재판**(憲: 법 헌, 法: 법 법, 裁: 마를 재, 判: 판가름할 판): 법률이나 명령, 규칙, 처분이 헌법에 위배되는지를 심판하는 재판을 말한다.

(속 시원한) 활동 풀이

👏 다 함께 **활동** 인권 보장을 위한 헌법의 역할을 생각해 봅시다.

1 다음 사례를 보고 어떤 상황인지 이야기해 봅시다.

> 어서 오세요. 무슨 일로 오셨나요?
>
> 출퇴근에 이용하려고 하는데 가장 빠른 전동 킥보드가 어떤 것인가요?
>
> 시속 25 km가 최고 속도입니다. 그보다 빠른 전동 킥보드는 구매하실 수 없습니다.
>
> 왜 그런가요? 전에 쓰던 킥보드는 시속 45 km까지 달릴 수 있었는데요.
>
> 전동 킥보드의 최고 속도를 제한하는 법이 만들어졌거든요.
>
> 다른 교통수단과 전동 킥보드의 최고 속도 제한 기준을 다르게 정한 것이 문제라고 생각해요.

[예] • 전동 킥보드의 최고 속도를 제한하는 법이 생겼습니다.
• 다른 교통수단과 전동 킥보드의 최고 속도 제한 기준을 다르게 정한 것이 문제라고 생각합니다.

2 전동 킥보드의 속도를 제한하는 문제에서 나는 어떤 의견인지 선택해 봅시다.

[예] • **(속도 제한 찬성):** 저는 개인의 신체와 생명이 안전할 권리가 더 중요하다고 생각합니다. 전동 킥보드는 다른 교통수단과 비교해 사고가 나면 더 위험할 것 같습니다.
• **(속도 제한 반대):** 저는 개인이 자유롭게 이동할 권리가 더 중요하다고 생각합니다. 그렇기 때문에 전동 킥보드도 다른 교통수단과 비슷한 속도를 내게 해 주어야 한다고 생각합니다.

확인 톡!톡!

📍 정답과 해설 13쪽

1 헌법은 국민의 권리를 보장해 준다.　　　　　　　　　　　　　　　　(O ┃ X)

2 법률이 헌법에 어긋나지 않는지 심판하는 국가 기관은?　　　　　　　(　　　　　)

3 헌법 재판소는 국가 권력이 국민의 기본권을 침해하지 않는지는 심판하지 않는다.　(O ┃ X)

인권 보장을 위한 헌법의 역할을 알아볼까요? (2)

보충 ①

● **전동 킥보드 속도 제한에 관한 헌법 재판소의 실제 결정**

헌법 재판소는 전동 킥보드의 최고 속도를 시속 25km로 제한한 것은 신체의 자유나 평등권을 침해하지 않는다고 했다. 전동 킥보드의 속도를 제한하는 것은 소비자의 생명과 신체를 보호하고 도로 교통상의 안전을 확보하기 위한 최소한의 조치라고 설명했다.

보충 ②

● **신체의 자유**

신체적 구속을 당하지 않을 자유이다. 신체의 자유는 인간의 생존과 활동을 위한 가장 기본적인 것이므로, 헌법은 이를 엄격히 보장하고 있다.

보충 ③

● **인터넷 게임 셧다운제에 관한 헌법 재판**

인터넷 게임 셧다운제는 16세 미만의 청소년이 심야 시간대에 인터넷 게임을 할 수 없도록 한 제도이다. 청소년의 자유권을 침해한다는 이유로 헌법 재판소에 심판이 요청되었던 이 제도는 헌법에 어긋나지 않는다는(합헌) 판결이 내려졌다. 이후 2022년 1월 1일을 기준으로 인터넷 게임 셧다운제는 폐지되었다. 이에 따라 18세 미만 청소년 본인이나 법정 대리인이 요청하면 원하는 시간대로 게임 시간대를 자율적으로 설정할 수 있는 '게임 시간 선택제'로 게임 시간 제한 제도가 일원화되었다.

용어 사전

❶ **반론**(反: 돌이킬 반, 論: 논의할 론): 토론에서 상대방의 주장에 대해 반박하는 것을 말한다.

③ 인권 보장을 위한 헌법의 역할을 알아보는 활동 방법 (속 시원한 활동 풀이)

(1) 사례에 나타난 상황 이야기하기: [예] "새 전동 킥보드를 사려고 하는데 다른 차량보다 속도가 빠르지 않은 것에 의문을 품고 있습니다.", "전동 킥보드의 최고 속도를 제한하는 법이 생겼습니다."

(2) 개인의 의견 선택하기

속도 제한 찬성		속도 제한 반대
전동 킥보드로 교통사고가 나면 심하게 다칠 수 있으므로 운행자의 안전을 지켜야 함.	VS	전동 킥보드의 속도를 제한하는 것은 자유롭게 이동할 권리를 침해하는 것임.

(3) 모둠을 구성해 자료 수집하기

(4) 토론하기

① 전동 킥보드 속도 제한 찬성 측 의견을 제시한다.

② 전동 킥보드 속도 제한 반대 측 의견을 제시한다.

③ 전동 킥보드 속도 제한 찬성 측이 반대 측에 ❶반론을 이야기한다.

④ 전동 킥보드 속도 제한 반대 측이 찬성 측에 반론을 이야기한다.

⑤ 최종 의견을 이야기한다.

> (내용+) 토론을 할 때 상대방의 의견을 경청하고 상대방의 의견 중 좋은 의견이 있으면 받아들이는 태도가 필요하다.

(5) 신문 기사 속 헌법 재판소의 실제 결정 확인하기 보충 ①

(6) 토론 결과와 실제 결정 비교하기: [예] "우리 모둠은 전동 킥보드의 속도 제한에 반대했는데, 실제 결정은 속도 제한이 필요하다는 것입니다."

(7) 인권을 보장하는 헌법의 중요성 표현하기: 국민의 인권을 분명히 확인하고 이를 보장하는 헌법의 중요성을 글과 그림으로 표현한다.

헌법은 개인의 인권을 보장하는 역할을 한다.

④ 활동을 통해 알게 된 헌법의 역할

(1) 권리 보장: 헌법을 토대로 만들어진 법률이 개인의 권리를 침해한다고 판단하면 국민은 그 법률에 대한 재판을 요청할 수 있다. 보충 ②

(2) 법의 개정과 폐지: 헌법 재판을 통해 법률이 국민의 인권을 침해했다는 판단이 내려지면 해당 법률은 바뀌거나 없어진다. 보충 ③

2
단원

속 시원한 활동 풀이

다 함께 활동

3 같은 의견을 선택한 사람들끼리 모둠을 구성하여 자료를 찾아보고 수집한 자료를 정리해 봅시다.

의견	예 개인의 생명과 신체가 안전할 권리가 중요합니다.
수집한 자료	예 • 전동 킥보드의 사고 발생률 • 헌법 제34조 제6항: 국가는 재해를 예방하고 그 위험으로부터 국민을 보호하기 위해 노력해야 한다.

4 각 의견에 대한 근거를 바탕으로 토론해 봅시다.

예 • 전동 킥보드로 발생하는 교통사고가 2018년~2020년 사이 4배 가까이 급증했습니다. 전동 킥보드의 제한 속도가 있어야 사고 발생률과 대형 사고 가능성이 낮아지기 때문에 전동 킥보드의 속도 제한에 찬성합니다.
• 전동 킥보드의 속도를 제한하는 것은 헌법 제12조 제1항 모든 국민은 신체의 자유를 가진다는 조항을 위배하기 때문에 전동 킥보드의 속도 제한에 반대합니다.

5 전동 킥보드 속도 제한에 관한 헌법 재판소의 실제 결정을 확인해 봅시다.

예 전동 킥보드 속도 제한은 신체의 자유나 평등권을 침해하지 않는다고 했습니다.

6 우리 모둠의 토론 결과와 실제 결정을 비교해 보고, 인권을 보장하는 헌법의 중요성을 글과 그림으로 나타내 봅시다.

예 헌법이라는 손이 인권이라는 새싹을 보호하는 모습을 표현했습니다.

잠깐! 확인해요

헌법은 국민이 가진 ☐☐을/를 확인하고 이를 보장하기 위해 노력한다.   (인권)

확인 톡! 톡!

📍 정답과 해설 13쪽

1 전동 킥보드 속도 제한이 자유롭게 이동할 권리를 침해한다는 것은 전동 킥보드 속도 제한의 (찬성, 반대) 측 의견이다.

2 헌법을 토대로 만들어진 법이 개인의 권리를 침해한다고 판단하면 그 법에 대한 재판을 요청할 수 있다.
(O | X)

3 (   )을/를 통해 법이 바뀌거나 없어질 수 있다.

헌법에 제시된 기본권과 의무를 살펴볼까요? (1)

❶ 헌법에 제시된 국민의 기본권

(1) 기본권의 의미: 헌법에 보장되는 국민의 기본적인 권리이다.

(2) 기본권의 종류 (숙 시원한 활동 풀이)

기본권	설명	관련 조항
평등권	성별, 종교, 사회적 신분 등에 따라 차별받지 않을 권리	헌법 제11조 ① 모든 국민은 법 앞에 평등하다.
자유권 보충 ❶	국가의 ❶간섭을 받지 않고 자유롭게 생활할 수 있는 권리	헌법 제14조 모든 국민은 거주·이전의 자유를 가진다. 헌법 제22조 ① 모든 국민은 학문과 예술의 자유를 가진다.
참정권	국가 기관의 형성과 국가의 정치적 의사 형성 과정에 참여할 수 있는 권리	헌법 제24조 모든 국민은 법률이 정하는 바에 의하여 선거권을 가진다. 헌법 제25조 모든 국민은 법률이 정하는 바에 의하여 ❷공무 담임권을 가진다.
청구권	국가에 일정한 행위를 요구할 수 있는 권리	헌법 제26조 ① 모든 국민은 법률이 정하는 바에 의하여 국가 기관에 문서로 ❸청원할 권리를 가진다. 헌법 제27조 ① 모든 국민은 헌법과 법률이 정한 법관에 의하여 법률에 의한 재판을 받을 권리를 가진다.
사회권 보충 ❷	국가에 인간다운 생활의 보장을 요구할 수 있는 권리	헌법 제31조 ① 모든 국민은 능력에 따라 균등하게 교육을 받을 권리를 가진다. 헌법 제34조 ① 모든 국민은 인간다운 생활을 할 권리를 가진다.

내용↑ 헌법에 기본권을 규정한 것은 국가가 국민의 권리를 함부로 침해할 수 없도록 하기 위함이다.

(3) 기본권을 보장받는 모습

기본권	사례
평등권	• 성별, 장애에 차별받지 않고 교실에서 함께 공부를 한다. • 성별이나 결혼 여부에 상관없이 회사에서 승진할 수 있다.
자유권	• 미래에 하고 싶은 직업을 선택한다. • 다른 지역으로 이사를 간다.
참정권	• 대통령 선거일에 투표를 한다. • 국회 의원 선거에 후보자로 등록한다.
청구권	• 구청에 민원을 제기한다. • 법원에 재판을 청구한다.
사회권	• 일정 기간 학교에 가서 공부를 한다. • 깨끗한 환경에서 생활할 수 있도록 한다.

❷ 기본권의 제한

(1) 기본권 제한의 내용: 국가의 안전 보장, 공공의 이익, 사회 질서 유지 등을 위해 필요한 경우 법률에 따라 기본권을 제한할 수 있다. (시험 대비 핵심 자료)

(2) 기본권 제한의 한계: 기본권을 제한하는 경우에도 국민에게 보장된 자유와 권리의 근본적인 내용을 침해하지 않아야 한다.

보충 ❶

● **자유권의 종류**

자유권은 일정한 범위 안에서 국가의 간섭을 받지 않고, 자신이 하고자 하는 생각에 따라 행동할 수 있는 권리를 말한다. 자유권에는 신체의 자유, 종교의 자유, 언론·출판·집회의 자유, 직업 선택의 자유 등이 있다.

보충 ❷

● **사회권의 종류**

인간답게 생활할 수 있는 권리를 말한다. 국민은 인간으로서 누려야 할 최소한의 생활을 국가에 요구할 수 있다. 최소한의 물질적 생활을 할 수 있는 인간다운 생활을 할 권리, 일을 할 수 있는 근로의 권리, 능력에 따라 균등하게 교육을 받을 권리, 건강하고 쾌적한 환경에서 생활할 권리 등이 있다.

용어 사전

❶ **간섭**(干: 방패 간, 涉: 건널 섭): 직접 관계가 없는 남의 일에 부당하게 참견하는 것을 말한다.

❷ **공무 담임권**(公: 공변될 공, 務: 힘쓸 무, 擔: 멜 담, 任: 맡길 임, 權: 권세 권): 국민이 각종 선거에 후보자로 나서서 당선될 수 있는 권리, 공무원에 임명될 수 있는 권리를 말한다.

❸ **청원**(請: 청할 청, 願: 원할 원): 국민이 법률이 정한 절차에 따라 손해의 구제·명령·규칙의 개정 및 개폐·공무원의 파면 따위의 일을 국회·관광서·지방 의회 따위에 청구하는 일이다.

일상생활에서 기본권이 어떻게 나타나는지 살펴보고 빈칸에 알맞은 기본권 붙임 딱지를 붙여 봅시다.

평등권	자유권	참정권	청구권	사회권
성별, 종교, 사회적 신분 등에 따라 차별받지 않을 권리	국가의 간섭을 받지 않고 자유롭게 생활할 수 있는 권리	국가 기관의 형성과 국가의 정치적 의사 형성 과정에 참여할 수 있는 권리	국가에 일정한 행위를 요구할 수 있는 권리	국가에 인간다운 생활의 보장을 요구할 수 있는 권리

시험 대비 핵심 자료

● 기본권의 제한

> 헌법 제37조 ② 국민의 모든 자유와 권리는 국가 안전 보장, 질서 유지 또는 공공복리를 위하여 필요한 경우에 한하여 법률로써 제한할 수 있으며, 제한하는 경우에도 자유와 권리의 본질적인 내용을 침해할 수 없다.

우리나라 헌법 제37조 ②항에는 필요한 경우에 한해 기본권을 제한할 수 있도록 명시하고 있다. 그러나 기본권을 제한하는 경우에도 국회에서 만든 법률에 의해서만 제한할 수 있고, 자유와 권리의 본질적인 내용을 침해해서는 안 된다.

▲ **무단 횡단 금지** 교통 질서를 유지하기 위한 목적으로 찻길에서의 무단 횡단을 금지해 개인의 통행의 자유를 제한한다.

▲ **군사 기지 및 군사 시설 보호 구역** 국가의 안전 보장을 위해 군사 시설 보호 구역에서의 통행이나 사진 촬영이 일부 금지된다.

확인 톡!톡!

📍 정답과 해설 13쪽

1 헌법에 보장되는 국민의 기본적인 권리를 (   )(이)라고 한다.

2 성별, 종교, 사회적 신분 등에 따라 차별받지 않을 권리는?   (   )

3 기본권은 필요한 경우에는 법률에 따라 제한할 수 있다.   (O | X)

헌법에 제시된 기본권과 의무를 살펴볼까요? (2)

보충 ①

◎ **국민의 기본권이자 의무**
• 교육의 의무
• 근로의 의무
• 환경 보전의 의무

③ 헌법에 제시된 국민의 의무

(1) 의무의 의미: 국가를 유지하고 발전시키는 데 당연히 해야 하는 일을 말한다.

(2) 의무의 종류 보충 ①

의무	설명	관련 조항
교육의 의무	자녀를 학교에 보내 교육을 받게 할 의무	헌법 제31조 ② 모든 국민은 그 보호하는 자녀에게 적어도 초등 교육과 법률이 정하는 교육을 받게 할 의무를 진다.
❶납세의 의무	세금을 내야 할 의무	헌법 제38조 모든 국민은 법률이 정하는 바에 의하여 납세의 의무를 진다.
근로의 의무	개인과 나라의 발전을 위해 일할 의무	헌법 제32조 ② 모든 국민은 근로의 의무를 진다. 국가는 근로의 의무의 내용과 조건을 민주주의의 원칙에 따라 법률로 정한다.
국방의 의무 보충 ②	나라를 지킬 의무	헌법 제39조 ① 모든 국민은 법률이 정하는 바에 의하여 국방의 의무를 진다.
환경 ❷보전의 의무	환경을 보전하기 위해 노력해야 할 의무	헌법 제35조 ① 모든 국민은 건강하고 쾌적한 환경에서 생활할 권리를 가지며, 국가와 국민은 환경 보전을 위하여 노력하여야 한다.

(3) 의무를 실천하는 일의 중요성

① 헌법에 제시된 의무를 실천하는 일은 나와 다른 사람의 기본권을 보장하는 바탕이 된다.

② 의무를 성실하게 실천함으로써 기본권을 보장받고 사회가 유지되며 발전할 수 있다.

보충 ②

◎ **국방의 의무**
외국의 침략 행위로부터 국가의 독립을 유지하고 영토를 보존하기 위한 국토방위의 의무를 말한다. 국방의 의무는 타인에 의한 그 의무의 대체적 이행이 불가능하다.

④ 기본권과 의무를 노랫말로 표현하는 활동 (속 시원한 활동 풀이)

(1) 기본권과 의무가 적용된 사례 조사하기

① 헌법 관련 누리집에서 내용 검색하기 보충 ③

② 헌법 관련 분야 전문가와 면담하기

③ 헌법 관련 책에서 내용 찾아보기

④ 헌법 관련 신문 기사나 뉴스 찾아보기

(2) 조사한 사례 정리하기

① 모둠별로 정한 방법대로 조사한다.

② 조사 내용과 알게 된 점을 잘 정리한다.

(3) 원하는 노래 선택하기

① 예 "우리 모둠은 「참 좋은 말」을 선택했어요."

② 기본권과 의무 중에서 한 가지 선택한다.

(4) 노랫말 바꾸어 써 보기

① 최근에 배운 노래 중 노랫말을 바꾸기 쉬운 곡을 선택해 기본권이나 의무의 내용이 잘 드러나게 노랫말을 바꾸어 본다.

② 바꾼 노랫말에 맞추어 노래를 불러본다.

헌법 헌법재판을 조금 더 쉽고 자세하게 배워볼까요?

▲ 어린이 헌법 재판소 누리집

보충 ③

◎ **어린이 헌법 재판소**
어린이 헌법 재판소 누리집 (https://kids.ccourt.go.kr/)에서는 헌법의 의미, 헌법 재판소의 기능 등에 관해 어린이의 눈높이에 맞춰 여러 가지 자료를 제공하고 있다.

용어 사전

❶ **납세**(納: 들일 납, 稅: 세금 세): 세금을 내는 것을 말한다.
❷ **보전**(保: 보전할 보, 全: 온전할 전): 온전하게 보호해 유지하는 것을 말한다.

속 시원한 활동 풀이

 다 함께 활동

헌법에 제시된 기본권과 의무가 적용된 사례를 조사하고, 그 내용이 잘 드러나게 노랫말로 표현해 봅시다.

1 헌법에 제시된 기본권과 의무가 적용된 사례를 모둠별로 여러 가지 방법으로 조사해 봅시다.

예 신문 기사나 뉴스를 이용해 조사할 수 있습니다.

2 조사한 사례를 정리해 봅시다.

예

조사 방법	신문 기사 검색하기
조사 내용	2019년 12월 선거권 제한 연령 기준을 만 18세로 낮추어지는 「공직 선거법」 개정안의 통과로 만 18세 청소년도 선거에 참여할 수 있게 되었습니다.
알게 된 점	법이 바뀌어 참정권에 해당하는 선거권을 행사하는 연령이 낮아졌다는 점을 알게 되었습니다.

3 원하는 노래를 선택하여 헌법에 제시된 기본권이나 의무의 내용이 잘 드러나게 노랫말을 바꾸어 봅시다.

예

예 • ☑ 기본권: 평등권   ☐ 의무:

• 선택한 까닭: 예전보다 많이 나아졌지만, 앞으로 우리 사회가 더 평등한 길로 가야 한다고 생각했기 때문이다.

• 바꾼 노래 제목:

참 좋은 평등

• 바꾼 노랫말:

평등해요. 이 한마디 참 좋은 말
우리 사회 구성원이 주고받는 말
평등해요. 이 한마디 참 좋은 말
차별이 사라져 서로 주고받는 말
다르다고 차별하지 않아 온종일 신이 나요.
서로 배려해 주어 온종일 일할 맛 나지요.
누구나 평등하게 대우받아
온종일 기분이 좋아요.

🐭 잠깐! 확인해요

국민의 기본권에는 평등권, 자유권, 참정권, 청구권, ☐☐☐ 등이 있다.   (사회권)

확인 톡!

📍 정답과 해설 13쪽

1 국가를 유지하고 발전시키는데 당연히 해야 하는 일을 (   )(이)라고 한다.

2 헌법에 제시된 의무 중 나라를 지킬 의무는 (납세의 의무, 국방의 의무)이다.

3 헌법에 제시된 국민의 의무 중 환경을 보전하기 위해 노력해야 할 의무는?   (   )

바람직한 권리와 의무 관계를 토론해 볼까요?

❶ 권리와 의무의 충돌

(1) **권리와 의무가 충돌하는 까닭:** 헌법에 제시된 권리와 의무는 서로 긴밀하게 연결되어 있기 때문에 서로의 입장에 따라 종종 충돌할 때가 있다.

(2) **권리와 의무가 충돌할 때 필요한 자세:** 권리와 의무의 ❶조화를 추구하고, 다른 사람의 권리를 존중하고 자신에게 주어진 의무를 실천하는 태도가 필요하다.

❷ 바람직한 권리와 의무 관계를 토론하는 방법 [보충 ❶, ❷]

> ❶ 사례에 나타난 문제가 무엇이고, 이러한 문제가 발생한 까닭은 무엇인지 작성한다.
> ❷ 사례에 관해 어떤 의견인지 친구들과 이야기한다.
> ❸ 우리 모둠은 어떤 의견을 선택할지 생각해 보고 해결 방안을 작성한다.
> ❹ 반 친구들과 함께 토론을 진행한 뒤 보고서를 작성한다.

❸ 바람직한 권리와 의무 관계를 토론하는 활동 (속 시원한 활동 풀이)

(1) 문제 상황 파악하기

> △△ 지역에서 소를 키우고 있는 ○○○ 씨는 사육 축사를 새로 건축하기 위해 허가를 신청했으나, △△ 지역 군청에서는 냄새, 소음, 토양 오염, 먼지 등 환경 오염으로 인근 마을에 피해가 발생할 수 있다며 그 신청을 허가하지 않았습니다. 이에 따라 ○○○ 씨와 군청은 서로 의견이 충돌하고 있습니다.

발생한 문제	• 자신의 땅에 축사를 지으려는 사람과 이를 허가해 주지 않으려는 군청 사이에 의견이 대립하고 있음. • 자신의 재산을 자유롭게 사용할 수 있는 권리와 환경을 깨끗하게 사용하고 보전할 환경 보전의 의무 간의 충돌이 나타나고 있음.

(2) **의견 이야기하기:** 예 "개인의 ❷재산권이 중요하다고 생각해요."

(3) **모둠의 의견 선택하고 해결 방안 작성하기:** 예 "환경은 파괴되면 회복하는 데 오랜 시간이 걸리기 때문에 우리 모둠은 환경 보전의 의무가 중요하다는 의견입니다."

(4) **토론 진행한 다음 보고서 작성하기**

[보충 ❶]

◉ **토론 진행 방법**
• 각 주장이 무엇인지 의견에 관한 설명을 충분히 한다.
• 각 주장에 관한 근거를 제시한다.
• 추가 근거를 제시하고, 없으면 서로의 의견에 반박할 기회를 준다.
• 상대방의 의견 중 좋은 의견이 있으면 수용할 기회를 준다.
• 각 입장에서 절충된 의견을 제시한다.
• 절충된 의견을 투표해서 합의한다.

[보충 ❷]

◉ **토론할 때 주의할 점**
• 자신의 생각이나 의견만이 옳다고 주장하지 않는다.
• 여러 가지 자료를 수집해 의견에 대한 근거로 활용한다.
• 상대방의 의견을 기록하며 듣는다.
• 소수의 의견도 무시하지 않고 존중하며 듣는다.

[용어 사전]

❶ **조화**(調: 고를 조, 和: 화목할 화): 서로 잘 어울리는 것을 말한다.

❷ **재산권**(財: 재물 재, 産: 낳을 산, 權: 권세 권): 경제적 이익을 목적으로 하는 법적인 권리를 말한다.

 속 시원한 활동 풀이

바람직한 권리와 의무 관계 토론하기

권리와 의무가 충돌하는 사례	예 군 입대를 앞두고 있던 사람이 국방의 의무는 개인의 자유권을 침해한다는 이유로 군 입대를 거부했다는 신문 기사를 읽었습니다.
권리와 의무의 의미	예 • 자유권은 국가의 간섭을 받지 않고 자유롭게 생활할 수 있는 권리입니다. • 국방의 의무는 나라를 지킬 의무로, 모든 국민은 법률이 정하는 바에 의해 나라를 지키는 국방의 의무를 집니다.
권리와 의무가 충돌하는 까닭	예 헌법에는 국가의 간섭을 받지 않고 자유롭게 생활할 수 있는 국민의 권리인 자유권이 제시되어 있는데, 국방의 의무를 지게 되면 일정 기간 동안 나의 자유를 빼앗기기 때문입니다.
나의 의견	예 자유권과 국방의 의무 중 자유권이 중요하다고 생각합니다. 국방의 의무를 다 하기 위해 군 입대를 하는 것은 나의 기본적인 권리가 침해받기 때문입니다.
바람직한 권리와 의무 관계	예 헌법에 제시된 의무를 실천하는 일은 기본권을 보장하는 바탕이 됩니다. 그렇기 때문에 국방의 의무를 지켜야 하지만 국민의 기본권을 최대한 보장해 주는 환경을 마련해 자유권과 국방의 의무가 조화를 이루는 것이 중요하다고 생각합니다.

 확인 톡! 톡!

📍 정답과 해설 13쪽

1 권리와 의무는 서로의 입장에 따라 충돌할 때가 있다.   (O | X)

2 권리와 의무가 충돌할 때에는 권리와 의무의 (   )을/를 추구하는 태도가 필요하다.

3 다른 사람의 권리를 (존중 , 무시)하고 자신에게 주어진 의무를 실천하는 태도가 필요하다.

즐겁게 정리해요

🔵 '헌법과 인권 보장'에서 배운 내용을 떠올리며 사다리를 타고 내려가 설명에 맞는 기본권과 의무를 써 봅시다.

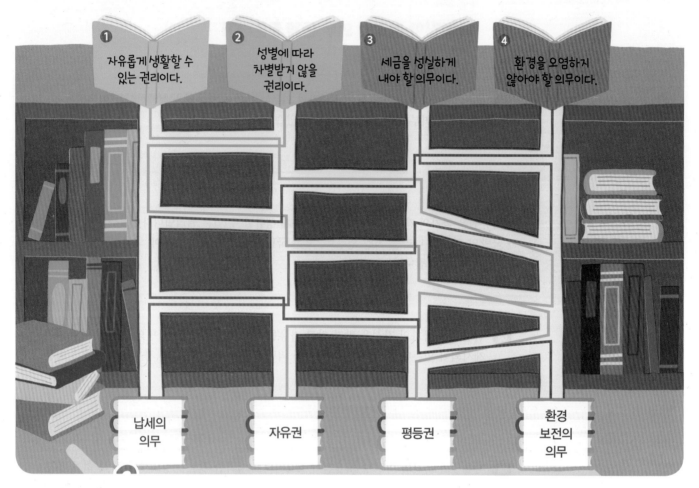

① 자유롭게 생활할 수 있는 권리이다.

② 성별에 따라 차별받지 않을 권리이다.

③ 세금을 성실하게 내야 할 의무이다.

④ 환경을 오염하지 않아야 할 의무이다.

납세의 의무 | 자유권 | 평등권 | 환경 보전의 의무

핵심 꿀꺽 질문

헌법의 의미를 설명할 수 있나요?	
인권 보장을 위한 헌법의 역할을 말할 수 있나요?	
헌법에 제시된 기본권과 의무를 설명할 수 있나요?	
권리와 의무의 조화를 추구하는 태도를 갖게 되었나요?	

1 빈칸에 들어갈 알맞은 법은 어느 것입니까?
(　)

> ◯◯◯은 우리나라 최고의 법으로, 법 중에서 가장 기본이 되는 법이다.

① 민법　　　　　② 상법
③ 헌법　　　　　④ 특례법
⑤ 형사 소송법

2 빈칸에 들어갈 알맞은 말을 쓰시오.

> 헌법은 국민의 자유와 권리 및 인간다운 생활을 보장하는 ☐☐☐☐을/를 중시해야 한다고 밝히고 있다.

3 헌법에 대한 설명으로 알맞지 <u>않은</u> 것은 어느 것입니까? (　)

① 우리나라 최고의 법이다.
② 절대 바꿀 수 없는 최고의 법이다.
③ 법 중에서 가장 기본이 되는 법이다.
④ 우리나라에서 추구하는 가치가 담겨 있다.
⑤ 대한민국 국민이 누려야 할 권리와 지켜야 할 의무가 담겨 있다.

4 빈칸에 들어갈 알맞은 말을 쓰시오.

> 헌법에는 대한민국 국민이 누려야 할 권리, 지켜야 할 ☐☐, 국가를 구성하는 기관에 관한 내용이 들어 있다.

5 다음 자료를 통해 알 수 있는 헌법에 담긴 가치로 알맞지 <u>않은</u> 것은 어느 것입니까? (　)

> **대한민국 헌법**
> 제1조 ② 대한민국의 주권은 국민에게 있고, 모든 권력은 국민으로부터 나온다.
> 제4조 대한민국은 통일을 지향하며, 자유 민주적 기본 질서에 입각한 평화적 통일 정책을 수립하고 이를 추진한다.
> 제5조 ① 대한민국은 국제 평화의 유지에 노력하고 침략적 전쟁을 부인한다.
> 제9조 국가는 전통문화의 계승·발전과 민족 문화의 창달에 노력하여야 한다.

① 대한민국의 주인은 국민이다.
② 대한민국은 평화 통일을 지향한다.
③ 대한민국은 국제 평화 유지에 노력해야 한다.
④ 대한민국은 새로운 문화를 만들어 내기 위해 노력해야 한다.
⑤ 국가에서 중요한 일을 결정하기 위해서는 국민의 뜻을 존중해야 한다.

6 다음 글에서 잘못된 부분을 찾아 바르게 고쳐 쓰시오.

> 헌법은 법 중에서 가장 기본이 되는 법이다. 헌법을 바탕으로 법을 만들기 때문에 헌법에 어긋나는 법을 만들 수 있다.

7 다음 글에서 밑줄 친 '이 기관'을 쓰시오.

> '이 기관'은 법률이 헌법에 어긋나지 않는지, 국가 권력이 국민의 기본권을 침해하지 않는지 심판하는 곳이다.

8 헌법의 역할에 대한 설명으로 알맞지 <u>않은</u> 것은 어느 것입니까? (　　　)

① 헌법은 인권을 확인하는 역할을 한다.
② 헌법 재판을 통해 법률이 바뀔 수 있다.
③ 헌법은 인권을 보장해 주는 역할을 한다.
④ 헌법 재판을 통해 법률이 없어질 수 있다.
⑤ 법률에 대한 헌법 재판 요청은 판사만 할 수 있다.

9 빈칸에 들어갈 알맞은 말을 쓰시오.

> 헌법 재판을 통해서 그 법률이 국민의 인권을 □□했다는 판단이 내려지면 해당 법률은 바뀌거나 없어진다.

10 헌법에 제시된 기본권과 국민의 의무에 대한 설명으로 알맞은 것은 어느 것입니까? (　　　)

① 모든 국민이 교육을 받을 필요는 없다고 제시되어 있다.
② 헌법에 제시된 기본권은 어떠한 경우에라도 제한할 수 없다.
③ 도로에 버려진 쓰레기를 줍는 것은 납세의 의무와 관련 있다.
④ 성별, 종교, 사회적 신분 등에 따라 차별이 가능하다고 규정되어 있다.
⑤ 헌법에 제시된 의무를 실천하는 일은 기본권을 보장하는 바탕이 된다.

11 헌법이 보장하는 기본권으로 알맞지 <u>않은</u> 것은 어느 것입니까? (　　　)

① 이동권　　　　　② 사회권
③ 평등권　　　　　④ 참정권
⑤ 자유권

[12-13] 다음 자료를 읽고 물음에 답하시오.

> ㉠ 대한민국 국민은 누구나 법 앞에서 평등하며 조건에 따라 차별받지 않아야 한다.
> ㉡ 국가는 법을 어기지 않는 한 개인의 사생활에 간섭할 수 없다.
> ㉢ 국가 개발 정책으로 일조권을 침해당한 주민들은 국가에 손해 배상을 청구할 수 있다.

12 자료의 ㉠, ㉡에 해당하는 기본권이 바르게 짝지어진 것은 어느 것입니까? (　　　)

　　　㉠　　　㉡
① 평등권 – 사회권
② 평등권 – 자유권
③ 자유권 – 참정권
④ 참정권 – 청구권
⑤ 청구권 – 사회권

13 자료의 ㉢과 관련한 내용으로 알맞은 것은 어느 것입니까? (　　　)

① 모든 국민은 학문과 예술의 자유를 가진다.
② 모든 국민은 인간다운 생활을 할 권리를 가진다.
③ 모든 국민은 법률이 정하는 바에 의해 선거권을 가진다.
④ 모든 국민은 법률이 정하는 바에 의해 공무 담임권을 가진다.
⑤ 모든 국민은 법률이 정하는 바에 의해 국가 기관에 문서로 청원할 권리를 가진다.

14 헌법에 제시된 국민의 의무에 해당하지 <u>않는</u> 것은 어느 것입니까? ( )

① 교육의 의무
② 납세의 의무
③ 휴식의 의무
④ 근로의 의무
⑤ 국방의 의무

15 다음 글에서 설명하는 국민의 의무는 어느 것입니까? ( )

> 모든 국민은 건강하고 쾌적한 환경에서 생활할 권리를 가지며, 국가와 국민은 환경 보전을 위해 노력해야 한다.

① 교육의 의무
② 근로의 의무
③ 국방의 의무
④ 납세의 의무
⑤ 환경 보전의 의무

16 빈칸에 들어갈 알맞은 말을 쓰시오.

> 헌법에 제시된 권리와 의무는 서로 긴밀하게 연결되어 있기 때문에 서로의 입장에 따라 종종 충돌할 때가 있다. 권리와 의무가 충돌할 때에는 권리와 의무의 ☐☐을/를 추구하는 태도가 필요하다.

워드 클라우드와 함께하는 서술형 문제

[17-18] 워드 클라우드의 단어를 이용하여 서술형 문제의 답을 쓰시오.

> **헌법 재판 권리** 인권 보장 **침해 평등**
> **의무** 기본권 **참정권 자유권 평등권**

17 다음 자료를 보고 헌법 재판소의 역할을 쓰시오.

> 헌법 재판소는 "전동 킥보드의 최고 속도를 시속 25km로 제한한 것은 신체의 자유나 평등권을 침해하는 것은 아니다."라고 판단했다. 그 이유는 전동 킥보드 운행자가 고속으로 달리다가 넘어지거나 충돌이 발생했을 때 다른 교통수단보다 더 크게 다칠 위험성이 높다고 보았다. 이에 "전동 킥보드의 속도를 제한한 것은 소비자의 생명과 신체를 보호하고 도로 교통상의 안전을 확보하기 위한 최소한의 조치이다."라고 설명했다.
> – 「한국일보」, 2020. 3. 10.

18 다음 그림에 해당하는 기본권이 무엇인지 쓰시오.

▲ 선거권

▲ 공무 담임권

헌법에 제시된 기본권의 제한

국가는 헌법에 규정된 국민의 기본적인 권리를 함부로 침해할 수 없습니다. 그러나 우리 헌법은 국가의 안전 보장, 공공의 이익, 사회 질서 유지 등을 위해 필요한 경우라면 법률에 따라 기본권을 제한할 수 있도록 하고 있습니다. 법률에 따라 국민의 기본권을 제한하는 사례를 알아볼까요?

야간 통행 금지

야간 통행 금지는 밤 시간에 일반인의 통행을 금지하여 치안을 지키고 사회 공공질서를 유지하기 위한 목적으로 시행한 제도입니다. 1945년부터 시작된 이 제도는 1982년까지 자유롭게 통행할 수 있는 권리를 침해하였습니다.

갓길 통행을 하면 범칙금이나 벌점이 부과돼요.

긴급한 경우나 고속 도로의 유지 및 보수를 위해 투입되는 차량은 갓길을 이용할 수 있어요.

갓길 통행 금지

갓길 통행 금지는 고속 도로에서 긴급한 상황이 발생하거나, 고속 도로의 유지 및 보수 등의 작업을 원활하게 할 수 있도록 자유로운 통행을 제한한 것입니다.

개발 제한 구역(Green Belt)

개발 제한 구역은 도시의 무질서한 확산을 막고, 도시 주변의 자연환경을 보존하여 환경 오염을 막기 위해 설정합니다. 환경을 보호하는 공공의 이익을 위해 개발 제한 구역에서는 건물을 짓거나 땅을 이용할 때에 땅 주인의 권리가 제한될 수 있습니다.

환경 보호를 위해 건물을 지을 수 없습니다.

내 땅인데도 마음대로 못하고, 건물만 지어도 많은 돈을 벌 수 있는데…….

개발 제한구역

단원을 마무리 해요

정리 콕콕

이 단원에서 배운 내용을 글과 그림으로 정리해 봅시다.

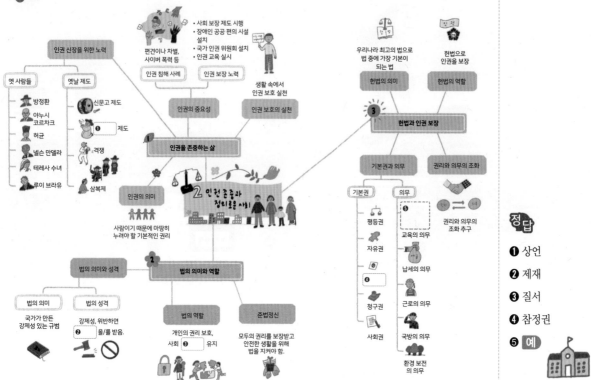

정답
❶ 상언
❷ 제재
❸ 질서
❹ 참정권
❺ 예

 창의 팡팡

우리 주변에서 인권 보호가 필요한 부분을 생각해 보고, 인권 지킴이 캐릭터를 만들어 봅시다.

만드는 방법

❶ 우리 주변에서 인권 보호가 필요한 부분을 떠올려 보고 씁니다.
• 친구를 괴롭히거나 따돌리는 행동을 해서는 안 된다.
• 예 놀이 시설을 함부로 쓰거나 놀이 시설을 다른 사람이 쓰지 못하게 독점해서는 안 된다.

❷ 인권의 필요성을 나타내는 그림을 그립니다.
❸ 캐릭터에 관한 설명을 글로 표현합니다.

학교 폭력 예방 지킴이

학교에서 학교 폭력이 없어지고 서로의 인권을 존중하는 환경이 갖추어지기를 바라며 '학교 폭력 예방 지킴이' 캐릭터를 만들었습니다.

놀이터 인권 지킴이 캐릭터

예 '놀.인.지.캐(놀이터 인권 지킴이 캐릭터)'는 놀이터 시설의 안전을 책임지고, 혼자서 또는 친구들끼리 놀이터 시설을 계속 사용하면서 다른 친구들이 이용하지 못하게 하는 것을 막아 줍니다.

세상 속으로 **준법정신에 관한 공익 광고 만들기**

준법과 관련된
영상 시청하기

⚙ **우리 모둠이 본 영상은**

예 어린이 보호 구역에서 운전자와 학생의 안전을 지키기 위한 공익 광고입니다.

우리 주변에서
준법이 필요한 부분
알아보기

⚙ **준법이 필요한 부분**

예 안전 보호 장비를 착용하지 않은 채 전동 킥보드를 이용하거나 둘 이상이 함께 전동 킥보드를 이용하는 모습을 볼 수 있습니다.

⚙ **준법이 필요한 까닭**

예 전동 킥보드를 안전하게 이용하지 않으면 큰 사고로 이어질 수 있고, 나의 안전과 다른 사람의 안전할 권리를 침해할 수 있습니다.

법을 지키기 위한
공익 광고 표현하기

⚙ **들어갈 내용**

예 전동 킥보드를 운전하기 전, 안전모를 착용하는 모습, 횡단보도에서는 내려서 끌고 가는 모습, 장난치지 않고 꼭 한 명이서 운전하는 모습 등을 글쓰기, 그림 그리기, 영상 만들기 등으로 표현할 수 있습니다.

준법에 관한 공익
광고 소개하기

예 '전동 킥보드 안전 수칙 준수'라는 주제로 공익 광고를 만들었습니다. 전동 킥보드를 이용할 때의 안전 수칙을 꼭 지켜야 한다는 내용입니다. 안전 수칙을 지키면 나와 다른 사람의 안전을 지킬 수 있습니다. 법을 잘 지키는 것은 우리 모두가 안전하게 생활할 수 있기 때문입니다.

1 사람이기 때문에 마땅히 누려야 할 기본적인 권리를 인권이라고 한다. (○ , ✕)

2 모든 사람은 나와 똑같은 권리가 있으므로 다른 사람의 인권을 (존중 , 무시)하는 태도가 필요하다.

3 부당한 일을 당한 백성이 대궐 밖에 있는 북을 쳐서 임금에게 알린 제도를 (신문고 제도 , 삼복제) (이)라고 한다.

4 인권을 보장하기 위한 방법에는 개인적인 노력만이 있다. (○ , ✕)

5 사회 구성원들의 합의에 따라 만들어진 것으로, 개인, 단체, 국가에 이르기까지 모두가 지켜야 할 기준은? ( )

6 법과 도덕 모두 지켜야 할 행동의 기준이지만, 법은 강제성을 갖는다. (○ , ✕)

7 학교 도서관의 설립과 운영, 지원 등과 관련한 사항이 들어 있는 법은 (학교 도서관 진흥법 , 초·중등 교육법)이다.

8 법은 개인의 권리를 보호하면서도 사회 질서를 유지하는 데 도움을 준다. (○ , ✕)

9 우리나라 최고의 법으로 법 중에서 가장 기본이 되는 법은? ( )

10 우리나라 헌법이 추구하는 가치에는 무한한 발전과 개발에 관한 내용이 제시되어 있다. (○ , ✕)

11 국가의 간섭을 받지 않고 자유롭게 생활할 수 있는 권리를 (사회권, 자유권)(이)라고 한다.

12 모든 국민은 법률이 정하는 바에 의하여 세금을 내야 할 ( )을/를 가진다.

2
단원

1 빈칸에 들어갈 알맞은 개념을 쓰시오.

> 사람에게는 나이, 성별, 인종 등과 관계없이 누구나 사람으로서 존중받고 행복하게 살아갈 권리가 있다. 이처럼 사람이기 때문에 마땅히 누려야 할 기본적인 권리를 ☐☐(이)라고 한다.

_____

2 인권을 보호하는 모습으로 알맞은 것은 어느 것입니까? (   )

① 나의 인권이 가장 소중하다고 생각한다.
② 다른 사람의 어려움에 공감하는 자세를 가진다.
③ 사이버 공간에서 비방하는 댓글을 작성했다.
④ 친구와 관련된 잘못된 정보를 스마트폰 단체방에 전송했다.
⑤ 인권 보호는 어려운 일이기 때문에 정부 기관이나 국제기구에서 담당한다.

3 어린이의 인권을 신장시키기 위해 노력한 인물은 누구인가요? (   )

① 허균   ② 신사임당
③ 넬슨 만델라   ④ 루이 브라유
⑤ 야누시 코르차크

4 방정환에 대하여 올바르게 설명한 학생은 누구입니까? (   )

① 지호: '어린이'라는 말을 사용했어.
② 시후: 잡지인 『어린이』을 만들었어.
③ 준영: 우리나라를 지킨 대표적인 역사적 인물이야.
④ 은채: 어린이들이 차별받지 않도록 『홍길동전』을 지었어.
⑤ 가인: 인물이 살았던 시대에는 어린이들이 충분히 인권을 보장받고 있었어.

5 빈칸 ㉠, ㉡에 들어갈 알맞은 말을 쓰시오.

> • ㉠ 은/는 옛날에 사형과 같은 무거운 형벌을 내릴 때는 신분에 관계없이 억울하게 벌을 받는 일이 없도록 세 번의 재판을 거치도록 한 제도이다.
> • 옛 사람들은 억울한 일을 당한 사람이 임금이 행차할 때 징이나 꽹과리, 북 등을 쳐서 임금에게 억울함을 호소하는 ㉡ (이)라는 제도를 만들었다.

㉠: _____

㉡: _____

[6-7] 다음 자료를 읽고 물음에 답하시오.

> • "노인들이 편하게 이동할 수 있도록 육교에 승강기가 필요해요."
>   – 도로를 건너야 하는 어르신
> • "공사장 소음이 너무 커서 공부에 방해가 돼요."
>   – 시험이 얼마 남지 않은 학생
> • "이 건물에는 계단밖에 없어서 불편해요."
>   – 휠체어를 탄 사람

6 자료에서 나타나고 있는 문제를 4글자로 쓰시오.

_____

중요
7 자료를 읽고 가져야 할 마음가짐을 빈칸에 쓰시오.

> 일상에서 인권이 존중받는 사회를 만들기 위해서는 다른 사람들의 어려움을 공감하고, 상대방의 입장을 ☐☐하는 태도를 가져야 한다.

_____

8 다음은 인권 보호 실천을 위해 그린 포스터이다. 올바른 활동 순서를 보기 에서 찾아 쓰시오.

보기

㉠ 소감과 결과에 관해 토의한다.

㉡ 인권 보호를 실천하는 방법을 찾는다.

㉢ 일상생활에서 인권이 보호되지 않는 사례를 조사한다.

㉣ 인권 보호 실천 방법(인권 포스터 그리기)을 선택해 실천한다.

9 중요 다음 설명에 해당하는 개념은 어느 것입니까?

(　　　　)

사회에는 사람들이 지켜야 할 여러 가지 규칙이 있다. 이 가운데 국가가 만든 강제성 있는 규범을 정하고 사회 구성원들의 합의에 따라 지키도록 한다.

① 법　　　　　② 도덕

③ 조례　　　　④ 생활

⑤ 선언

10 밑줄 친 '이것'은 무엇인지 쓰시오.

'이것'은 사회 구성원이 양심 등에 비추어 스스로 마땅히 지켜야 할 행동의 기준이다.

11 법의 제재를 받는 행위를 보기 에서 모두 골라 기호를 쓰시오.

보기

㉠ 임산부가 아닌데 임산부 배려석에 앉는다.

㉡ 허락 없이 프로그램을 불법으로 복사하고 있다.

㉢ 오랜 시간 동안 주정차 금지 구역에 주차를 했다.

㉣ 주말에 약속을 잡은 친구와의 약속을 잊어버리고 약속 장소에 가지 않았다.

12 중요 다음 글에서 법과 도덕의 차이를 나타내는 단어를 찾아 쓰시오.

회사원 ○○○ 씨는 지하철 대기줄을 기다리기 싫어 옆으로 끼어들다가 주변 사람들에게 비난을 받았다. 그리고 얼마 전에는 어린이 보호 구역에서 규정 속도를 지키지 않아 법적 제재인 벌금을 내게 되었다.

13 일상생활과 관련된 법이 아닌 것은 어느 것입니까?

(　　　　)

① 아이가 태어나면 법에 따라 출생 신고를 한다.

② 초등학교에 다니는 것은 교육받을 권리를 보장받는 것이다.

③ 건물이나 주택을 살 때 계약서를 작성해 분쟁을 방지한다.

④ 일할 때 권리를 보장받기 위해 근로 계약서를 작성한다.

⑤ 시험에서 쪽지에 쓴 내용을 몰래 보면서 시험에 참고한다.

14 빈칸에 들어갈 가장 알맞은 법은 어느 것입니까?
(   )

학교생활도 법과 밀접한 관련이 있다. 우리 법에는 학생을 교육하고 학교의 운영과 관련한 여러 가지 내용을 정해 둔 □□□이 있다.

① 학교 급식법
② 초·중등 교육법
③ 학교 도서관 진흥법
④ 공정한 경쟁을 위한 특별 상법
⑤ 학교 폭력 예방 및 대책에 관한 법률

15 중요 다음 내용과 관련된 법의 역할을 6글자로 쓰시오.

교통과 관련된 법을 시행하면 교통사고 및 피해 등을 예방하여 일상생활에서의 위험을 막아준다. 이처럼 법은 그 내용을 어기거나 잘못을 저지른 사람을 처벌하는 기준이 된다.

16 중요 빈칸 ㉠, ㉡에 들어갈 알맞은 말은 어느 것입니까?
(   )

㉠ 은/는 우리나라의 최고의 법으로, 여러 법 중 가장 근본이 되는 법이다. 그렇기에 국민의 자유와 권리 및 인간다운 생활을 보장하는 ㉡ 을/를 중시해야 한다고 밝히고 있다.

	㉠	㉡		㉠	㉡
①	헌법	인간 존엄	②	헌법	상호 존중
③	민법	배려와 존경	④	민법	국가 권력
⑤	형사법	공동체 생활			

17 헌법에 제시된 기본권으로 알맞지 <u>않은</u> 것은 어느 것입니까? (   )

① 평등권   ② 자유권   ③ 참정권
④ 사회권   ⑤ 추구권

18 빈칸에 들어갈 알맞은 말을 쓰시오.

헌법에는 우리나라에서 추구하는 □□이/가 들어 있다. 예를 들면 국민의 주인은 국민이며, 평화 통일을 지향해야 한다는 내용 등이 있다.

19 다음과 같은 기능을 하는 기관은 어디인지 쓰시오.

'이 기관'은 주민등록 번호를 변경할 수 없는 것은 개인이 자신의 정보를 결정할 수 있는 권리를 침해한다고 판결을 내렸다.

20 국민의 의무에 대한 설명으로 알맞지 <u>않은</u> 것을 모두 골라 쓰시오. (   )

① 헌법에는 규정하고 있지 않지만, 환경 보전의 의무는 국민의 의무이다.
② 근로의 의무는 모든 국민이 일할 의무를 가진다는 것이다.
③ 교육의 의무는 모든 국민이 그 보호하는 자녀에게 적어도 초등 교육과 법률이 정하는 교육을 받게 해야 한다는 것이다.
④ 국방의 의무는 법률에 따라서 나라를 지키는 의무를 갖는다는 것인데, 대표적으로 일정 나이가 되면 입대를 해야 하는 것이다.
⑤ 자유의 의무는 직업, 성별, 종교를 누구의 방해 없이 자유롭게 선택해야만 한다는 것이다.

[1-3] 다음 글을 읽고 물음에 답하시오.

허균은 신분이 천하다는 이유로 능력을 펼칠 기회조차 주지 않았던 당시의 신분 제도에 문제가 있다고 생각해 『홍길동전』을 지었다.

넬슨 만델라는 27년간 감옥에서 편지를 쓰며 남아프리카 공화국 정부의 인종 차별 정책이 부당하는 것을 전 세계에 알렸다.

1 위 인물들의 활동에서 공통점을 찾아 쓰시오.

2 위 인물들의 활동과 같은 생활 속의 태도를 쓰시오.

3 위 인물들과 같은 활동을 하였던 옛 사람과 그 사람의 활동에 대해 쓰시오.

[4-6] 다음 자료를 보고 물음에 답하시오.

누리집 가짜 입장권 판매 사건

○○○ 씨는 인터넷 포털에서 게시물을 보고 콘서트 입장권을 구매하였습니다. 결제를 하고 나니 입장권이 문자로 와 안심하였습니다. 그런데 이후 콘서트장에 갔더니 입장권이 가짜라는 것이 드러났고 자신 외에도 여러 피해자들이 있다는 것을 알게 되었습니다.

4 자료의 내용을 바탕으로 법과 도덕의 차이점을 쓰시오.

5 다음 기사를 읽고 법의 역할을 쓰시오.

경찰은 '누리집 가짜 입장권 판매 사건'의 범죄자를 찾아 법원에 판결을 맡겼습니다. 법원은 가짜 입장권을 판매한 일당들에게 해당 행위는 많은 피해자들에게 금전적·정신적 고통을 주는 심각한 범죄임을 명백히 밝히며, 법률에 따라 제재를 가하기로 결정했습니다.

– ○○신문, 금○○기자

6 위 자료를 바탕으로 법을 지켜야 하는 까닭을 쓰시오.

5-1
초등 사회
평가 문제집

문제 톡톡

학교 시험 완벽 대비!

1. 국토와 우리 생활

2. 인권 존중과 정의로운 사회

금성출판사

1. 국토의 위치와 영역

❶ 우리나라의 위치

(1) 지구상의 위치 표현: 위선과 경선, 본초 자오선, 위도, 경도 등을 이용해 위치를 표현할 수 있다.

(2) 우리 국토의 위치
① 아시아 대륙의 (❶   )에 있다.
② 국토의 서쪽에는 중국, 동쪽에는 일본이 있다.
③ 대륙과 해양을 연결하는 위치에 있다.

❷ 우리나라의 영역

영역	한 나라의 (❷)이/가 미치는 범위로 영토, 영해, 영공으로 이루어짐.
영토	육지와 섬을 포함한 땅을 의미함. 우리나라의 영토는 한반도와 한반도에 속한 여러 섬임.
영공	영토와 영해 위의 하늘을 의미함.
영해	영토 주변의 바다를 의미함. 영해를 설정하는 기준선으로부터 12해리까지의 바다임.

❸ 자연환경에 따른 우리 국토의 구분

(1) 국토 구분: 큰 산맥이나 하천을 중심으로 북부, 중부, 남부 지방으로 구분한다.

(2) 전통적 지역 구분
① 산, 고개, 강, 호수 등 (❸   )을/를 기준으로 국토를 구분했다.
② 오늘날의 행정 구역을 정하는 데 기준이 되었다.

❹ 우리나라의 행정 구역

(1) 우리나라 행정 구역의 구성: 북한 지역을 제외하고 특별시 1곳, 특별자치시 1곳, 광역시 6곳, 도 8곳, 특별자치도 1곳으로 이루어져 있다.

특별시	서울특별시
특별자치시	세종특별자치시
광역시	인천광역시, 대전광역시, 대구광역시, 울산광역시, 부산광역시, 광주광역시
도	경기도, 강원도, 충청남도, 충청북도, 전라남도, 전라북도, 경상남도, 경상북도
특별자치도	제주특별자치도

(2) 행정 구역의 변화: 인구수나 사회적·경제적 조건 등의 변화로 달라지기도 한다.

❺ 국토를 사랑하는 마음 표현하기

(1) 글쓰기: 국토가 소중한 까닭을 글로 표현한다.

(2) 신문 만들기: 우리 국토를 지키기 위해 노력한 사람들을 조사하고 기사로 정리해 신문을 만든다.

(3) 여행 계획 세우기: 알리고 싶은 내용을 담아서 국토 여행 계획을 세운다.

2. 국토의 자연환경

❶ 우리나라의 지형

(1) 지형: 땅의 생김새이다.

(2) 우리나라 지형의 특징
① 국토의 약 70%가 산지로 이루어져 있다. 높은 산은 북동쪽에 많으며 서쪽과 남쪽은 산지가 적고 높이가 낮다.
② 주요 하천은 대부분 동쪽에서 서쪽으로 흐른다. 하천 주변에 (❹   )이/가 발달한다. 평야는 주로 서쪽에 발달했다.
③ 동해안의 해안선은 단조롭고, 서해안과 남해안의 해안선은 복잡하다.

해안	생활 모습
동해안	해수욕이나 경치를 즐기기 위해 관광업이 발달함.
서해안	갯벌이 발달해 해산물을 채취하거나 간척하여 농업이나 공업 용지로 이용함.
남해안	김, 조개류의 양식업이 발달함.

❷ 우리나라의 기후

(1) 날씨와 기후
① 날씨는 한 지역에서 짧은 기간에 나타나는 대기 상태이다.
② (❺   )은/는 오랜 기간 반복되어 나타나는 대기 상태이다.

(2) 우리나라 기후의 특징
① 중위도에 위치해 (❻   )이/가 나타나고, 계절에 따른 기온차가 크다.
② 여름에는 남쪽에서 덥고 습한 바람이, 겨울에는 북서쪽에서 춥고 건조한 바람이 불어온다.
③ 봄과 가을은 짧고 온화하며, 여름은 덥고 비가 많이 온다. 겨울에는 춥고 눈이 내린다.

❸ 우리나라 기온의 특징

(1) 남북의 기온차: 남쪽으로 갈수록 기온이 높고, 북쪽으로 갈수록 기온이 낮다.

(2) 동서의 기온차: 겨울철 (❼   )을/를 막아주는 태백산맥과 동해의 영향으로 동해안이 서해안보다 따뜻하다.

(3) 기온에 따른 생활 모습

북부 지방	• 기온이 낮아 싱거운 음식이 발달함. • 내부의 열을 유지하기 위해 방이 여러 겹으로 배치됨.
남부 지방	• 기온이 높아 음식이 잘 상하지 않도록 소금과 젓갈이 들어간 음식이 발달함. • 바람이 잘 통하도록 방이 한 줄로 배치되어 있고, 마루가 발달함.

❹ 우리나라 강수량의 특징

(1) 우리나라 연평균 강수량

① 남쪽에서 북쪽으로 갈수록 점점 적어진다.

② 여름에는 (❽   )와/과 장마의 영향으로 비가 많이 내린다.

(2) 지역별, 계절별 강수량 차이

① 지역과 계절에 따른 강수량의 차이가 크다.

② 대체로 남부 지방의 강수량이 북부 지방보다 많다.

③ (❾   )에 강수량이 집중된다.

④ 울릉도와 제주도는 겨울철에도 비나 눈이 많이 내린다.

❺ 우리나라의 자연재해

(1) 자연재해: 피할 수 없는 자연 현상으로 일어나는 피해이다.

(2) 우리나라에서 발생하는 자연재해: 황사, 폭염, 태풍, 폭설 등 특정 계절에 주로 발생한다.

❻ 자연재해의 피해를 줄이기 위한 방법

(1) 정확한 예보와 신속한 경보 시스템이 필요하다.

(2) 자연재해에 대비해 시설을 미리 정비하고, 자연재해별 생활 안전 수칙과 행동 요령을 익힌다.

3. 국토의 인문환경

❶ 우리나라 인구 구성의 변화

(1) 우리나라 인구 구성의 특징: 저출산·고령화 현상이 뚜렷해졌다.

(2) 시기별 인구 분포의 특징

1960년대 이전	남서쪽 평야 지역에 인구 밀도가 높음. 산지에는 인구가 적음.
1960년대 이후	(❿)이/가 이루어지면서 촌락의 사람들이 도시로 이동함. 도시의 인구 밀도가 높아짐.
현재	인구의 70%가 대도시에 집중되어 있음. 촌락은 노년층 비율이 높고 도시는 유소년, 청장년층의 비율이 높음.

❷ 우리나라 도시 발달의 특징

(1) 시기별 도시 발달의 특징

1960년대	도시 수와 인구가 늘어남. 경제 개발 정책과 공업 발달로 서울, 부산, 인천, 대구, 광주 등의 도시로 사람들이 이동함.
1970년대	남동쪽 해안에 대규모 공업 단지 조성으로 포항, 울산, 창원 등이 성장함.

(2) 도시 인구 집중을 해결하려는 노력

① 1980년부터 경기도에 (⓫   )을/를 건설했다.

② 수도권에 집중된 공공 기관을 지방으로 이전하고 있다.

❸ 우리나라 산업 구조의 변화

과거	주로 농업, 어업, 임업에 종사함.
1970년대 이후	자동차, 조선, 석유 화학 등 공업이 발달함. 사람들을 편리하게 해주는 상업, 금융업, 운송업 등도 함께 발달함.
1990년대 이후	과학 기술이 발달하면서 반도체, 정보 통신, 생명 공학 등의 첨단 산업이 빠르게 발달함.

❹ 우리나라 교통 발달의 특징

(1) 1980년대 이전에는 도로와 철도가 주요 교통수단이었다.

(2) 1970년대 경부 고속 국도, 2004년에 (⓬   )이/가 개통되면서 교통이 더욱 편리해졌다.

❺ 인문환경의 변화로 달라진 국토 모습 소개하기

(1) 인구, 도시, 산업, 교통과 같은 인문환경은 서로 영향을 주고받으며 발전하고 변화한다.

(2) 인구 분포도, 도시 분포도, 교통도 등을 겹쳐 보면서 인문환경의 변화를 살펴본다.

가로 문제와 세로 문제를 읽고, 퍼즐을 풀어 보시오.

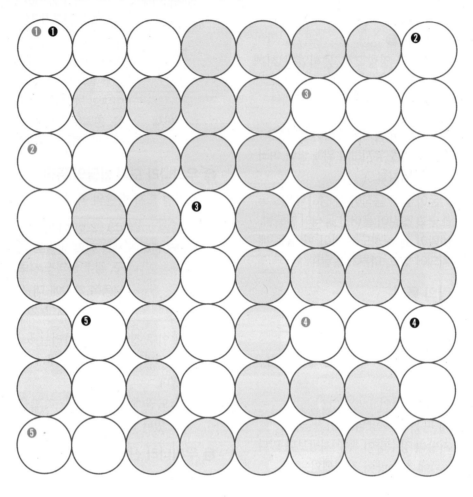

가로 문제

❶ 여름에는 □□□에서 덥고 습한 바람이 불어온다.

❷ □□(으)로 인한 피해를 줄이기 위해 내진 보강 시설을 설치한다.

❸ 우리나라는 □□□에 위치해 사계절이 나타나고, 계절에 따른 기온 차이가 크다.

❹ 우리나라의 행정 구역은 특별시 1곳, 특별자치시 1곳, □□□ 6곳, 도 8곳, 특별자치도 1곳으로 이루어져 있다.

❺ 영역은 한 나라의 □□이/가 미치는 범위로 영토, 영해, 영공으로 이루어진다.

세로 문제

❶ 남북으로 긴 우리 국토는 산맥이나 하천을 중심으로 북부 지방, 중부 지방, □□ □□(으)로 구분하기도 한다.

❷ 우리나라는 인구의 약 70%가 □□□에 집중되어 있다.

❸ 관동 지방은 □□□□을/를 기준으로 영서 지방과 영동 지방으로 구분된다.

❹ 각각 행정 구역에는 지역의 행정을 맡아 처리하는 도청이나 □□이/가 있다.

❺ 최근에는 □□□에 집중된 공공 기관 등을 지방으로 옮겨 국토를 균형 있게 발전하도록 한다.

단원명	국토와 우리 생활

평가 목표	인구, 산업, 교통, 도시의 관계를 고려해 국토의 변화 모습을 알 수 있다.

평가 문항

[1-3] 다음 자료를 보고 물음에 답하시오.

1 ㉠~㉢이 나타내는 주제와 관련 있는 단어를 보기 에서 골라 쓰시오.

> **보기**
>
> 지형　　　　기후　　　　교통　　　　강수량　　　　산업　　　　인구

㉠		㉡		㉢	

2 ㉠~㉢에 해당되는 설명으로 빈칸에 들어갈 알맞은 말을 각각 쓰시오.

㉠	☐☐☐ 에 인구가 집중되며, 촌락의 인구 밀도는 매우 낮아졌습니다.
㉡	고속 국도와 고속 철도가 개통되면서 전국이 ☐☐☐☐☐ 이/가 되었습니다.
㉢	농업 위주에서 벗어나 제조업이나 ☐☐☐☐ 위주로 변화했습니다.

3 인문환경의 변화에 따라 달라진 국토의 모습을 한 가지 쓰시오.

1 빈칸에 들어갈 알맞은 말을 쓰시오.

> • 삼면이 바다로 둘러싸이고 한 면은 육지로 이어져 있는 지형을 ☐☐(이)라고 한다.
> • 우리나라는 아시아 대륙의 동쪽에 위치한 ☐☐이다.

2 제시된 자료를 보고 알 수 있는 우리나라의 위치상 장점은 무엇인지 쓰시오.

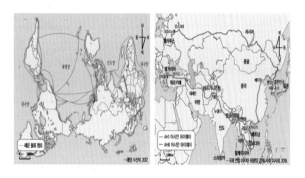

3 다음 설명에 해당하는 용어를 쓰시오.

> • 한 나라의 주권이 미치는 범위 중 땅을 말한다.
> • 우리나라에서는 한반도와 한반도에 속한 섬을 말한다.

4 자연환경에 따라 구분한 우리 국토에 대한 설명으로 알맞은 것은 어느 것입니까? ( )

① 휴전선 북쪽 지역은 남부 지방이다.
② 금강의 남쪽은 경기 지방이라고 한다.
③ 경기만의 서쪽은 영남 지방이라고 한다.
④ 휴전선 남쪽에서 금강 하류와 소백산맥까지는 남부 지방이다.
⑤ 철령관 동쪽의 관동 지방은 영서 지방과 영동 지방으로 나누어진다.

5 빈칸에 들어갈 알맞은 말은 어느 것입니까?

( )

> **영훈:** 우리나라는 전통적으로 ☐☐☐을/를 기준으로 국토를 구분했던 것 같아.
> **수지:** 맞아. 전통적인 국토 구분이 오늘날에도 영향을 미치고 있어.

① 문화   ② 인문환경
③ 생활방식   ④ 자연환경
⑤ 교통 환경

6 빈칸에 들어갈 알맞은 말을 쓰시오.

> 자연환경을 기준으로 국토를 구분했던 예전의 기준은 오늘날의 ☐☐☐☐을/를 정하는 데 기준이 되었다. ☐☐☐☐은/는 나라를 효율적으로 관리하기 위해 나눈 행정 단위를 말한다.

7 우리나라 행정 구역상 광역시에 해당하지 <u>않는</u> 도시는 어느 곳입니까? ( )

① 대구   ② 부산
③ 서울   ④ 인천
⑤ 광주

8 국토 사랑 여행 계획을 세우려고 합니다. 보기에서 순서에 맞게 골라 배열해 보시오.

> **보기**
> ㉠ 여행 계획을 친구들과 공유한다.
> ㉡ 여행지의 위치와 특징을 조사한다.
> ㉢ 우리 국토 중에서 여행가고 싶은 지역을 생각해 본다.
> ㉣ 여행지에서 국토를 위해 어떤 일을 할 수 있을지 생각해 본다.

_____

9 각 지형과 해당되는 설명을 연결하시오.

(1) 해안 •   • ㉠ 낮고 평평한 땅이 넓게 펼쳐진 지형

(2) 평야 •   • ㉡ 바다와 육지가 서로 맞닿은 곳

(3) 하천 •   • ㉢ 물이 일정한 길로 흐르며 땅의 표면을 지나는 물줄기

중요
10 지도의 ㉠, ㉡에 해당되는 산맥과 산을 쓰시오.

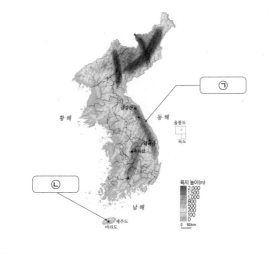

㉠: _____

㉡: _____

서술형
11 그림을 참고하여 우리나라 하천이 대부분 동쪽에서 서쪽으로 흐르는 이유를 쓰시오.

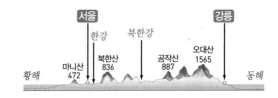

_____

_____

12 지형에 따른 생활 모습이 바르게 짝지어지지 <u>않은</u> 것은 어느 것입니까? (   )

① 산지 – 등산이나 관광을 한다.
② 강 – 하천 상류에 댐을 만든다.
③ 평야 – 주로 양식업에 종사한다.
④ 하천 – 민물고기나 재첩을 잡는다.
⑤ 평야 – 많은 사람이 모여들어 도시가 발달한다.

13 다음 설명에 해당하는 우리나라 해안은 어디인지 쓰시오.

• 바다와 육지의 드나듦이 심해서 해안선이 복잡하다.
• 갯벌이 발달하여 간척을 하기도 한다.

_____

서술형

14 다음 자료를 통해 알 수 있는 우리나라 기후의 특징을 쓰시오.

> 4월이라 봄이니, 날씨는 따뜻해지고 온갖 꽃 피어나네. 7월이라 여름이니, 큰비도 자주 오고 더위도 극심하네. 9월이라 가을이니, 공기는 서늘해지고 서리 내리네. 12월이라 겨울이니, 추운 바람 세차게 불고 눈 오며 얼음 어네.
> – 정학유, 「농가 월령가」

[15-16] **다음 지도를 보고 물음에 답하시오.**

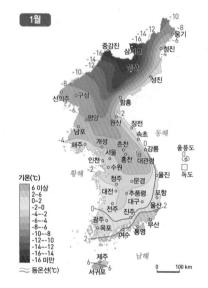

15 지도에서와 같이 기온이 같은 곳을 연결한 선을 일컫는 용어를 쓰시오.

중요

16 강릉의 1월 평균 기온이 서울보다 높은 이유로 알맞은 것은 어느 것입니까? (　　　)

① 서울이 평야에 위치해 있기 때문에
② 남부 지방이 북부 지방보다 따뜻해서
③ 서해가 동해보다 수온이 높기 때문에
④ 강릉의 강수량이 서울보다 많기 때문에
⑤ 차가운 북서풍을 산맥이 막아주기 때문에

17 빈칸 ㉠~㉤에 들어갈 말로 알맞지 <u>않은</u> 것은 어느 것입니까? (　　　)

> 우리나라의 연평균 강수량은 1,300mm 정도로 세계 평균보다 (㉠) 편입니다. 대체로 남부 지방이 북부 지방보다 강수량이 (㉡). 그리고 계절에 따른 강수량의 차이가 (㉢), 주로 (㉣)에 집중됩니다. 울릉도와 제주도는 (㉤)에 비나 눈이 많이 내립니다.

① ㉠ – 많은
② ㉡ – 적습니다
③ ㉢ – 큰 편이며
④ ㉣ – 여름
⑤ ㉤ – 겨울

18 주로 겨울철에 발생하는 자연재해는 어느 것입니까? (　　　)

① 지진　　　　② 태풍
③ 한파　　　　④ 폭염
⑤ 황사

19 다음 대화의 빈칸에 들어갈 알맞은 말을 쓰시오.

> **민지:** 과거 우리나라의 인구 구성은 노년층보다 유소년층 인구의 비중이 높았으나, 현재는 유소년층이 적고 노년층이 더 많은 특징을 보여.
> **도현:** 앞으로 미래에는 ☐☐☐ 인구 비중이 더 높아질 것으로 예상된다고 해.

20 빈칸 ㉠, ㉡에 들어갈 말이 알맞게 짝지어진 것은 어느 것입니까? ( )

> 1960년대 이전에는 남서쪽 ㉠ 지역의 인구 밀도가 높았다. 그러나 산업화가 이루어지면서 현재는 ㉡ 의 인구 밀도가 높아졌다.

	㉠	㉡		㉠	㉡
①	산지	촌락	②	산지	도시
③	평야	촌락	④	평야	도시
⑤	해안	도시

21 다음 자료의 빈칸에 들어갈 알맞은 말을 쓰시오.

울산광역시

1910년	2010년

농업과 어업 중심	자동차·( ) 공업 중심

22 밑줄 친 '이 지역'에 해당되는 공업 지역은 어느 곳입니까? ( )

> '이 지역'은 시멘트의 재료인 석회석이 풍부하여 이와 관련한 공업이 발달했다.

① 수도권 지역
② 태백산 지역
③ 영남 내륙 지역
④ 남동 임해 지역
⑤ 중부 내륙 지역

[23-24] 다음 지도를 보고 물음에 답하시오.

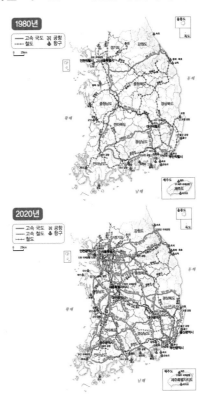

23 위 지도와 같이 교통망을 중심으로 여러 교통 현상을 나타낸 지도를 무엇이라고 하는지 쓰시오.

_____

24 1980년대와 2020년의 지도를 비교한 내용으로 알맞지 않은 것은 어느 것입니까? ( )

① 항구의 수가 더 많은 것은 2020년이다.
② 공항의 수가 더 적은 것은 1980년대이다.
③ 철도의 총 길이가 더 긴 것은 2020년이다.
④ 고속 국도의 총 길이가 더 긴 것은 2020년이다.
⑤ 고속 철도가 처음으로 생긴 것은 1980년대이다.

 서술형
25 인문환경이 발달하면서 교통, 인구, 산업이 어떻게 서로 관련되어 변화하는지 쓰시오.

_____

_____

1 우리 국토에 대한 설명으로 알맞지 <u>않은</u> 것은 어느 것입니까?   (   )

① 우리 국토는 반도이다.
② 국토의 남쪽 끝은 마라도이다.
③ 대륙과 해양을 연결하는 위치에 있다.
④ 아시아 대륙의 동쪽 끝에 위치해 있다.
⑤ 우리나라와 육로로 연결될 수 있는 나라가 없다.

2 (중요) 빈칸 ㉠, ㉡에 들어갈 말을 각각 쓰시오.

> • 한 나라의 영역은 그 나라의 ㉠ 이/가 미치는 범위를 말한다.
> • 영역은 영토, 영공, ㉡ (으)로 이루어진다.

㉠:

㉡:

3 우리나라 영토의 동쪽 끝인 ㉠은 어디인지 쓰시오.

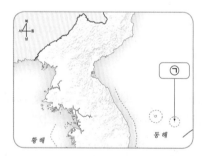

4 다음 표의 빈칸에 공통으로 들어갈 알맞은 말을 쓰시오.

북부 지방	( ) 북쪽의 북한 지역
중부 지방	( )에서 소백산맥과 금강 하류에 이르는 지역
남부 지방	중부 지방의 남쪽 지역

5 우리나라의 전통적 지역 구분의 기준이 <u>아닌</u> 것은 어느 것입니까?   (   )

① 조령   ② 경기만
③ 휴전선   ④ 의림지
⑤ 태백산맥

6 밑줄 친 '이것'에 대한 설명으로 보기 에서 옳은 것을 모두 고르시오.

> <u>이것</u>은 나라를 효율적으로 관리하기 위해서 행정상의 목적에 따라 나눈 단위를 말합니다.

보기
㉠ 1곳의 특별자치도가 있다.
㉡ 항상 자연환경으로 구분한다.
㉢ 각 구역에는 시청이나 도청이 있다.
㉣ 인구와 관계없이 절대 변하지 않는다.

7 지도의 ㉠에 위치한 행정 구역명을 쓰시오.

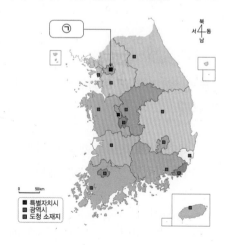

서술형

8 우리 국토를 사랑하는 마음으로 내가 실천할 수 있는 방법을 두 가지 쓰시오.

_____

_____

9 빈칸 ㉠, ㉡에 들어갈 알맞은 말이 바르게 짝지어진 것은 어느 것입니까? ( )

> 우리나라의 지형에는 산지가 연속해서 나타나는 ㉠ 이/가 있고, 작은 물줄기인 하천이 모여 바다로 흘러가는 ㉡ 이/가 있다.

　　㉠　㉡　　　　　　㉠　㉡
① 평야 – 강　　　　② 강 – 평야
③ 강 – 산맥　　　　④ 산맥 – 바다
⑤ 산맥 – 강

 서술형

10 다음 단면도를 보고 알 수 있는 우리나라 지형의 특징은 무엇인지 쓰시오.

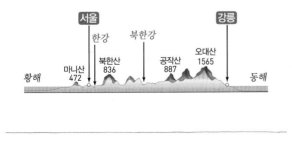

_____

_____

11 지형과 그에 따른 생활 모습으로 알맞은 내용을 연결하시오.

(1) 산지　•
(2) 하천　•
(3) 평야　•

• ㉠ 댐을 만들어 홍수를 예방하고 전기를 생산함.

• ㉡ 농사를 짓거나 도시가 발달함.

• ㉢ 경사가 완만한 곳에서나 배추나 감자를 재배함.

12 지도의 해안 지역에서 나타나는 생활 모습을 **보기**에서 모두 고르시오.

보기
㉠ 어업 활동을 주로 한다.
㉡ 김이나 조개를 양식한다.
㉢ 주로 농사를 지으며 살아간다.
㉣ 갯벌에서 해산물을 채취하거나 간척한다.

_____

13 우리나라 지형에 대한 설명으로 알맞지 않은 것은 어느 것입니까? ( )

① 서해안은 해안선이 복잡하다.
② 동쪽과 북쪽에 높은 산지가 많다.
③ 하천 주변에는 평야가 발달해 있다.
④ 동해안과 남해안은 해안선이 단조롭다.
⑤ 주요 하천은 서해와 남해 쪽으로 흐른다.

서술형

14 다음 자료를 보고 여름과 겨울에 불어오는 바람의 특징을 비교해서 쓰시오.

여름에 불어오는 바람

겨울에 불어오는 바람

_____

_____

15 우리나라 기후의 특징으로 알맞은 것은 어느 것입니까? ( )

① 여름과 겨울의 기온 차이가 작다.
② 남에서 북으로 갈수록 기온이 높다.
③ 남쪽과 북쪽 지역의 기온 차이가 크다.
④ 같은 위도에서는 서해안이 동해안보다 따뜻하다.
⑤ 같은 위도에서는 겨울에 해안 지역보다 내륙 지역이 더 따뜻하다.

중요

16 사진과 같은 생활 모습이 나타나는 까닭과 가장 관련이 있는 것은 어느 것입니까? ( )

▲ 우데기

① 기온   ② 지형
③ 기후   ④ 강수량
⑤ 자연재해

17 다음 조사 보고서의 ㉠에 알맞은 자연재해는 무엇인지 쓰시오.

〈자연재해 조사 보고서〉	
종류	㉠
겪은 일	• 집 앞 도로가 물에 잠겼다. • 나무가 쓰러지고 간판이 떨어졌다. • 유리창이 깨지고 건물 외벽이 무너졌다.
특징	• ㉠은 주로 여름과 가을에 많이 발생한다. • ㉠이 오면 많은 비가 내리고 거센 바람이 분다.

중요

18 지도를 보고 빈칸에 들어갈 알맞은 말을 쓰시오.

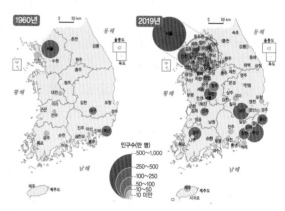

1960년과 비교하여 2019년에 도시가 가장 많이 증가한 지역은 □□□이다.

_____

19 빈칸에 들어갈 알맞은 말을 쓰시오.

서울에 집중된 인구와 기능을 분산시키기 위해 1980년대부터 경기도에 ( )을/를 건설했다.

_____

20 빈칸 ㉠, ㉡에 들어갈 알맞은 말로 짝지어진 것은 어느 것입니까? ( )

- 사람들이 어디에 얼마나 모여 사는가를 나타낸 것을 ㉠ (이)라고 한다.
- 과거에는 농사를 짓는 평야 지역의 인구 밀도가 높았고, 현재는 ㉡ 의 인구 밀도가 높다.

	㉠	㉡
①	인구 구성	도시
②	인구 분포	도시
③	인구 구성	촌락
④	인구 분포	촌락
⑤	인구 피라미드	촌락

서술형

21 수도권 지역에 산업이 고르게 발달할 수 있었던 까닭을 쓰시오.

_____

_____

서술형

22 그래프를 통해 알 수 있는 우리나라 산업 구조 변화의 특징을 쓰시오.

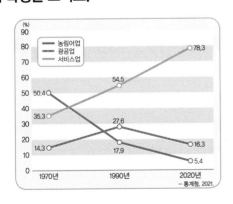

_____

_____

23 1980년대 우리나라의 교통수단에 해당되지 않는 것은 어느 것입니까? ( )

① 항구   ② 철도
③ 공항   ④ 고속 국도
⑤ 고속 철도

24 교통이 발달하면서 나타난 생활 모습이 아닌 것은 어느 것입니까? ( )

① 빠른 배송 서비스가 가능해졌다.
② 지역의 관광 자원이 활성화되었다.
③ 많은 양의 원료를 한 번에 주고받는다.
④ 교통망이 촘촘해져 복잡한 환승이 늘어난다.
⑤ 다른 도시로 빠르고 편리하게 이동할 수 있게 된다.

25 다음 대화의 빈칸에 들어갈 알맞은 말을 쓰시오.

지은: 인문환경의 변화를 알아보기 위해 인구 분포도와 ☐☐☐을/를 겹쳐볼까?
지우: 그렇게 해 보면 고속 국도나 철도를 따라 인구가 많이 분포하고 있는 특징을 알 수 있어.
지은: 교통이 편리해지면 산업이 발달하고, 산업이 발달하면 도시가 발달하고, 그 과정에서 인구도 증가하는구나.

[1-2] 다음 지도를 보고 물음에 답하시오.

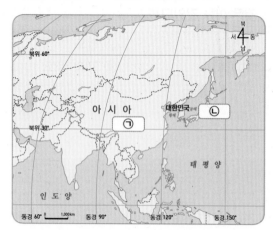

1 ㉠, ㉡에 들어갈 알맞은 나라를 각각 쓰시오.

㉠:

㉡:

> **평가 실마리**
> • **관련 내용** 교과서 14쪽, 개념 톡톡 12쪽
> • **출제 의도** 우리 국토의 주변 나라 알기
> • **선생님의 한마디**
> "우리 국토의 주변에 자리한 이웃 나라들을 떠올려 보세요."

2 방위나 위도, 경도를 이용해 우리나라의 위치를 쓰시오.

> **평가 실마리**
> • **관련 내용** 교과서 14쪽, 개념 톡톡 12쪽
> • **출제 의도** 우리 국토의 위치 이해하기
> • **선생님의 한마디**
> "지도 속 방위와 위도, 경도를 참고해서 생각해 보세요."

3 우리나라의 행정 구역은 어떻게 이루어져 있는지 아래 지도를 참고하여 쓰시오.

> **평가 실마리**
> • **관련 내용** 교과서 21쪽, 개념 톡톡 18쪽
> • **출제 의도** 우리나라 행정 구역 구분하기
> • **선생님의 한마디**
> "지도를 보고 행정 구역을 구분해서 써 보세요."

4 지도를 보고 동해안과 서해안에서 나타나는 해안선의 특징을 비교해서 쓰시오.

 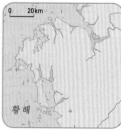

▲ 동해안   ▲ 서해안

> **평가 실마리**
> • **관련 내용** 교과서 36쪽, 개념 톡톡 32쪽
> • **출제 의도** 동해안과 서해안의 특징 비교하기
> • **선생님의 한마디**
> "그림 속 해안선을 살펴보고 차이점을 생각해 보세요."

5 ㉠, ㉡과 같이 사람들의 생활 모습에 차이가 나타나는 까닭을 기온과 관련지어 쓰시오.

㉠ 남부 지방 김치

㉡ 북부 지방 김치

6 사진과 같은 생활 모습이 발달한 까닭을 강수량과 관련지어 쓰시오.

7 다음 인구 분포 지도를 보고 우리나라 인구 분포의 특징을 쓰시오.

8 교통이 발달하면서 달라진 사람들의 생활 모습을 두 가지 쓰시오.

1. 인권을 존중하는 삶

❶ 인권의 의미와 인권 신장 노력

(1) (❶   ): 태어난 배경과 관계없이 사람이기 때문에 마땅히 누려야 할 기본적인 권리이다.

(2) 인권 신장을 위해 노력한 옛 사람들의 활동

인물	활동
(❷)	어린이가 존중받고 행복하게 자라기를 바라는 마음으로 1923년 '어린이날'을 만듦.
야누시 코르차크	전쟁 중 어린이들이 인간답게 살 수 있도록 몸과 마음을 바쳐 헌신함.
허균	당시의 신분 제도에 문제가 있다고 생각해 『홍길동전』을 지음.
넬슨 만델라	남아프리카 공화국 정부의 인종 차별 정책이 부당하다는 것을 전 세계에 알림.
테레사 수녀	가난하고 아픈 사람들을 도와주고 보살피는 데 평생을 바침.
루이 브라유	시각 장애인들을 위해 1800년대 초 점자를 만듦.

(3) 인권 신장을 위한 옛날 제도

명칭	설명
(❸)	부당한 일을 당한 백성이 대궐 밖에 있는 '신문고'라는 북을 쳐서 임금에게 알린 제도
상언 제도	신분과 관계없이 억울한 일을 쓴 문서를 임금에게 제출해 자신의 억울함을 호소한 제도
격쟁	억울한 일을 당한 사람이 임금이 행차할 때 징이나 꽹과리, 북 등을 쳐서 임금에게 억울함을 호소하도록 한 제도
삼복제	사형과 같은 무거운 형벌을 내릴 때는 신분에 관계없이 억울하게 벌을 받는 일이 없도록 세 번의 재판을 거치도록 한 제도

❷ 생활 속에서 인권 보장이 필요한 사례

(1) 인권 침해: 편견이나 차별, 사이버 폭력, 사생활 침해는 인권 침해의 대표적인 모습이다.

(2) 생활 속 인권 존중: 인권이 존중받는 사회를 만들기 위해서는 인권 침해를 당하는 사람의 어려움에 공감하고 상대방을 존중하는 태도를 가져야 한다.

(3) 인권 보장을 위한 우리 사회의 노력과 생활 속 실천
  ① 다양한 (❹   ) 제도 시행: 무료 예방 접종, 저소득층 기초 연금
  ② 장애인 공공 편의 시설 설치: 시각 장애인용 음향 신호기 설치, 장애인 전용 주차 구역 설치
  ③ 국가 인권 위원회: 인권 침해 상황에 도움을 주는 독립적인 기구 운영
  ④ 인권 단체 활동: 나눔과 봉사 활동, 편견이나 차별을 없애는 캠페인 활동
  ⑤ 어린이 인권 교육 실시: 어린이 인권 체험 행사, 다문화 이해 교육
  ⑥ 생활 속 인권 보호 실천: 인권 표어 만들기, 인권 포스터 그리기, 인권 동영상 만들기, 인권 사진 찍기 등

2. 법의 의미와 역할

❶ 법의 의미

(1) 법: 사회 구성원이 지켜야 하는 여러 가지 규칙 중 국가가 만든 강제성 있는 규범을 (❺   )(이)라고 한다.

(2) 법과 도덕

개념	의미	다른 점
법	사회 구성원 모두가 지켜야 할 행동 기준	법은 지키지 않으면 법의 제제를 받는 (❻)이/가 있음.
도덕	사회 구성원이 양심 등에 비추어 스스로 마땅히 지켜야 할 행동 기준	도덕을 지키지 않으면 주변 사람들에게 비난을 받지만 처벌을 받지는 않음.

(3) 법의 변화: 법은 고정된 것이 아니라 시대나 사회의 변화에 따라서 바뀌거나 새로 만들어지기도 한다.

❷ 우리 생활과 법

(1) 일상생활과 관련된 법: 아이가 태어나면 출생 신고를 하는 일, 일정한 나이가 되면 초등학교에 입학하는 일, 일할 때 근로 계약서를 작성하는 일 등

(2) 학교생활과 관련된 법

명칭	의미
초·중등 교육법	학생을 교육하고 학교의 운영과 관련한 여러 가지 내용을 정해 둔 법
학교 도서관 진흥법	학교 도서관의 설립과 운영, 지원 등과 관련한 사항이 들어 있는 법
학교 폭력 예방 및 대책에 관한 법률	학교 폭력을 예방하고 학생의 인권을 보호하기 위한 법
학교 급식법	학교 급식에 관한 사항을 정해 학교 급식의 질을 높이려는 법

❸ 법의 역할과 법을 지켜야 하는 까닭

(1) 개인의 (❼   ): 개인 정보 처리 및 보호, 개인 간의 분쟁 해결을 위한 기준 제시, 개인의 생명과 신체 보호, 개인의 재산 보호, 구호 활동 및 예방 대책 마련 등

(2) 사회 질서 유지: 범죄 예방, 질병이나 감염병 예방, 교통사고 및 피해 예방, 환경 오염과 환경 훼손 예방

(3) 법을 지켜야 하는 까닭: 법을 어기면 다른 사람에게 피해를 주거나 다른 사람의 권리를 (❽   )할 수 있다. 법을 잘 지키는 사회에서는 모두의 권리를 보장받을 수 있다.

---

3. 헌법과 인권 보장

❶ 헌법의 의미와 추구하는 가치

(1) 헌법: 우리나라 최고의 법으로, 법 중에서 가장 기본이 되는 법이다. 대한민국 국민이 누려야 할 권리와 지켜야 할 의무, 국가 구성 기관에 대한 내용이 있다.

(2) 헌법이 추구하는 가치: 대한민국의 주권은 국민에게 있다. 자유 민주적 기본 질서를 중요시한다. 대한민국은 평화 통일을 지향해야 한다. 국제 평화 유지와 전통문화 발전에 노력해야 한다.

❷ 인권 보장을 위한 헌법의 역할

(1) (❾   ): 법률이 헌법에 어긋나지 않는지, 국가 권력이 국민의 기본권을 침해하지 않는지 등을 심판한다.

(2) 헌법과 인권 보장: 헌법 재판을 통해 해당 법률이 국민의 인권을 침해하였다는 판단이 내려지면 해당 법률은 바뀌거나 없어진다.

❸ 헌법에 제시된 기본권과 의무

(1) 기본권: 헌법에 보장되는 국민의 기본적인 권리이다.

명칭	의미
❿ ( )	성별, 종교, 사회적 신분 등에 따라 차별받지 않을 권리
자유권	국가의 간섭을 받지 않고 자유롭게 생활할 수 있는 권리
⓫ ( )	국가 기관 형성과 국가의 정치적 의사 형성 과정에 참여할 수 있는 권리
청구권	국가에 일정한 행위를 요구할 수 있는 권리
사회권	국가에 인간다운 생활의 보장을 요구할 수 있는 권리

(2) 기본권의 제한: 필요한 경우 법률에 따라 제한할 수 있다. 그러나 국민에게 보장된 자유와 근본적인 내용을 침해하지 않아야 한다.

(3) 국민의 의무

명칭	의미
⓬ ( )	모든 국민은 그 보호하는 자녀에게 적어도 초등교육과 법률이 정하는 교육을 받게 할 의무를 가짐.
납세의 의무	모든 국민은 법률이 정하는 바에 의하여 세금을 내야 할 의무를 가짐.
⓭ ( )	모든 국민은 일할 의무를 가짐.
국방의 의무	모든 국민은 법률이 정하는 바에 의하여 나라를 지키는 의무를 가짐.
환경 보전의 의무	국가와 국민은 환경을 보호하여 유지하기 위해 노력해야 함.

(4) 권리와 의무의 조화 추구: 권리와 의무가 충돌할 때 권리와 의무의 조화를 추구해야 한다.

가로 문제와 세로 문제를 읽고, 퍼즐을 풀어 보시오.

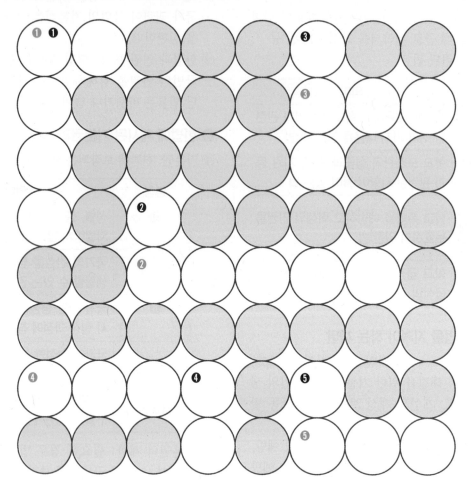

가로 문제

❶ 사람에게는 나이, 성별, 인종 등과 관계없이 누구나 사람으로서 존중받고 행복하게 살아갈 권리, 즉 □□이/가 있다.

❷ 모든 국민은 그 보호하는 자녀에게 적어도 초등교육과 법률이 정하는 교육을 받게 할 □□□ □□이/가 있다.

❸ 법은 사회 □□□들의 합의에 따라 만들어지고 지켜야 할 기준이 된다.

❹ 법은 도덕과 달리 지키지 않으면 □□ □□을/를 받는다.

❺ □□□은/는 국가에 인간다운 생활의 보장을 요구할 수 있는 권리이다.

세로 문제

❶ 헌법은 국민의 자유와 권리 및 인간다운 생활을 보장하는 □□ □□을/를 중시해야 한다고 밝히고 있다.

❷ □□ 급식법은 학교 급식에 관한 사항을 정해 학생의 건전한 심신 발달과 국민 식생활 개선에 이바지함을 목적으로 한다.

❸ 국가에 일정한 행위를 요구할 수 있는 권리를 □□□(이)라고 한다.

❹ 헌법 재판소는 해당 법률이 헌법에 어긋나는지 □□하는 역할을 한다.

❺ 인권 단체에서는 나눔과 □□을/를 통해 사회적 약자의 인권을 보장하고자 한다.

단원명	인권 존중과 정의로운 사회

평가 목표	헌법에서 제시하고 있는 기본권과 국민의 의무를 탐구할 수 있다.

평가 문항

[1-3] 다음 그림을 보고 물음에 답하시오.

㉠	㉡	㉢	㉣
최저 생계비 보장			
▲ 캠페인 활동	▲ 함께하는 삶	▲ 학교 수업	▲ 봉사 활동

1 제시된 그림과 관련 있는 국민의 기본권과 국민의 의무를 쓰시오.

㉠		㉡	
㉢		㉣	

2 자료와 관련 있는 일상생활 속의 기본권 보장과 국민의 의무를 실천하는 사례를 쓰시오.

㉠	
㉡	
㉢	
㉣	

3 헌법에서 국민의 기본권과 국민의 의무를 함께 제시하고 있는 까닭을 쓰시오.

_____

_____

1 다음 설명에 해당하는 개념으로 알맞은 것은 어느 것입니까?　　　　　　　　　　　(　　　)

> 태어난 배경과 관계없이 사람이기 때문에 마땅히 누려야 할 기본적인 권리를 말한다.

① 법　　　　　　　② 도덕
③ 인권　　　　　　④ 재산권
⑤ 임명권

2 인권 존중이 필요한 상황이 <u>아닌</u> 것은 어느 것입니까?　　　　　　　　　　(　　　)

① 공사 소음으로 인해 학교 수업에 방해가 된다.
② 홍수로 인해 수확할 농작물에 막대한 피해를 입었다.
③ 산불로 인해 많은 사람들의 생존권이 피해를 입었다.
④ 물가 인상으로 군것질 비용이 늘어 용돈이 더 필요하게 되었다.
⑤ 이웃 나라에 지진이 발생해 많은 사람들이 생활 터전을 잃었다.

3 인권에 대한 설명으로 알맞은 것은 어느 것입니까?　　　　　　　　　　　　(　　　)

① 인권은 국가 권력으로 제한할 수 있다.
② 사람은 태어난 장소에 따라 인권을 가진다.
③ 나의 인권을 잠시 다른 사람에게 넘길 수 있다.
④ 모든 인권 중에서 나의 인권만이 가장 소중하다.
⑤ 나와 다른 사람의 인권을 함께 존중하는 태도가 필요하다.

4 인권 신장을 위해 노력한 인물이 <u>아닌</u> 사람은 누구입니까?　　　　　　　　(　　　)

① 허균　　　　　　② 장수왕
③ 테레사 수녀　　　④ 루이 브라유
⑤ 야누시 코르차크

5 다음 글에서 밑줄 친 '이 사람'의 이름을 쓰시오.

> '이 사람'은 과거에 어린이의 인권이 무시되던 시대에 어린이가 존중받고 행복하게 자라기를 바라는 마음으로 1923년에 '어린이날'을 만들었다. '이 사람'은 어린이들을 위해 외국의 재미있는 책을 번역하였고, 『어린이』라는 잡지도 만들었다.

───────────────────────

[6-7] 다음 글을 읽고 물음에 답하시오.

> **우리 고을 소식지**
> 금성 고을에 사는 ○○○ 씨는 최근 마을에서 발생한 도난 사건에 범인으로 지목되었다. 사건 당일 논에서 일을 했었다고 주장하였지만, 옆집에 살고 있다는 이유만으로 범인으로 몰려 도둑맞은 물건을 보상하게 생겼다. 그래서 ○○○ 씨는 자신의 억울함을 문서로 적어 임금에게 제출해 자신의 억울함을 밝히려고 한다.

6 제시된 글에서 찾을 수 있는 인권 신장을 위한 옛날의 제도를 쓰시오.

───────────────────────

7 자료와 같은 시대에 실시되었던 제도는 어느 것입니까?　　　　　　　　　　(　　　)

① 격쟁　　　　　　② 삼심제
③ 헌법 재판　　　　④ 국민 재판
⑤ 국방의 의무

8 다음 내용과 관련있는 설명은 어느 것입니까?

( )

> • 사회적 보호가 필요한 사람들에게 무료로 예방 접종을 실시한다.
> • 저소득층 노인에게 기초 연금을 지급한다.

① 장애인 공공 편의 시설을 설치한다.
② 우리 사회에서는 인권 보장을 위해 다양한 사회 보장 제도를 시행한다.
③ 인권 단체 활동으로 나눔과 봉사를 통해 사회적 약자의 인권을 보장하고자 한다.
④ 편견이나 차별을 없애고 더불어 살아가는 사회를 만들기 위해 캠페인을 벌인다.
⑤ 다문화 이해 교육을 통해 문화의 다양성을 인정하고 존중하는 태도를 갖도록 한다.

9 생활 속에서 인권 보호를 실천하는 방법을 보기에서 골라 알맞은 순서로 나열하시오.

> 보기
> ㉠ 활동 후 소감과 결과에 관해 토의한다.
> ㉡ 인권 보호를 실천하는 방법을 찾는다.
> ㉢ 인권 보호 실천 방법 중 한 가지를 선택해 실천한다.
> ㉣ 일상생활에서 인권이 보호되지 않는 사례를 조사한다.

_____

중요
10 빈칸 ㉠, ㉡에 들어갈 알맞은 개념을 쓰시오.

> • ㉠ 은/는 사회 구성원들이 지켜야 할 기준 중 국가가 만든 강제성 있는 규범이다.
> • ㉡ 은/는 사회 구성원이 양심 등에 비추어 스스로 마땅히 지켜야 할 행동의 기준이다.

_____

11 법의 제재를 받는 경우는 어느 것입니까?

( )

① 이웃 어른을 보고 인사하지 않았다.
② 불법으로 프로그램을 내려받고 있다.
③ 교통 약자에게 자리를 양보하지 않았다.
④ 대기줄이 길어서 남몰래 새치기를 했다.
⑤ 임산부가 아닌데 임산부 배려석에 앉아 있다.

 서술형
12 다음 내용으로 알 수 있는 법의 특징을 쓰시오.

> 감염병 예방 수칙을 지키지 않으면 손해 배상을 청구할 수 있도록 법 조항이 새로 만들어졌다.

_____

_____

13 다음 내용을 보고 알 수 있는 법의 특징은 어느 것입니까?

( )

> 어린이 용품은 안전 기준을 충족해야 팔 수 있다. 어린이 사용 제품에는 국가 통합 인증 마크(KC)를 표시해야 한다.

① 법은 일상생활과 밀접한 관련이 있다.
② 법은 시대에 따라 바뀌거나 없어지기도 한다.
③ 법을 잘 지키면 금전적인 보상을 받을 수 있다.
④ 법은 범죄를 예방하여 안전한 생활을 할 수 있도록 한다.
⑤ 법은 환경 오염과 환경 훼손을 예방하여 쾌적한 생활을 누리게 해 준다.

14 학교생활과 관련이 없는 법은 어느 것입니까?
( )

① 학교 급식법   ② 초·중등 교육법
③ 학교 도서관 진흥법 ④ 농어업 재해 보험법
⑤ 학교 폭력 예방 및 대책에 관한 법률

15 다음 사례를 통해 알 수 있는 법의 역할로 알맞은
것은 어느 것입니까?   ( )

> 정부는 최근 홍수로 피해를 입은 고장에 재난
> 과 안전 관리 체제를 확립하여 개인의 생명과
> 신체를 보호하기 위해 노력하였다.

① 법을 통해 사회 질서가 유지된다.
② 법은 개인의 권리를 보호하는 역할을 한다.
③ 법은 내용을 어긴 사람에게 처벌을 내린다.
④ 법을 통해 우리는 금전적 이익을 얻을 수 있다.
⑤ 법은 사람들에게 지켜야 하는 행동 기준을 제
시한다.

16 다음 글을 통해 알 수 있는 법의 역할을 바르게 설
명한 것은 어느 것입니까?   ( )

> ○○경찰청은 술자리가 늘어나는 연말을 맞아
> ○○시 전역에서 특별 단속에 나섰다.

① 개인 간의 분쟁을 해결하는 기준을 명확히 제
시한다.
② 질병이나 감염병을 예방하여 국민 건강에 이
바지한다.
③ 개인 정보를 보호하여 개인의 자유와 권리를
보호한다.
④ 사고 및 피해 등을 예방하여 일상생활에서의
위험을 막아 준다.
⑤ 사회에서 일어나는 편견과 차별을 예방하여
모두가 행복한 일상을 즐기게 한다.

17 자료를 읽고 법을 지켜야 하는 까닭을 쓰시오.

> **누리집 가짜 입장권 판매 사건**
> ○○○ 씨는 인터넷 포털에서
> 게시물을 보고 콘서트 입장권을
> 구매하였습니다. 결제를 하고 나
> 니 입장권이 문자로 와 안심하였
> 습니다. 그런데 이후 콘서트장에
> 갔더니 입장권이 가짜라는 것이
> 드러났고 자신 외에도 여러 피해
> 자들이 있다는 것을 알게 되었습니다.

_____

_____

18 빈칸 ㉠, ㉡에 들어갈 말이 알맞게 짝지어진 것은
어느 것입니까?   ( )

> ㉠ 은/는 우리나라 최고의 법으로, 법 중에
> 서 가장 기본이 되는 법이다. 이는 국민의 자
> 유와 권리 및 인간다운 생활을 보장하는
> ㉡ 을/를 중시해야 한다고 밝히고 있다.

㉠	㉡		㉠	㉡
① 민법 – 배려			② 민법 – 도덕	
③ 헌법 – 지방 자치			④ 헌법 – 인간 존엄	
⑤ 형사 소송법 – 인간 존엄				

19 다음 헌법 조항으로 알 수 있는 우리나라에서 추
구하는 가치는 어느 것입니까?   ( )

> 제5조 ① 대한민국은 국제 평화의 유지에 노력
> 하고 침략적 전쟁을 부인한다.

① 대한민국의 주인은 국민이다.
② 대한민국은 평화 통일을 지향한다.
③ 대한민국은 국제 평화를 위해 노력한다.
④ 대한민국은 전통문화 발전에 노력해야 한다.
⑤ 국가에서 중요한 일을 결정할 때 국민의 뜻을
존중한다.

20 다음 내용에서 알 수 있는 헌법의 역할은 어느 것입니까? (   )

> 헌법 재판소는 "전동 킥보드의 속도를 제한한 것은 소비자의 생명과 신체를 보호하고 도로 교통상의 안전을 확보하기 위한 최소한의 조치이다."라고 설명하였다.

① 헌법은 형식적인 역할을 한다.
② 헌법은 실제적인 강제성은 없다.
③ 헌법은 우리 생활과는 관련이 멀다.
④ 헌법은 국민의 권리를 보장해 준다.
⑤ 헌법은 개인의 자율에 따라 내용이 달라진다.

서술형

21 다음 그림을 보고 알 수 있는 헌법 재판소의 역할을 쓰시오.

> 주민 등록 번호 유출로 개인 정보 침해를 당한 사람들이 주민 등록 번호 변경을 요청하였다. 이에 헌법 재판소는 다음과 같이 결정하였다.

주민 등록 번호를 변경할 수 없는 것은 개인이 자신의 정보를 결정할 수 있는 권리를 침해합니다.

주민 등록 번호 변경을 허용하지 않는 관련 법 조항을 개정해야 합니다.

_____

_____

22 다음 헌법 조항과 관련 있는 국민의 권리는 어느 것입니까? (   )

> 제22조 ① 모든 국민은 학문과 예술의 자유를 가진다.

① 평등권　　　　② 자유권
③ 참정권　　　　④ 청구권
⑤ 사회권

23 기본권을 제한할 수 있는 경우가 <u>아닌</u> 것은 어느 것입니까? (   )

① 공공의 이익을 위해 제한할 수 있다.
② 감염병 예방을 위해 제한할 수 있다.
③ 국가의 안전 보장을 위해 제한할 수 있다.
④ 교통 질서를 위해 일정 도로에 속도를 제한한다.
⑤ 국가 권력의 편의를 위해 일정 기간 제한할 수 있다.

24 다음 내용으로 알 수 있는 국민의 의무는 어느 것입니까? (   )

> 모든 국민은 법률이 정하는 바에 의하여 세금을 내야 할 의무를 가진다.

① 납세의 의무　　　② 근로의 의무
③ 교육의 의무　　　④ 국방의 의무
⑤ 환경 보전의 의무

서술형

25 다음 글을 읽고, 바람직한 권리와 의무의 관계를 위해 필요한 태도를 쓰시오.

> ○○시에서는 가축 축사 확대와 환경 보전이 충돌하는 경우가 발생했습니다.
>
> **경석:** 재산권도 중요하지만 환경 보전은 미래 후손을 위해 더 중요하므로 건축 허가를 내 주지 않아야 한다고 생각합니다.
>
> **영희:** 환경을 지키면서 건물을 지으면 되므로 개인의 재산권을 보장하며 사육 축사를 짓게 해야 한다고 생각합니다.
>
> 이에 ○○시청 관계자는 재산권 행사와 환경 보전은 모두 중요한 문제이므로, 친환경 사육 축사 정책을 적용해 볼 예정이라는 결론을 내렸습니다.

_____

_____

1 인권에 대한 설명으로 알맞지 **않은** 것은 어느 것입니까? ( )

① 사람이기 때문에 마땅히 누려야 할 권리이다.
② 나이, 성별에 관계없이 누구나 갖는 권리이다.
③ 사이버 상에서는 인권을 존중하지 않아도 된다.
④ 피부색이 다르다고 차별하는 것은 인권 존중의 태도가 아니다.
⑤ 사람은 그 자체로 존중받을 가치가 있는 존재이기 때문에 마땅히 누려야 한다.

2 빈칸 ㉠, ㉡에 들어갈 말로 알맞게 짝지어진 것은 어느 것입니까? ( )

> 사람은 누구나 태어날 때부터 인권을 보장받는다. 모든 사람은 나와 똑같은 ㉠ 이/가 있으므로 다른 사람의 인권을 ㉡ 하는 태도가 필요하다.

	㉠	㉡		㉠	㉡
①	재산	인내	②	능력	배려
③	지식	차별	④	권리	차별
⑤	권리	존중			

3 빈칸 ㉠, ㉡에 해당되는 인물을 쓰시오.

> • ㉠ 은/는 당시 신분 제도 문제가 있다고 생각하여 『홍길동전』을 지었다.
> • ㉡ 은/는 아동을 하나의 인격체로 존중해야 한다는 의미로 '어린이'라는 말을 사용하였다.

㉠:

㉡:

4 다음은 어떤 인물이 말한 내용이다. 해당 인물이 인권 신장을 위해 노력한 활동을 쓰시오.

> 나는 백인이 지배하는 사회에 맞서 싸웠고, 흑인이 지배하는 사회에도 반대해 싸웠습니다. 나는 모든 사람이 함께 조화를 이루고 동등한 기회를 누리는 민주적이고 자유로운 사회에 대한 이상을 간직하고 있습니다.

[5-6] 다음 자료를 읽고 물음에 답하시오.

> **옛날의 제도 조사하기**
> • **신문고 제도:** 억울한 백성이 '신문고'라는 북을 쳐서 임금에게 알린 제도이다.
> • **상언 제도:** 신분에 관계없이 문서를 써 임금에게 억울함을 호소한 제도이다.
> • **격쟁:** 임금이 행차할 때 악기를 쳐서 임금에게 억울함을 호소한 제도이다.
> • **삼복제:** 무거운 형벌을 내릴 때 두 번까지 재판을 받을 수 있게 한 제도이다.

5 위 자료의 내용 중 틀린 곳을 찾아 바르게 고쳐 쓰시오.

6 옛날에도 위와 같은 제도가 있었던 이유를 간단히 쓰시오.

7 다음 중 생활 속에서 인권 보장이 필요한 경우는 어느 것입니까? ( )

① 주말에 어떻게 여가를 보낼지 고민이다.
② 등굣길에 대형 트럭이 많이 다녀 위험하다.
③ 친구 생일을 위해 무엇을 준비해야 할지 고민이다.
④ 오늘 수학 시간에 배운 내용이 이해가 되지 않는다.
⑤ 휴가 계획을 위해 어떤 누리집을 방문해야 할지 모르겠다.

8 빈칸에 들어갈 알맞은 말을 쓰시오.

온라인 공간에서 욕설이나 비방하는 댓글을 남기는 것은 심각한 ☐☐ 침해의 사례라는 것을 배웠다. 이처럼 편견이나 차별, 사이버 폭력, 사생활 침해는 ☐☐ 침해의 대표적인 사례이다.

9 다음 내용에 해당하는 기관을 쓰시오.

• 인권 침해 사안이 발생하면 이를 조사하고 인권 침해를 당한 사람을 도와준다.
• 인권을 침해당했다면 전화나 누리집을 통해 상담을 해 주거나 도움을 준다.

10 빈칸에 들어갈 알맞은 말은 어느 것입니까? ( )

장애인 전용 주차 구역처럼 사회에는 사람들이 지켜야 할 여러 가지 규칙이 있다. 이처럼 지키지 않으면 제재를 받는 것을 ☐☐이라고 한다.

① 법 ② 도덕 ③ 인권
④ 존중 ⑤ 자연

11 (서술형) 다음 내용을 읽고, 법과 도덕의 차이점을 간략하게 쓰시오.

교통 약자에게 자리를 양보하지 않으면 비난은 받지만 처벌은 받지 않는다. 하지만 주정차 금지 구역에 주차를 하게 되는 경우 벌금을 내야 한다.

12 일상생활에서 법이 적용되는 사례가 아닌 것은 어느 것입니까? ( )

① 아이가 태어나면 법에 따라 출생 신고를 한다.
② 물품을 살 때 필요한 지식과 정보를 제공받아야 한다.
③ 일할 때 권리를 보장받기 위해 근로 계약서를 작성한다.
④ 초등학교에 다니는 것은 교육받을 권리를 보장받는 것이다.
⑤ 다른 나라 기업과 거래를 할 때에는 국제 무역법을 따른다.

13 다음 내용과 관련 있는 법을 쓰시오.

초·중등 학생을 교육하고 학교의 운영과 관련한 여러 가지 내용을 정해 둔 법이다.

14 빈칸 ㉠, ㉡에 들어갈 알맞은 말을 쓰시오.

• 법은 개인 간의 분쟁을 해결하기 위해 재판을 받도록 하여 개인의 ㉠ 을/를 보호한다.
• 법은 범죄를 예방하여 사람들이 안전하게 살아가도록 하여 사회 ㉡ 을/를 유지한다.

15 법의 역할 중 개인의 권리 보호에 해당하는 내용을 보기에서 고르시오.

보기
㉠ 범죄를 예방해 사람들이 안전하게 살아가도록 한다.
㉡ 질병이나 감염병을 예방하며 국민 건강에 이바지한다.
㉢ 개인의 생명과 신체를 보호하기 위해 재난 및 안전 관리 체계를 확립한다.
㉣ 교통사고 및 피해 등을 예방하여 일상생활에서의 위험을 막아 준다.

16 법을 지켜야 하는 까닭 중 제시된 기사와 관련있는 내용은 어느 것입니까? (　　)

〈어린이 보호 구역 내 교통사고 감소〉
도로 교통과 관련된 법이 개정되어 과속 단속 카메라를 대폭 확대하여 설치하였다. 그 결과 초등학교 인근 어린이 보호 구역 내 교통사고가 감소한 것으로 나타났다.
－「뉴시스」, 2021. 1. 27.

① 법을 지켜야 모범생으로 평가받기 때문이다.
② 법을 지키지 않으면 법의 제재를 받기 때문이다.
③ 법을 어기면 다른 사람들에게 비난을 받기 때문이다.
④ 법은 도덕같이 양심 등에 따라 지켜야 하기 때문이다.
⑤ 법은 우리가 안전하게 생활할 수 있게 하기 때문이다.

서술형
17 불법으로 프로그램을 내려받는 등 법을 지키지 않으면 생기는 문제점을 간략하게 쓰시오.

_____

_____

18 빈칸에 들어갈 알맞은 말은 어느 것입니까? (　　)

□□에는 대한민국 국민이 누려야 할 권리, 지켜야 할 의무, 국가를 구성하는 기관에 관한 내용이 들어 있다.

① 도덕　　　　② 규범
③ 헌법　　　　④ 소송법
⑤ 상거래법

중요
19 다음 헌법 조항을 읽고 빈칸에 헌법에서 중시하고 있는 개념을 쓰시오.

제10조
모든 국민은 인간으로서의 □□와/과 가치를 가지며, 행복을 추구할 권리를 가진다. 국가는 개인이 가지는 불가침의 기본적 인권을 확인하고 이를 보장할 의무를 진다.

_____

20 다음과 같은 역할을 하는 국가 기관은 어느 곳입니까? (　　)

법률이 헌법에 어긋나지 않는지, 국가 권력이 국민의 기본권을 침해하지 않는지 등을 심판한다.

① 시청　　　　② 국회
③ 지방 법원　　④ 헌법 재판소
⑤ 국가 인권 위원회

서술형

21 다음 글을 읽고 헌법에서 기본권을 규정하고 있는 까닭을 간략하게 쓰시오.

> 헌법은 국민의 인권을 분명히 확인하고 이를 보장해 주는 역할을 한다. 또한 헌법은 국민의 가장 기본적인 권리를 기본권이라고 명시하여 이를 보장하고 있다.

_____

_____

[22-23] 다음 글을 읽고 물음에 답하시오.

> • 제26조 ① 모든 국민은 법률이 정하는 바에 의하여 국가 기관에 문서로 청원할 권리를 가진다.
> • 제27조 ② 모든 국민은 헌법과 법률이 정한 법관에 의하여 법률에 의한 재판을 받을 권리가 있다.

22 위 조항과 관련 있는 기본권을 쓰시오.

_____

23 위 조항과 관련 있는 기본권의 사례에 해당하는 것은 어느 것입니까? ( )

① 구청장 선거에 후보로 출마하였다.
② 도시를 떠나 휴식을 위해 시골로 이사갈 준비를 하였다.
③ 올해부터 투표권이 생겨 우리 시의 국회의원을 뽑는 선거에서 투표를 하였다.
④ 사회적 약자들과 함께 하기 위해 최저 생계비 보장 캠페인 활동에 참여하였다.
⑤ 국가 개발 정책으로 인해 소음 피해가 발생해 정부에 손해 배상을 청구하였다.

24 다음 〈봉사 활동 일지〉의 내용과 관련 있는 국민의 의무를 쓰시오.

> **봉사 활동 일지**
> 　　　　　　　　　　20××년 5월 10일
> 우리 동네 수변 공원을 청소하기 위해 지역 봉사 단체에 신청을 하여 봉사 활동을 다녀왔다. 쓰레기를 치우는 것은 힘들었지만, 국민의 의무를 성실하게 실천한 것 같아 뿌듯하였다. 그리고 많은 사람들을 위해 봉사할 수 있다는 것이 기뻤다. 다음에도 깨끗한 우리 동네를 위한 봉사 활동에 참여할 생각이다.

_____

25 바람직한 권리와 의무의 관계에 대한 설명은 어느 것입니까? ( )

① 권리는 의무를 지킨 사람들에게만 주어지는 것이다.
② 국민이 지켜야 할 의무 중 몇 개만 선택해서 지킨다.
③ 권리와 의무를 함께 생각하는 조화로운 자세를 가진다.
④ 국가 발전을 위해 나의 권리가 조금 침해되더라도 참는다.
⑤ 나의 권리를 최대한 강조하고 의무는 지키고 싶은 것만 지킨다.

[1-2] 다음 수영이의 일기를 읽고 물음에 답하시오.

> 20××년 5월 20일
> 창의적 체험 시간에 '모두가 함께 하는 사회'라는 제목으로 수업을 받았다. 수업 시간에 사람에게는 태어난 배경과 관계없이 존중받아야 하는 권리가 있다고 배웠다. 그리고 그것이 인권이라는 것을 알게 되었다. 수업을 들으면서 많은 사람들이 나눔과 봉사를 하는 모습, 캠페인 활동을 하는 모습을 볼 수 있었다. 우리 사회에서 인권을 보장하기 위해 어떤 활동을 하는지 궁금해졌다.

1 수영이의 일기를 읽고 모든 사람들이 인권을 존중받아야 하는 까닭을 간략하게 쓰시오.

평가 실마리
- **관련 내용** 교과서 88쪽, 개념 톡톡 84쪽
- **출제 의도** 인권 존중 의미 파악하기
- **선생님의 한마디**
"서로의 인권을 존중해야 하는 까닭을 생각해 보세요."

2 자료에 소개된 활동 외에 우리 사회에서 인권 보장을 위해 하고 있는 노력을 쓰시오.

평가 실마리
- **관련 내용** 교과서 102쪽, 개념 톡톡 94쪽
- **출제 의도** 인권 보장을 위한 노력 알아보기
- **선생님의 한마디**
"인권 보장을 위해서 사회 곳곳에서 개인, 단체, 국가가 하는 노력을 생각해 봅시다."

3 다음과 같이 일상생활 속에서 인권을 보호할 수 있는 방법을 쓰시오.

평가 실마리
- **관련 내용** 교과서 106쪽, 개념 톡톡 96쪽
- **출제 의도** 생활 속 인권 보호 방법 알아보기
- **선생님의 한마디**
"생활 속에서 인권을 보호를 실천하는 방법은 작은 일부터 실천할 수 있어요."

4 다음 사진을 보고 개인의 권리를 보호해 주는 법의 역할을 쓰시오.

평가 실마리
- **관련 내용** 교과서 118쪽, 개념 톡톡 108쪽
- **출제 의도** 법의 역할 알아보기
- **선생님의 한마디**
"법은 개인이 권리를 보호하기 위해 재판을 받을 수 있도록 해 줍니다."

맞은 개수 | 공부한 날
___개 | ___월 ___일

5 다음 그림을 보고 법을 지켜야 하는 까닭을 쓰시오.

내 프로그램이 마음대로 내려받아지고 있어.

평가 실마리
• **관련 내용** 교과서 120쪽, 개념 톡톡 110쪽
• **출제 의도** 법을 지켜야 하는 까닭 생각하기
• **선생님의 한마디**
"법은 우리 모두의 권리를 지켜주는 역할을 합니다."

6 헌법에 제시된 국민의 의무를 실천하는 일이 중요한 까닭을 쓰시오.

〈헌법에 제시된 국민의 의무〉

• 교육의 의무
• 근로의 의무
• 환경 보전의 의무
• 납세의 의무
• 국방의 의무

평가 실마리
• **관련 내용** 교과서 136쪽, 개념 톡톡 128쪽
• **출제 의도** 국민의 의무를 실천하는 까닭 생각하기
• **선생님의 한마디**
"국민의 기본권뿐만 아니라 국민의 의무를 실천하는 일도 중요합니다."

7 다음 글을 참고하여 헌법 재판소가 하는 역할이 무엇인지 쓰시오.

헌법 재판소는 "주민등록 번호를 변경할 수 없는 것은 개인이 자신의 정보를 결정할 수 있는 권리를 침해한다."라고 밝혔습니다. 또한 "개인 정보에 대한 국민의 권리는 헌법이 보장하고 있습니다. 그렇기에 주민등록 번호 변경을 허용하지 않는 관련 법 조항을 개정해야 합니다."라고 판결을 내렸습니다.

평가 실마리
• **관련 내용** 교과서 130쪽, 개념 톡톡 122쪽
• **출제 의도** 헌법 재판소 역할 알아보기
• **선생님의 한마디**
"헌법 재판소는 헌법 재판을 진행하며, 헌법은 모든 법들 중에서 가장 기본이 되는 법입니다."

8 다음 사례를 읽고, A씨가 주장하는 기본권에 대해 간략하게 쓰시오.

최근 A 씨는 국가 도로 정비 사업으로 인한 소음 때문에 밤낮으로 고생하고 있다. 아침에 일어날 때 들리는 공사 소리와 밤까지 이어지는 대형 트럭 소리에 늘 소음에 시달리고 있다. 이에 자신의 수면권과 생활권을 침해하는 국가 정책에 대해 손해 배상을 요청하고자 한다.

평가 실마리
• **관련 내용** 교과서 134쪽, 개념 톡톡 126쪽
• **출제 의도** 기본권 알아보기
• **선생님의 한마디**
"헌법에 제시하고 있는 기본권을 생각해 봅시다."

재미 쏙쏙 사회 보드게임

📍 정답과 해설 31쪽

출발!

1 ↻ 14쪽
한 나라의 영역은 ☐☐, ☐☐, ☐☐으로 이루어져 있습니다.

2 ↻ 16쪽
강, 호수, 고개 등 예로부터 우리 국토를 나누는 기준이 된 것은?

3 ↻ 18쪽
나라를 효율적으로 관리하려고 나눈 행정 단위로 특별시, 시, 광역시 등을 이르는 말은?

6 ↻ 40쪽
바다를 지나며 습해진 바람의 영향으로 겨울철에도 비나 눈이 많이 오는 곳은?

5 ↻ 38쪽
겨울철 동해안의 기온은 ☐☐☐을 막아주는 태백산맥과 동해의 영향으로 서해안보다 높다.

4 ↻ 28쪽
산지, 하천, 평야 등의 ☐☐은 사람들의 생활에 영향을 미칩니다.

7 ↻ 56쪽
사람들이 어디에 얼마나 모여 사는가를 나타내는 것은?

8 ↻ 60쪽
1990년대 이후로는 과학 기술의 발달로 반도체, 생명 공학 등 ☐☐☐☐이 발달하고 있다.

1회 휴식

9 ↻ 62쪽
1970년 경부 고속 국도가 개통되면서 서울과 부산이 ☐☐ ☐☐☐이 되었다.

보드게임 진행 방법

1. 가위바위보로 주사위를 던질 순서를 정해요.
2. 주사위를 던져서 나온 숫자만큼 이동한 후, 문제에 대한 답을 말해요.
3. 정답을 말하면 제자리, 말하지 못하면 이전 위치로 돌아가요.
4. 화살표가 있는 칸에서 정답을 말하지 못하면 가리킨 곳으로 이동해요.
5. 마지막 칸에 먼저 도착하는 사람이 우승이에요.

도착!

13 ↻ 104쪽

□은 도덕과 달리 지키지 않으면 제재를 받는 강제성을 가지고 있습니다.

12 ↻ 90쪽

□□□ □□는 부당한 일을 당한 백성이 대궐 밖에 있는 북을 쳐서 임금에게 알린 제도이다.

18 ↻ 128쪽

헌법에는 국가를 유지하고 발전시키는 데 필요한 국민의 □□도 제시되어 있다.

14 ↻ 108쪽

법은 개인의 □□를 보호하는 역할을 합니다.

11 ↻ 86쪽

방정환은 어린이를 위해 외국의 재미있는 책을 번역하였고, 1923년에는 □□□□을 만들었다.

17 ↻ 126쪽

헌법에 보장하고 있는 국민의 기본적인 권리를 □□□이라고 한다.

15 ↻ 108쪽

법은 그 내용을 어기는 경우에 처벌하는 기준이 되어 □□ □□를 유지하는 데 도움을 준다.

10 ↻ 84쪽

□□은 태어난 배경에 관계없이 누구나 사람으로서 존중받을 권리이다.

2칸 앞으로

16 ↻ 120쪽

헌법은 우리나라 최고의 법으로 □□ □□을 중시해야 한다고 밝히고 있다.

MEMO

초등 사회
자습서&평가 문제집 5-1

정답 톡톡

금성출판사

똑똑한
교과서 풀이로
언택트 시대
자기 주도 학습을
돕습니다.

정답 톡톡

정답과 해설

1. 국토와 우리 생활

① 국토의 위치와 영역

13쪽 1 ○ 2 위도 3 동쪽
15쪽 1 영토 2 영공 3 ✕
17쪽 1 ○ 2 남부 3 소백
19쪽 1 ○ 2 제주특별자치도 3 남쪽
21쪽 1 국토 2 ○ 3 사랑

주제 톡톡 문제   23~25쪽

1 ⑤ 2 ⑦: 중국 ⓒ: 일본 3 대륙 4 아시안 하이웨이 5 ⑦: 영
공 ⓒ: 영토 ⓒ: 영해 6 ⑤ 7 상철 8 ③ 9 휴전선 10 ③ 11
② 12 태백산맥 13 행정 구역 14 ⑦, ㉢ 15 ⑦: 인천광역시
ⓒ: 대구광역시 ⓒ: 광주광역시 16 (1)―ⓒ (2)―⑦ (3)―ⓒ 17 예
국토가 없다면 국가를 세울 수 없다. 여러 나라에 흩어져서 살
아가야 하는 등의 어려움을 겪는다. 18 예 국토 사랑 문구를
만들어 캠페인을 한다. 국토를 지키기 위해 노력한 인물들을
조사한다.

1 지구상의 위치는 위도와 경도, 방위, 주변에 있는 나라
등을 이용하여 나타낼 수 있다.
⑤ 우리 국토는 아시아 대륙의 동쪽 끝에 위치해 있다.

한눈에 쏙쏙   우리 국토의 위치 표현

방위	아시아 대륙의 동쪽에 위치한 반도
위도와 경도	북위 33°~43°, 동경 124°~132°에 위치
주변 나라	일본, 중국, 러시아

2 제시된 자료는 우리나라와 이웃한 나라에 대한 설명이
다. 우리나라와 북쪽으로 국경을 맞대고 있으면서 서
쪽으로 황해를 사이에 두고 있는 나라는 중국이다. 우
리나라의 동쪽에 위치한 섬나라로 동해를 사이에 두고
있는 나라는 일본이다.

3 우리 국토는 대륙과 해양을 연결하는 위치적 장점을 갖
고 있다. 육로를 통해서 대륙과 연결되며, 바다를 통해
서도 다른 대륙으로 진출할 수 있다.

4 제시된 글에서 설명하고 있는 도로는 '아시안 하이웨
이'이다. 아시안 하이웨이는 아시아와 유럽의 여러 나
라를 연결하는 고속 국도이다. 아시안 하이웨이가 완
공되면 우리나라에서 유럽까지 도로를 이용하여 이동
할 수 있을 것으로 보인다.

5 그림은 그 나라의 주권이 미치는 범위인 영역을 나타낸
것이다. 영역은 영공, 영토, 영해로 이루어져 있다. ⑦
은 영공, ⓒ은 영토, ⓒ은 영해를 나타낸다.

6 ⓒ은 영해이다. 우리나라 서해안과 남해안의 영해 범
위는 가장 바깥에 위치한 섬을 직선으로 그은 선을 기
준으로 하여 약 12해리까지를 말한다.

오답 확인

① 영공(⑦)은 우리나라 영토와 영해 위에 있는 하늘
로, 대기권 내를 범위로 한다.

② 영토(ⓒ)는 한반도와 주변 섬들을 모두 포함한 것이다.

③ 영해(ⓒ)는 영해를 설정하는 기준선으로부터 약 12
해리까지를 말한다.

④ 영공(⑦)은 우리 주권이 미치는 곳으로, 다른 나라
의 이동 수단은 자유롭게 드나들 수 없다.

7 우리나라의 영역은 주권을 미치는 곳을 말하며, 영토
에만 한정되지 않는다. 영역은 영토, 영공, 영해를 모
두 포함한다.

한눈에 쏙쏙   우리나라의 영역

영토	한반도와 한반도에 속한 여러 섬
영공	우리나라 영토와 영해 위에 있는 하늘
영해	• 영해를 설정하는 기준선으로부터 12해리까지를 말함. • 서해안과 남해안은 가장 바깥에 위치한 섬을 직선으로 그은 선을 기준으로 함. • 동해안은 썰물일 때의 해안선을 기준으로 함.

8 우리나라 영해는 동해의 경우는 썰물일 때의 해안선을
기준으로 하여 12해리(약 22km)까지를 말한다. 대한
해협의 경우에는 3해리이다. 서해안과 남해안의 경우
에는 가장 바깥에 위치한 섬을 직선으로 그은 선을 영
해를 설정하는 기준선으로 한다.

9 남북으로 긴 우리나라 국토를 크게 북부, 중부, 남부
지방으로 구분할 때는 휴전선 북쪽의 지역을 북부 지
방, 휴전선 남쪽에서 금강 하류와 소백산맥까지는 중
부 지방이라고 한다. 그리고 중부 지방의 남쪽 지역은
남부 지방이라고 한다.

10 우리나라의 전통적 지역 구분에서는 주로 자연환경을 기준으로 삼았다. 산맥, 고개, 강, 호수 등의 자연환경을 기준으로 국토를 구분했으며, 이러한 구분은 오늘날의 행정 구역을 정하는 데 기준이 되었다.
③ 시청은 전통적 국토 구분 기준으로 알맞지 않다.

11 ② 동해의 서쪽이 아니라 경기만의 서쪽에 있어 해서 지방이라고 한다.

12 철령관 동쪽의 관동 지방은 태백산맥을 기준으로 해서 서쪽의 영서 지방과 동쪽의 영동 지방으로 구분한다.

13 국토를 효율적으로 관리하기 위해 구분한 단위는 행정 구역이다. 일반적으로 우리나라 지도는 행정 구역별로 나누어 표시한다. 각각의 행정 구역에는 지역의 행정을 맡아 처리하는 시청이나 도청이 있다.

14 행정 구역은 국토를 효율적으로 관리하기 위해 구분한 단위를 말한다. 우리나라는 북한 지역을 제외하고 특별시 1곳, 특별자치시 1곳, 광역시 6곳, 도 8곳, 특별자치도 1곳으로 이루어져 있다. 행정 구역은 인구수와 사회적 조건의 변화로 달라질 수 있다.

오답 확인

ⓒ 우리나라는 북한을 제외하고 1곳의 특별시가 있다. 우리나라의 수도인 서울특별시이다.

ⓒ 우리나라는 특별시, 특별자치시, 광역시, 도, 특별자치도로 국토를 구분한다.

15 지도의 ㉠은 인천광역시, ㉡은 경상북도와 경상남도 사이에 위치한 대구광역시이다. 그리고 ㉢은 광주광역시를 나타낸다.

16 각각의 행정 구역에는 지역의 행정을 맡아 처리하는 시청이나 도청이 있다. 경상남도의 도청 소재지는 창원이고, 충청북도의 도청 소재지는 청주이다. 강원도의 도청 소재지는 춘천이다.

한눈에 쏙쏙 | 우리나라의 행정 구역상 도청 소재지

강원도	춘천시
경기도	수원시
충청북도	청주시
충청남도	홍성군
경상북도	안동시
경상남도	창원시
전라북도	전주시
전라남도	무안군

17 국토는 한 나라의 국민이 주인으로서 살아가는 터전이자 외부의 침입으로부터 보호해야 할 고유한 영역이다. 국토가 없다면 국가를 세울 수도 없고 난민으로 살거나 정착하지 못하는 등 여러 가지 어려움이 생길 수 있다. 국토가 있어야 안정적으로 살아갈 수 있다.

[채점 기준] '국토가 없다면 국가를 세울 수 없다.', '여러 나라에 흩어져서 살아가야 하는 등의 어려움을 겪는다.' 등의 내용을 포함하여 바르게 썼다.

18 우리 국토를 지키기 위하여 학생들이 실천할 수 있는 일로는 국토 사랑 캠페인 활동, 국토를 위해 노력한 인물 조사 신문 만들기, 국토 사랑 여행 계획 세우기, 국토 사랑 글쓰기 활동 등이 있다.

[채점 기준] '국토 사랑 문구를 만들어 캠페인을 한다.', '국토를 지키기 위해 노력한 인물들을 조사한다.' 등의 내용을 포함하여 바르게 썼다.

② 국토의 자연환경

확인 특톡!

29쪽 1 섬 2 하천 3 해안
31쪽 1 ○ 2 동쪽 3 동쪽
33쪽 1 댐, 전기 2 ○ 3 서해안
37쪽 1 기온 2 중위도 3 ×
39쪽 1 × 2 태백산맥 3 남부
41쪽 1 연평균 강수량 2 × 3 우데기
43쪽 1 가뭄 2 홍수 3 ×
45쪽 1 예보 2 폭염 3 ○
47쪽 1 대비 2 ○ 3 ㉡-㉢-㉠

주제 톡톡 문제 49~51쪽

1 ③ 2 평야 3 ㉠: 압록강 ㉡: 한강 ㉢: 낙동강 4 하천 5 동해안 6 ① 7 ㉠: 날씨 ㉡: 기후 8 ① 9 태백산맥 10 ④ 11 ① 12 ② 13 우데기 14 폭염 15 (1)-㉠ (2)-㉢ (3)-㉡ (4)-㉣ 16 ① 17 예 황사가 발생하면 외출할 때 마스크를 착용한다. 황사가 발생하면 집에 돌아온 후 손발을 깨끗하게 씻는다. 18 예 댐을 설치해 홍수시 물을 저장한다. 제방을 설치해 하천의 범람을 막는다.

1 지형은 땅의 생김새를 말하며, 우리나라에는 해안, 섬,

산지, 하천, 평야 등의 지형이 있다.

③ 평야는 낮고 평평한 땅이 넓게 펼쳐진 지형을 말하며, 주로 하천 주변에 형성된다.

2 제시된 사진에는 농사를 짓고 있는 평평한 땅이 넓게 펼쳐져 있다. 사진에 나타난 것과 같은 지형은 평야임을 알 수 있다.

3 지도에서 ㉠은 압록강, ㉡은 김포평야를 끼고 흐르는 한강이고, ㉢은 김해평야를 끼고 흐르는 낙동강이다. 우리나라는 대체로 동쪽이 높고 서쪽이 낮아 주요 하천은 동쪽에서 서쪽으로 흐른다.

4 댐을 만들어 전기를 생산하고 민물고기를 잡는 것은 하천 지형을 이용한 주민 생활 모습을 표현한 글이다.

한눈에 쏙쏙 산지, 하천, 평야를 이용한 생활 모습

산지	경사가 완만한 곳에서는 배추나 감자를 재배함. 등산이나 관광을 하거나 스키장에서 여가 생활을 즐김.
하천 상류	댐을 만들어 물을 저장하고, 저장한 물을 활용해 전기를 생산함.
하천 중·하류	민물고기나 재첩 등을 잡는 어업 활동을 함.
평야	예로부터 많은 사람이 모여들어 도시가 발달함.

5 우리나라 해안 중 비교적 해안선이 단순한 곳은 동해안이다. 서해안과 남해안은 바다와 육지의 드나듦이 심하고 해안선이 복잡하다.

6 동해안은 모래사장을 활용한 해수욕이나 독특한 지형을 활용한 관광업이 발달했다. 또한 동해안의 주요 어종인 오징어, 명태 등을 잡는 어업이 발달했다.

① 항구가 발달하여 공업이 발달한 곳은 남해안이다.

7 한 지역에서 짧은 기간에 나타나는 대기 상태는 날씨이고, 오랜 기간 반복되어 나타나는 대기 상태는 기후이다.

8 우리나라의 기후 특징은 중위도에 위치하여 사계절이 나타난다는 것이다.

오답 확인

② 우리나라는 계절에 따라 기온의 차이가 크게 나타나는 편이다.

③ 봄과 가을은 온화하지만, 겨울과 여름보다 짧다.

④ 여름에는 남쪽의 해양에서 덥고 습한 바람이 불어온다.

⑤ 겨울에는 북서쪽의 대륙에서 차갑고 건조한 바람이 불어온다.

9 우리나라는 남북뿐 아니라 동서 쪽으로도 기온 차이가 나타난다. 이는 북서풍을 막아주는 태백산맥과 동해의 영향 때문이다. 따라서 겨울철 동해안의 기온은 서해안보다 높게 나타난다.

10 우리나라 북부 지방은 겨울이 길고 춥다. 이에 따라 추운 겨울을 대비하기 위한 시설이나 생활 모습이 나타나는데, 정주간은 북부 지방의 전통 가옥 구조에서 볼 수 있다. 북부 지방은 기온이 낮아 남부 지방에 비해 간이 세지 않은 음식이 발달했다.

한눈에 쏙쏙 기온에 따른 북부와 남부 지방의 생활 모습

북부 지방	• 내부의 열을 유지하기 위해 방이 여러 겹으로 배치되어 있음. • 기온이 낮아 음식이 쉽게 상하지 않기 때문에 싱거운 음식이 발달함.
남부 지방	• 바람이 잘 통하도록 방이 한 줄로 배치되어 있고, 마루가 발달함. • 기온이 높아 음식이 쉽게 상하기 때문에 소금과 젓갈이 들어간 음식이 발달함.

11 우리나라의 연평균 강수량을 나타낸 지도이다.

① 신의주는 비가 적게 오는 지역이며, 서귀포는 비가 많이 오는 지역이다.

12 우리나라는 지역과 계절에 따른 강수량의 차이가 큰 편이다. 대체로 남부 지방의 강수량이 북부 지방보다 많으며, 우리나라는 장마와 태풍의 영향으로 주로 여름에 강수량이 집중된다.

13 겨울철에 눈이 많이 내리는 울릉도에서는 우데기를 볼 수 있다. 우데기는 눈이 쌓여도 집 안에서 생활할 수 있도록 설치한 외벽이다.

14 하루 최고 기온이 33 ℃ 이상 올라 매우 더운 날씨가 지속되는 현상을 폭염이라고 한다. 폭염에 야외 활동을 장시간 동안 할 경우에는 일사병이나 열사병에 걸려 건강을 해칠 수 있다. 폭염이 발생하면 물을 충분히 마시고, 한낮 외부 활동은 자제한다.

15 계절에 따른 자연재해로 봄에는 황사와 가뭄, 여름에는 홍수와 폭염이 있다. 늦여름과 가을에는 태풍, 겨울에는 폭설과 한파가 주로 발생한다.

16 자연재해의 피해를 줄이기 위한 시설로는 댐이나 보, 내진 설계 건물, 그늘막, 방파제 등이 있다.

① 등대는 자연재해를 예방하기 위한 시설이 아니라, 배가 안전하게 항구를 찾아 도착할 수 있도록 도와주는 시설이다.

17 황사가 심할 때는 어린이와 노약자는 외출을 자제하고 실외 활동 시에는 마스크를 착용해야 한다. 외출하고 돌아오면 손발을 깨끗하게 씻는다.

[채점 기준] 황사가 발생하면 '외출할 때 마스크를 착용한다.', 황사가 발생하면 '집에 돌아와서 손발을 깨끗하게 씻는다.' 등의 내용을 포함하여 바르게 썼다.

한눈에 쏙쏙 — 자연재해별 안전 수칙과 행동 요령

황사	• 외출할 때 마스크를 착용하기 • 집에 돌아온 후에는 손발을 깨끗하게 씻기
태풍	침수 위험이 있는 지역이나 산사태 위험 지역 등에 사는 주민은 안전한 곳으로 대피하기
폭염	• 물을 충분히 마시기 • 한낮의 외부 활동 자제하기
홍수	물에 잠긴 전봇대 주변 등 감전 위험이 있는 곳은 가지 않기
한파와 폭설	• 외출할 때는 모자, 장갑, 목도리 등을 착용해 체온을 보호하기 • 미끄럽지 않은 신발 신기
지진	건물 안에서 흔들림이 멈출 때까지 책상이나 탁자 아래로 들어가 몸을 보호하기

18 장마와 태풍 등으로 강과 하천의 물이 넘치게 되는 것을 홍수라고 한다. 홍수가 발생하면 집과 도로가 물에 잠겨 피해를 본다. 홍수를 막기 위해서는 댐, 보 등의 시설을 설치하여 물의 양을 조절한다. 제방을 만들어 홍수에 대비하는 경우도 있다.

[채점 기준] '댐을 설치해 홍수시 물을 저장한다.', '제방을 설치해 하천의 범람을 막는다.' 등의 내용을 포함하여 자연재해를 예방하기 위한 노력을 바르게 썼다.

❸ 국토의 인문환경

확인 톡!톡!

55쪽 **1** 인문환경 **2** ○ **3** 오늘날
57쪽 **1** 인구 구성 **2** 인구 피라미드 **3** X
59쪽 **1** ○ **2** 1970 **3** 지방
61쪽 **1** 첨단 산업 **2** ○ **3** 영남 내륙 지역
63쪽 **1** 교통도 **2** ○ **3** 1일 생활권
65쪽 **1** 인구 **2** X **3** 영향

1 ④ **2** 인구 피라미드 **3** ① **4** ④ **5** ② **6** ㉠ **7** 서울, 대전, 대구, 부산, 광주 등 **8** ② **9** 신도시 **10** ③ **11** ㉠ 서비스업 ㉡ 광공업 ㉢ 농림어업 **12** ② **13** (1)―㉡ (2)―㉢ (3)―㉠ **14** ① **15** 고속 철도(KTX) **16** ① **17** 예 대도시에 인구가 집중되어 있다. 광역시나 특별시에 인구가 많다. 촌락에는 인구 밀도가 낮다. **18** 예 1950년대까지만 해도 농업과 어업이 중심이었지만, 오늘날에는 중화학 공업 중심으로 변화했다.

---

1 옛날에는 주로 농사를 지었으며, 오늘날보다 학교의 학급당 학생 수가 많았다.
④ 옛날에는 교통이 발달하지 않았기 때문에 다른 지역으로 이동할 때 더 많은 시간이 걸렸다.

2 일정한 지역의 인구를 성별과 연령별로 나타낸 그래프를 인구 피라미드라고 한다. 인구 피라미드를 분석하면 우리나라의 성별, 연령별 인구 구성의 변화를 알 수 있다.

3 인구 피라미드 구성을 살펴보면 2020년에는 1960년보다 출생아 수가 줄어든 것을 알 수 있다.

오답 확인

② 그래프는 성별, 연령별 인구 구성을 나타낸 것이다. 그래프의 세로축은 나이를 5세 간격으로 나누어 나타낸 것이다.
③ 그래프에서 가로축은 남녀 인구 비율을 나타낸다.
④ 2020년에는 유소년층 인구의 비중이 작고, 노년층 인구 비중이 많은 편이다.
⑤ 인구 구성에 따라 그래프의 모양이 달라지는데, 유소년층 인구가 많을수록 피라미드형이 된다.

4 ④ 우리나라의 인구 분포 지도를 살펴보면 1966년에 비해 2020년은 대도시의 인구 밀도가 더욱 높아지면서 수도권과 대도시에 인구가 주로 집중되어 있음을 알 수 있다.

한눈에 쏙쏙 — 우리나라 인구 분포의 특징

1960년대 이전	• 농사를 지을 수 있는 남서쪽 평야 지역의 인구 밀도가 높았음. • 산지가 많은 북동부 지역의 인구 밀도가 낮았음.
1960년대 이후	• 산업화가 이루어지면서 사람들이 일자리를 찾아 도시로 이동함. • 도시의 인구 밀도가 높아지고 촌락의 인구 밀도는 낮아짐.

5 도시에는 인구가 집중하고 촌락에는 인구가 없어 다양한 문제가 생긴다. 도시에는 교통 혼잡, 주택 부족, 환경 오염 등의 문제가 발생한다.

② 촌락에서는 일손 부족, 의료 시설 부족, 교육 시설 부족 등의 문제가 발생한다.

도시와 촌락의 인구 분포로 발생하는 문제

도시	교통 혼잡, 주택 부족, 환경 오염 등
촌락	일손 부족, 교육 시설 부족, 편의 시설 부족 등

6 천안은 과거에는 주로 농사를 짓고 사는 사람들이 많았다. 하지만, 교통이 발달하면서 공장이 생기고 도시가 발달했다.

㉠ 신도시는 대도시 주변에 계획적으로 개발한 새로운 도시로, 천안은 신도시로 지정되지 않았다.

7 제시된 지도는 우리나라 도시 수와 도시별 인구수 변화를 나타낸 것이다. 2019년의 지도에서 인구수 100만 명이 넘는 도시는 서울, 대전, 대구, 부산, 광주 등이다. 인구수 100만 명이 넘는 도시는 대부분 특별시와 광역시 등의 대도시이다.

8 1960년과 비교하여 2019년에 도시가 가장 많이 증가한 지역은 경기도이다.

우리나라 도시의 발달

1960년대	경제 개발 정책과 공업의 발달로 일자리가 많은 서울, 부산, 인천, 대구, 광주 등의 큰 도시가 발달함.
1970년대	남동쪽 해안의 대규모 공업 단지 조성으로 포항, 울산, 김해, 창원 등의 도시가 성장함.
1980년대	서울에 집중된 인구와 기능을 분산하기 위해서 경기도에 신도시를 건설함.

9 서울에 집중된 인구와 기능을 분산시키기 위하여 1980년대부터 경기도에 신도시를 건설했다. 고양, 성남, 김포, 양주 등에 아파트 주거 단지를 조성하고, 안산과 시흥에 공업 단지를 건설했다.

10 수도권에 집중된 인구와 기능을 분산하기 위해 공공 기관을 지방으로 이전하거나 지방 혁신 도시, 특별자치시 등을 만들기도 한다.

③ 수도권에 집중된 인구와 기능을 분산하기 위해서는 지방에 있는 기업의 본사는 서울로 이전하기보다는 지방에서 기업 활동을 유지할 수 있도록 지원한다.

11 산업별 종사자 비율을 나타낸 그래프에서 ㉠은 서비스업, ㉡은 광공업, ㉢은 농림어업이다.

12 제시된 그래프를 살펴보면 과거에는 농업어업의 종사자 비율이 높았으나, 현재로 올수록 점차 감소하고 있다. 서비스업의 비중은 현재로 올수록 더욱 높아지는 것을 알 수 있다.

② 1990년대에는 서비스업 종사자 비율이 가장 높다.

13 태백산 지역은 원료를 중심으로 한 시멘트, 석탄 공업 등이 발달했다. 교통이 편리하고 인구가 많은 수도권 지역에서는 첨단 산업 및 서비스업을 비롯하여 대부분의 산업이 고르게 발달했다. 항구가 발달하여 원료의 수입과 제품의 수출에 유리한 남동 임해 지역에서는 중화학 공업이 발달했다.

14 1980년대의 교통 시설로는 고속 국도, 공항, 철도, 항구 등이다. 그 중에서 가장 많이 이용한 교통 시설은 공항이 아니라 고속 국도이다.

15 1970년대에는 경부 고속 국도가 개통되어 서울과 부산이 1일 생활권이 되었다. 그리고 2004년에는 고속 철도가 개통되면서 서울과 부산을 2시간 정도면 갈 수 있어 전 국토가 반나절 생활권이 되었다.

16 교통이 발달하여 교통망이 촘촘하게 연결되면 사람과 물자는 더욱 빠르게 이동할 수 있다.

② 지역 간 이동 시간이 줄어들어 사람들의 왕래가 늘어난다.

③ 제품 생산에 필요한 많은 양의 원료를 한꺼번에 주고받는다.

④ 철도 개통이나 공항 건설 등 교통이 발달하면 관광 산업이 활성화된다.

⑤ 교통이 편리하게 되어 우리 지역뿐만이 아니라 다른 지역과의 지역 간 교류와 이동이 늘어난다.

17 우리나라의 인구 분포 지도를 살펴보면 특별시와 광역시 등의 대도시에 인구가 집중되어 있는 것을 알 수 있다. 반면에 촌락에는 인구 밀도가 낮다.

[채점 기준] '대도시에 인구가 집중된다.', '촌락에는 인구 밀도가 낮다.' 등의 내용을 포함하여 바르게 썼다.

18 울산광역시는 과거에는 농업과 어업이 중심이 되는 어촌이었지만, 오늘날에는 중화학 중심의 공업 도시로 변화했다.

[채점 기준] '과거에는 농업과 어업 중심이고, 오늘날에는 중화학 공업 중심이다.' 등의 내용을 포함하여 바르게 썼다.

1 주권 2 X 3 관동 지방 4 행정 구역 5 평야 6 ○ 7 사계절 8 X 9 연평균 강수량 10 인구 구성 11 신도시 12 ○

단원 톡톡 문제   **75~77쪽**

1 ① 2 ㉠: 동 ㉡: 동경 3 ㉠, ㉡, ㉢ 4 경상북도 울릉군 독도 5 해리 6 ② 7 ④ 8 ③ 9 ㉠, ㉣ 10 ① 11 ⑤ 12 남부 지방 13 ⑤ 14 ⑤ 15 ㉠: 출생아 ㉡: 적은 ㉢: 많은 16 세종특별자치시(세종시) 17 ③ 18 경부 고속 국도 19 ㉠: 교류 ㉡: 산업 20 ①

1 적도는 지구의 자전축과 직각으로 지구의 중심을 지나도록 자른 평면과 지표가 교차하는 선이다. 위도의 기준이 되며, 위도 0°이다.

2 우리나라는 아시아 대륙의 동쪽에 위치한 반도이다. 우리나라는 북위 33°~43°, 동경 124°~132°에 위치해 있다.

3 ㉣ 우리 국토와 국경을 접하고 있는 나라는 중국과 러시아이다. 몽골과 국경을 접하고 있는 나라는 중국과 러시아이며, 우리나라는 몽골과 국경을 접하지 않는다.

4 우리나라 영토의 동쪽 끝은 경상북도 울릉군 독도이다. 영토의 서쪽 끝은 평안북도 용천군 마안도(비단섬), 북쪽 끝은 함경북도 온성군 유원진, 남쪽 끝은 제주특별자치도 서귀포시 마라도이다.

5 우리나라 영해는 기준선으로부터 12해리까지이다. 서해안과 남해안은 가장 바깥에 위치한 섬을 직선으로 그은 선을 영해를 설정하는 기준으로 하고, 동해안은 썰물일 때의 해안선을 기준으로 한다.

6 우리나라의 전통적 지역 구분에 따른 지역 명칭에는 관북 지방, 관서 지방, 해서 지방, 관동 지방, 경기 지방, 호서 지방, 호남 지방, 영남 지방이 있다. 강원 지방은 행정 구역에 따른 구분이다.

한눈에 쏙쏙   **우리나라의 전통적 지역 구분**

관서 지방	철령관의 서쪽 지역
관북 지방	철령관의 북쪽 지역
해서 지방	경기만의 서쪽 지역
관동 지방	철령관 동쪽의 관동 지방은 태백산맥을 기준으로 영서 지방과 영동 지방으로 나눔.
경기 지방	도읍을 중심으로 500리 이내의 지역이라는 뜻을 가지고 있음.
호서 지방	의림지라는 호수 또는 금강의 서쪽 지역
호남 지방	의림지라는 호수 또는 금강의 남쪽 지역
영남 지방	조령이라는 고개의 남쪽 지역

7 각 행정 구역을 대표하는 주요 도시들에는 시청이나 도청이 주로 위치한다.

오답 확인

① 우리나라에 북한을 제외하고 특별시는 1곳이다.

② 제주도는 특별자치도로 지정되어 있다.

③ 행정 구역은 인구수와 사회적·경제적 조건의 변화로 달라지기도 한다.

⑤ 행정 구역은 국토를 효율적으로 관리하기 위해 구분한 단위로, 비교적 최근부터 사용한 것이다.

8 우리나라는 대체로 동쪽이 높고 서쪽이 낮아 큰 하천은 동쪽에서 서쪽으로 흐르는 경우가 많다. 하천 주변에는 물줄기에 실려온 흙이나 모래가 쌓여 평야가 만들어지기도 한다. 우리나라의 평야는 하천을 따라 주로 서쪽과 남쪽에 발달했다.

9 해안 지역에서는 주로 어업 활동이 이루어진다. 남해안은 물이 깨끗하고 파도가 잔잔하여 양식업이 발달하기에 유리한 조건이다.

오답 확인

㉡ 동해안은 모래사장이 발달했다. 갯벌을 간척하여 농경지로 이용하는 곳은 서해안이다.

㉢ 서해안은 갯벌이 발달했다. 모래사장을 활용한 관광업이 발달한 곳은 동해안이다.

10 우리나라는 중위도에 위치하여 사계절이 나타나고 계절에 따라 다른 방향에서 불어오는 바람의 영향을 받는다. 여름에는 남쪽에서 덥고 습한 바람이 불어오고, 겨울에는 북서쪽에서 차갑고 건조한 바람이 불어온다.

한눈에 쏙쏙   **계절에 따른 우리나라 기후 특징**

여름	• 남쪽에서 덥고 습한 바람이 불어옴. • 덥고 비가 많이 옴. 장마나 태풍도 자주 발생함.
겨울	• 북서쪽의 대륙에서 차갑고 건조한 바람이 불어옴. • 춥고 눈이 내림. 한파나 대설주의보가 내려지기도 함.

11 강릉이 겨울철에 따뜻한 이유는 북서풍을 막아주는 태백산맥과 수심이 깊은 동해의 영향 때문이다. 그래서 겨울철 동해안의 기온은 비슷한 위도에 위치해 있는 서해안보다 높은 편이다.

오답 확인

① 8월 평균 기온은 울릉도보다 대구가 더 높다.

② 1월 평균 기온은 서울보다 강릉이 더 높다.

③ 제주도의 1월 평균 기온은 영하로 떨어지지 않는다.

④ 1월은 북쪽으로 갈수록 기온이 낮아지고, 8월은 남쪽으로 갈수록 기온이 높아진다.

12 남부 지방은 여름이 길고 더워 음식이 쉽게 상하기 때문에 짠 음식이 발달했다. 그리고 바람이 잘 통하도록 한 줄로 배치된 방과 마루가 발달한 개방적인 가옥 구조가 나타난다.

13 울릉도는 바다를 지나면서 습기를 머금은 바람의 영향으로 겨울에도 비나 눈이 많이 내린다.

14 제시된 사진은 빗물 펌프장이다. 빗물 펌프장은 홍수로 인해 침수되는 것을 막기 위해 빗물을 강제로 하천이나 강으로 퍼내는 시설이다.

한눈에 쏙쏙 **자연재해의 피해를 줄이기 위한 시설**

태풍	해일에 대비한 방파제 설치
폭염	햇빛을 피할 수 있는 그늘막 설치
홍수와 가뭄	홍수와 가뭄에 대비하여 물을 관리하는 댐, 보, 제방 등을 설치
폭설	제설 자재 보관함 설치
지진	내진 보강 시설 정비

15 2020년에는 1960년보다 출생아 수가 줄어들어 저출산, 고령화 현상이 뚜렷하다. 2020년에는 유소년층 인구의 비중은 적은 편이지만, 노년층 인구의 비중은 많은 편이다.

16 기업의 본사나 정부 기관의 이전은 수도권에 집중된 인구와 기능을 분산시키기 위한 노력의 하나이다. 행정 기능을 분산하기 위해 정부 청사를 이전한 도시는 세종특별자치시이다.

17 과학 기술의 발달로 반도체, 정보 통신, 생명 공학과 같은 첨단 산업이 발달한 것은 1980년대가 아니라 1990년대이다.

18 1970년대 개통한 경부 고속 국도로 서울과 부산 간의 이동 시간이 줄어들어 전국이 1일 생활권이 되었다.

19 교통망이 촘촘하게 연결되면서 지역 간의 교류가 활발해지고, 사람과 물자의 이동이 활발해지면서 다양한 산업이 발달하게 되었다.

한눈에 쏙쏙 **교통의 발달이 사람들의 생활 모습에 미치는 영향**

도시 간 이동	철도 교통을 이용하여 빠르고 편리하게 다른 도시로 이동함.
빠른 배송	발달한 교통망을 이용하여 빠른 배송 서비스가 가능해짐.
원료 이동	제품 생산에 필요한 많은 양의 원료를 한꺼번에 주고받음.
관광 자원 활성화	편리한 교통을 바탕으로 지역의 다양한 관광 자원이 활성화됨.

20 인문환경의 변화로 달라진 국토의 모습을 알아보기 위해서는 인문환경을 나타내는 자료가 필요하다. 인구 분포 지도, 교통도, 도시 분포 지도, 산업 발달 지역 지도는 인문환경과 관련된 지도이다.

① 기후도는 자연환경에 관해 알아볼 수 있는 자료이다.

서술형 톡톡 문제   78쪽

1 예 장마와 태풍의 영향으로 강수량이 여름에 집중되기 때문이다. 2 예 바다를 지나면서 습기를 머금은 바람의 영향으로 겨울철에도 비와 눈이 많이 내리기 때문이다. 3 예 홍수가 발생하는 지역에는 돋대를 만들어 대비한다. 눈이 많이 내리는 울릉도는 우데기를 설치한다. 강수량이 적고 햇빛의 양이 풍부한 서해안 일부 지역에서는 염전이 발달한다. 4 예 ㉠: 도시 ㉡: 산업 5 예 신도시를 만든다. 지방 혁신 도시를 지정한다. 수도권에 집중된 시설과 공공 기관을 지방으로 이전한다. 6 예 지역마다 각각 다른 자연환경과 인문환경을 가지고 있기 때문이다.

1 제시된 자료는 우리나라 지역 중 중강진, 울릉도, 서울, 서귀포의 월별 강수량을 나타낸 그래프이다. 우리나라는 계절별로 강수량의 차이가 큰 편인데, 그 이유는 장마와 태풍의 영향으로 여름철에 주로 강수량이 집중되기 때문이다.

[채점 기준] '장마와 태풍의 영향으로' 등의 내용을 포함하여 바르게 썼다.

2 울릉도와 제주도는 섬 지역으로, 바다를 지나면서 습기를 머금게 된 바람의 영향으로 겨울철에도 비와 눈이

자주 내린다.

3 지역별로 강수량의 차이에 따라 비가 적게 오는 지역과 많이 오는 지역은 생활 모습에서 차이를 보인다. 홍수가 자주 발생하는 지역에서는 돈대를 만들어 홍수에 대비하는 모습을 보인다. 눈이 많이 오는 지역인 울릉도에서는 눈이 쌓여도 집 안에서 생활할 수 있도록 우데기를 설치하기도 한다. 그리고 강수량이 적고 햇빛이 좋은 날이 많은 서해안의 일부 지역에서는 염전이 발달했다.

4 ㉠은 우리나라의 도시 발달에 대한 특징이고, ㉡은 우리나라의 산업 발달에 대한 특징이다.

5 대도시에 인구와 기능이 집중되는 것을 막기 위해서 신도시를 건설하거나 지방 혁신 도시를 만드는 등의 노력을 하고 있다. 도시에 집중된 기능을 분산하기 위해서 대도시의 시설과 공공 기관을 지방으로 이전하기도 한다.

6 우리나라는 자연환경과 인문환경의 차이로 지역마다 각기 다른 산업이 발달하게 되었다.

2. 인권 존중과 정의로운 사회

❶ 인권을 존중하는 삶

확인 톡!

85쪽 1 인권 2 × 3 존중
87쪽 1 방정환 2 × 3 넬슨 만델라
89쪽 1 ○ 2 사랑의 선교 수녀회 3 점자
91쪽 1 × 2 격쟁 3 세 번
93쪽 1 인권 침해 2 × 3 사생활 침해
95쪽 1 사회 보장 제도 2 국가 인권 위원회 3 ○
97쪽 1 실천 2 ○ 3 있다

주제 톡톡 문제   99~101쪽

1 ㉠: 권리 ㉡: 인권 2 ② 3 ④ 4 존중 5 빼앗을 수 있는 → 빼앗을 수 없는 6 ㉠, ㉢ 7 방정환 8 ③ 9 테레사 수녀 10 ㉠ 11 ① 12 ㉡, ㉢ 13 장애인 공공 편의 시설 설치 14 ⑤ 15 국가 인권 위원회 16 ⑤ 17 예 나눔과 봉사 활동을 통해 사회적 약자의 인권을 보장하고자 한다. 어린이도 인권 활동을 하여 사회를 변화시킬 수 있다. 18 예 편견을 갖거나 차별하지 않고, 문화 다양성을 인정하고 존중한다.

1 제시된 글은 인권에 대한 설명이다. 누구나 자신이 가진 배경과 관계없이 마땅히 자신의 삶을 누려야 할 권리가 있고, 이것을 인권이라고 한다. ㉠ 사람에게는 나이, 성별, 인종 등과 관계없이 누구나 사람으로서 존중받고 행복하게 살아갈 권리가 있다. ㉡ 사람이기 때문에 마땅히 누려야 할 기본적인 권리를 인권이라고 한다.

2 인권은 태어날 때부터 주어지고, 사람이면 누구나 가질 수 있다. 인권은 빼앗을 수도, 빼앗길 수도 없다. ② 인권은 모든 사람에게 차별 없이 평등하게 주어진 것이기 때문에 나의 인권뿐만 아니라 다른 사람의 인권도 소중하게 존중해야 한다.

3 생활 속에서 인권을 존중하는 모습을 찾아볼 수 있다. 노약자나 몸이 불편한 사람들을 위해 교통 약자석을 설치하는 것은 인권을 존중하는 사례이다. 그러나 교통 약자석에 앉아 노약자에게 자리를 양보하지 않는 것은 노약자의 인권을 존중하지 않는 모습이다.

4 사람은 태어나면서부터 인권을 갖는다. 모든 사람은 나와 똑같은 인권이 있다. 따라서 다른 사람의 인권을 존중하는 태도가 필요하다.

5 제시된 내용 중 잘못된 부분은 '빼앗을 수 있는'으로, '빼앗을 수 없는'으로 고쳐야 한다. 인권은 다른 사람이 힘이나 권력을 이용해 함부로 빼앗을 수 없고, 다른 사람에게 넘겨줄 수도 없는 권리이다.

6 인권은 나이·성별·인종 등과 관계없이 누구나 갖게 되는 권리로, 힘이나 권력을 이용해 함부로 빼앗을 수 없다.

㉠ 인권은 법으로 정해지는 것이 아니라, 태어날 때부터 주어진다.

㉣ 모든 사람이 나와 똑같은 권리가 있으므로, 다른 사람의 인권을 존중하는 태도가 필요하다.

7 방정환은 어린이의 인권 신장을 위해 노력한 사람이다. '어린 것', '애 녀석'으로 불리며 인권을 존중받지 못했던 어린이들을 하나의 인격체로 존중해야 한다는 의미로 '어린이'라는 말을 사용했다.

8 허균은 신분이 천하다는 이유로 능력을 펼칠 기회조차 주어지지 않았던 당시의 신분 제도에 문제가 있다고 생각해『홍길동전』을 지었다.

오답 확인

①『흥부전』은 욕심 많은 형 놀부와 가난하지만 착한 동생 흥부의 이야기이다.

②『심청전』은 눈먼 아버지의 눈을 뜨게 하기 위해 희생하는 심청의 이야기이다.

④『별주부전』은 용왕의 병을 고치기 위해 토끼의 간을 구하러 육지에 가는 자라의 이야기이다.

⑤『콩쥐팥쥐』는 계모와 언니 팥쥐의 구박을 이겨내는 콩쥐의 이야기이다.

9 테레사 수녀는 사회적 약자의 인권 신장을 위해 노력한 인물이다. 테레사 수녀는 버림받은 사람에게도 인권이 있음을 알리고 그들을 존중하는 모습을 실천했으며 1979년 노벨 평화상을 수상했다.

10 옛 사람들은 신문고 제도, 상언 제도 등 여러 가지 제도를 마련해 백성들이 억울함을 호소하고, 이를 해결함으로써 인권을 보장받도록 했다.

오답 확인

㉡ 신분에 관계없이 억울한 일을 쓴 문서를 임금에게 제출해서 자신의 억울함을 호소하도록 한 제도는 상언 제도이다.

㉢ 억울한 일을 당한 사람이 징이나 꽹과리, 북 등을 쳐서 주의를 끈 다음에 하문하는 임금에게 억울함을 호소한 제도는 격쟁이다.

㉣ 사형과 같은 무거운 형벌을 내릴 때 두 번의 재판이 아니라 세 번의 재판을 거치도록 하여 억울한 일을 당하지 않도록 하는 제도이다.

한눈에 쏙쏙 인권 신장을 위한 옛날의 제도

신문고 제도	부당한 일을 당한 백성이 대궐 밖에 있는 신문고라는 북을 쳐서 임금에게 알린 제도
상언 제도	신분과 관계없이 억울한 일을 쓴 문서를 임금에게 제출해 자신의 억울함을 호소한 제도
격쟁	억울한 일을 당한 사람이 임금이 행차할 때 징이나 꽹과리, 북 등을 쳐서 주의를 끈 다음에 임금에게 억울함을 호소한 제도
삼복제	사형과 같은 무거운 형벌을 내릴 때는 신분에 관계없이 억울하게 벌을 받는 일이 없도록 세 번의 재판을 거치도록 한 제도

11 인간으로서 누려야 할 기본적인 권리를 침해당하는 것을 인권 침해라고 한다. 우리는 주변에서 일어나는 다양한 인권 침해 사례를 찾아볼 수 있다.

① 친구를 놀리지 않고 사이좋게 지내는 것은 인권 침해 사례에 해당하지 않는다.

12 인권이 존중받는 사회를 만들기 위해서는 인권 침해를 당하는 사람의 어려움을 공감하고, 상대방의 입장을 존중하는 태도가 필요하다.

오답 확인

㉠ 친구의 수첩을 몰래 보고 난 후에 다른 친구들에게 그 내용을 퍼뜨리는 것은 사생활 침해로, 인권 침해 사례에 해당한다.

㉣ 축구는 남자들이 하는 스포츠라고 말하며 여자는 하면 안 된다고 남자와 여자를 구별하는 것은 편견이나 차별이다. 따라서 인권 침해에 해당하는 사례이다.

13 제시된 사진은 시각 장애인용 음향 신호기와 장애인 전용 주차 구역을 찍은 것이다. 장애인이 안전하고 편리하게 공공 시설을 이용할 수 있도록 장애인 공공 편의 시설을 설치한다. 이 외에도 장애인을 위한 편의 시설로는 점자 블록, 시각 장애인용 점자 안내도, 휠체어 리프트 장치 등이 있다.

14 국가와 지방 자치 단체는 국민이 질병, 빈곤 등을 겪지 않고 안정적인 생활을 할 수 있도록 다양한 사회 보장 제도를 만들어 시행하고 있다. 사회적 보호가 필요한 사람들에게 무료로 예방 접종을 실시하는 것도 인권 보장을 위한 사회 보장 제도에 해당한다.

① 국가 인권 위원회는 인권 침해 사안이 발생하면 이를 조사하고 인권 침해를 당한 사람을 도와주는 기관이다.

② 다문화 이해 교육은 어린이 인권 교육 실시와 관련 있다.

③ 장애인 공공 편의 시설 설치와 관련 있다.

④ 편견이나 차별을 없애기 위한 인식 개선 캠페인은 인권 단체의 활동과 관련 있다.

15 국가 인권 위원회는 인권 침해 사안이 발생하면 이를 조사하고 인권 침해를 당한 사람을 도와주는 기관이다. 국가 인권 위원회는 모든 개인의 인권을 보호하고 향상하기 위해 노력하며, 어린이의 인권을 보장하기 위해 여러 가지 노력을 기울이기도 한다.

16 인권 보호를 실천하는 방법에는 인권 사진 찍기, 인권 포스터 만들기, 인권 표어 만들기, 인권 동영상 만들기 등이 있다.

⑤ 우정 글귀 표현은 인권 보호 실천과는 거리가 멀다.

17 인권 보장을 위해 노력하는 단체나 개인은 사회적 약자의 인권 보호를 위해 노력하고, 차별과 편견 등 인식 개선을 위해 캠페인을 벌인다. 인권 단체 활동으로 나눔과 봉사 활동을 실시해 사회적 약자의 인권을 보장하고자 한다.

[채점 기준] '봉사', '사회적 약자', '인권 보장'의 내용을 포함해 바르게 썼다.

18 학교에서도 인권 교육을 통해 편견과 차별을 없애고 서로의 인권을 존중하도록 하고 있다. 다문화 이해 교육을 통해 문화의 다양성을 인정하고 존중하는 태도가 필요하다.

[채점 기준] '문화 다양성', '존중', '편견', '차별'의 내용을 포함해 바르게 썼다.

❷ 법의 의미와 역할

확인 톡!

105쪽 **1** 법 **2** × **3** 강제성

107쪽 **1** ○ **2** 권리 **3** 학교 도서관 진흥법

109쪽 **1** ○ **2** 사회 질서 **3** 재판

111쪽 **1** 침해 **2** ○ **3** 준수

113쪽 **1** 판사 **2** ○ **3** 처벌

1 ① **2** ① **3** 기준 **4** (1)-ⓒ (2)-ⓐ **5** ③ **6** ⓐ: 법 ⓒ: 도덕 **7** 강제성 **8** ⑤ **9** ㉣ **10** ② **11** ② **12** 권리 **13** ⓒ, ㉣ **14** 사회 질서 유지 **15** ③ **16** ① **17** 예 개인 간의 분쟁을 해결하기 위해 재판받을 수 있도록 하고 판단 기준을 명확히 제시해 개인의 권리를 보호한다. **18** 예 사회 구성원 모두의 권리를 보장받을 수 있고 안전하게 생활할 수 있다.

---

1 법은 사람들이 지켜야 할 여러 가지 행동 기준 가운데 국가가 만든 강제성이 있는 규범이다.
① 법은 지키지 않았을 때 제재를 받는다는 점에서 강제성을 지닌다.

2 법은 우리의 일상생활과 밀접한 관련이 있다.
① 이웃 어른을 보고 인사하지 않은 것은 도덕과 관련 있는 내용이다.

3 법은 사회 구성원의 합의에 따라 만들어지기 때문에 개인은 물론, 단체, 국가에 이르기까지 모두가 지켜야 할 행동의 기준이 된다.

4 (1) 법과 관련 있는 사례는 저작권 보호를 위해 자료의 출처를 밝히는 것이다.
(2) 도덕과 관련 있는 사례는 임산부에게 임산부 배려석을 양보하는 것이다.

5 법은 사회 구성원 모두가 지켜야 할 행동의 기준으로, 지키지 않으면 제재를 받는다는 점에서 도덕과 차이가 있다.
③ 사람들이 자율적으로 지키는 도덕은 강제성이 없어 지키지 않았을 때 비난을 받을 뿐이고 제재를 받지는 않는다.

6 제시된 자료는 법과 도덕에 대한 것이다.
ⓐ 사람들이 지켜야 할 여러 가지 행동 기준 가운데 국가가 만든 강제성이 있는 규범은 법이다.
ⓒ 사회 구성원이 양심 등에 비추어 스스로 마땅히 지켜야 할 행동의 기준은 도덕이다.

7 버스에서 노약자, 임산부와 같은 교통 약자에게 자리를 양보하지 않거나 이웃 어른이나 학교 선생님께 인사를 하지 않는 것은 도덕과 관련된 것이다. 도덕은 지키지 않으면 주변 사람들에게 비난을 받지만 처벌을 받지는 않는다.
도덕과 달리 법은 지키지 않으면 처벌을 받는다는 점에서 강제성을 가진다.

8 제시된 내용을 통해 저작권 보호와 관련한 사회적 요구

가 늘어나 관련법이 강화되었다는 사실을 알 수 있다. 이를 통해 법은 시대나 사회 변화에 따라 바뀌거나 새로 만들어지기도 한다는 것을 알 수 있다.

오답 확인

① 법은 고정되어 있지 않다.

② 제시된 내용과 관련이 없는 법의 성격이다.

③ 사회 구성원들의 합의에 따라 만들어진 법은 강제성을 가져 지키지 않았을 때 제재를 받는다.

④ 사회 구성원들이 양심 등에 비추어 스스로 마땅히 지켜야 할 행동의 기준은 도덕이다.

9 어린이의 안전한 활동과 응급 상황 발생을 대비하기 위해 어린이 이용 시설 종사자는 매년 안전 교육을 받아야 한다는 법이 생겼다.

오답 확인

㉠ 저작권과 관련 있는 내용이다.

㉡ 시설물 안전과 관련 있는 내용이다.

㉢ 직장에서 일하는 시간을 정하는 법은 근로 기준과 관련 있는 내용이다.

10 학생들은 학교에서 학생의 건강을 지키거나 인권을 보호하는 법을 통해 더욱 안전하게 교육을 받으며 생활할 수 있다.

② 교통사고 특례법은 학교생활과 관련된 법과는 거리가 멀다.

11 우리 주변에는 다양한 법이 있고, 우리의 일상생활은 법과 밀접한 관련이 있다. 법은 지키지 않았을 때 제재를 받는다.

② 미세 먼지가 있는 날 마스크를 착용하는 것은 강제성이 있는 법이 아니라 건강을 위해 권장하는 내용이다.

12 법은 개인의 권리를 보호해 주면서 사회 질서를 유지하는 역할을 한다.

13 법은 개인의 권리를 보호해 주고 사회 질서를 유지하는 역할을 한다. ㉢, ㉣은 개인의 권리를 보호해 주는 법의 역할과 관련 있다.

오답 확인

㉠ 질병이나 감염병을 예방하는 것은 사회 질서 유지를 위한 법의 역할과 관련 있다.

㉡ 환경 오염과 환경 훼손을 예방하는 것은 사회 질서 유지를 위한 법의 역할과 관련 있다.

14 제시된 자료에서 설명하는 법의 역할은 사회 질서 유지이다. 법은 환경 오염과 환경 훼손을 예방해 국민이 건강하고 쾌적한 삶을 누리게 해 준다.

15 법은 그 내용을 어기거나 잘못을 저지른 사람을 처벌하는 기준이 되어 범죄를 예방하고 사람들이 안전하게 생활할 수 있도록 한다. 따라서 사회 질서를 유지하는 데 도움을 준다.

③ 개인 간의 분쟁을 해결하기 위해 재판받을 수 있도록 하는 것은 개인의 권리를 보호하기 위한 법의 역할과 관련 있다.

16 법을 어기면 다른 사람에게 피해를 주거나 다른 사람의 권리를 침해할 수 있다. 법을 잘 지키는 사회에서는 사회 구성원 모두의 권리를 보장받을 수 있고, 안전하게 생활할 수 있다.

① 법은 사회 구성원 모두의 합의에 의해 만들어졌으며, 어떤 내용이냐에 관계없이 지켜야 할 기준이 된다. 어떤 법이든 지켜야 할 필요성은 같다.

17 법은 개인의 권리를 보호하고 사회 질서를 유지하는 역할을 한다. 재판은 개인의 권리를 보호하기 위한 법의 역할과 관련 있다.

[채점 기준] '분쟁', '권리', '보호'의 내용을 포함해 바르게 썼다.

18 관련법의 개정으로 과속 단속 카메라가 많이 설치되었으며, 이로 인해 학교 주변 도로에 차들이 천천히 달려 학교 인근 어린이 보호 구역 내에서 발생하는 교통사고가 줄어들었다는 것을 짐작할 수 있다. 이를 통해 법은 모두의 권리를 보장하고 안전한 생활을 할 수 있도록 한다는 것을 알 수 있다.

[채점 기준] '권리', '보장', '안전'의 내용을 포함해 바르게 썼다.

❸ 헌법과 인권 보장

주제 톡톡 문제

1 ③ **2** 인간 존엄 **3** ② **4** 의무 **5** ④ **6** 만들 수 있다. → 만들 수 없다. **7** 헌법 재판소 **8** ⑤ **9** 침해 **10** ⑤ **11** ① **12** ② **13** ⑤ **14** ③ **15** ⑤ **16** 조화 **17** 예 헌법 재판을 통해 법률이 국민의 인권을 침해하지 않는지 확인하고, 인권을 보장해 준다. **18** 예 참정권으로, 국가 기관의 형성과 국가의 정치적 의사 형성 과정에 참여할 수 있는 권리이다.

---

1 헌법은 우리나라 최고의 법으로, 법 중에서 가장 기본이 되는 법이다.

오답 확인

① 민법은 개인과 개인 사이의 갈등과 관련한 법이다.

② 상법은 상업과 관련된 법으로, 경제 내용을 담고 있다.

④ 특례법은 시대나 상황에 따라 만들어지는 법으로, 헌법에 기초해 만들어진다.

⑤ 형사 소송법은 법적 제재나 강제성이 필요할 경우 처벌을 목적으로 역할을 하는 법이다.

2 헌법은 국민의 자유와 권리 및 인간다운 생활을 보장하는 인간 존엄을 중시해야 한다고 밝히고 있다. 헌법은 인간이 가진 소중한 존재라는 내용을 담고 있다.

3 헌법은 형식적으로만 존재하는 것이 아닌 모든 법률 내용에서 바탕이 되어 실제적인 기능을 한다. 헌법은 우리나라 최고의 법이고, 헌법을 통해 우리나라의 많은 법들이 만들어진다. 헌법 전문에서는 헌법의 목적과 정신을 포함하여 우리나라가 추구해야 가치들을 포함하고 있다. 그리고 헌법 내용에는 국민으로서 누려야 할 권리들을 포함하고 있다.

② 헌법은 개정 절차에 따라 바꿀 수 있다. 헌법을 바꾸기 위해서는 우선 국회 의원 3분의 2 이상이 찬성해야 하고, 그런 다음 국민 투표를 실시한다. 지금의 헌법은 아홉 번째로 개정한 것이다.

4 우리나라의 헌법에는 대한민국 국민이 누려야 할 권리, 지켜야 할 의무, 국가를 구성하는 기관에 관한 내용이 들어 있다.

5 대한민국 헌법에는 우리나라에서 추구하는 가치가 들어 있다. 대한민국의 주인은 국민이며, 국가에서 중요한 일을 결정할 때 국민의 뜻을 존중해야 한다는 내용이 담겨 있다. 또한 대한민국은 평화 통일을 지향하고 국제 평화 유지를 위해 노력해야 한다는 내용이 제시되어 있다.

④ 대한민국 헌법에는 전통문화 발전에 노력해야 한다는 내용이 제시되어 있다. 하지만 새로운 문화를 만들어 내는 데 노력해야 한다는 내용은 없다.

6 헌법은 우리나라 최고의 법으로, 법 중에서 가장 기본이 되는 법이다. 법은 헌법을 바탕으로 만들기 때문에 헌법에 어긋나는 법은 만들 수 없다.

7 헌법 재판소는 우리나라의 법들이 헌법의 내용에 위배되지 않는지, 국가 권력이 부당하게 국민의 기본권을 침해하지 않는지를 판결할 수 있다.

8 헌법은 인권을 확인하고 보장하는 역할을 하고, 헌법 재판으로 그 법률이 국민의 인권을 침해했다는 판단이 내려지면 해당 법률은 바뀌거나 없어진다.

⑤ 법률이 개인의 권리를 침해한다고 판단하면 그 법률에 대한 헌법 재판 요청은 국민이 할 수 있다.

9 헌법 재판을 통해 그 법률이 국민의 인권을 침해했다는 판단이 내려지면 해당 법률은 바뀌거나 없어진다.

10 헌법에 제시된 국민의 의무를 실천하는 일은 모두의 기본권을 보장하는 바탕이 된다.

오답 확인

① 모든 국민은 보호하는 자녀에게 적어도 초등 교육과 법률이 정하는 교육을 받게 할 의무가 있다고 제시되어 있다.

② 헌법에 제시된 기본권은 국가의 안전 보장, 공공의 이익, 사회 질서 유지 등을 위해 필요한 경우 법률에 따라 제한할 수 있다.

③ 도로에 버려진 쓰레기를 줍는 것은 납세가 아니라 환경 보전의 의무와 관련 있다.

④ 헌법에서는 성별, 종교, 사회적 신분 등에 따라 차별받지 않을 평등권을 제시하고 있다.

11 헌법에 보장되는 국민의 기본적인 권리를 기본권이라고 한다. 국민의 기본권에는 평등권, 자유권, 참정권, 청구권, 사회권이 있다.

① 이동권은 헌법이 보장하는 기본권에 해당하지 않는다.

기본권의 종류

평등권	성별, 종교, 사회적 신분 등에 따라 차별받지 않을 권리
자유권	국가의 간섭을 받지 않고 자유롭게 생활할 수 있는 권리
참정권	국가 기관의 형성과 국가의 정치적 의사 형성 과정에 참여할 수 있는 권리
청구권	국가에 일정한 행위를 요구할 수 있는 권리
사회권	국가에 인간다운 생활을 요구할 수 있는 권리

12 ㉠ 대한민국 국민은 누구나 법 앞에서 평등하며 조건에 따라 차별받지 않을 권리는 평등권이다. ㉡ 법을 어기지 않는 한 국가의 간섭을 받지 않고 자유롭게 생활할 권리는 자유권이다.

13 ㉢은 청구권에 해당한다. ㉢과 같이 국가 개발 정책으로 충분한 햇빛을 누릴 수 있는 국민의 권리가 침해받았다면, 그 정도에 따라 일정한 금액의 손해 배상을 국가를 대상으로 청구할 수 있다.

14 헌법에 국민의 기본적인 권리를 제시한 것은 헌법이 보장하는 내용을 통해 국가가 국민의 권리를 함부로 침해할 수 없도록 하여 헌법이 추구하는 가치를 실현하기 위해서이다. 헌법에는 기본권뿐만 아니라 국가를 유지하고 발전시키는 데 필요한 국민의 의무도 함께 제시되어 있다.

③ 휴식의 의무는 헌법에 제시된 의무에 해당하지 않는다.

헌법에 제시된 국민의 의무

교육의 의무	모든 국민은 그 보호하는 자녀에게 적어도 초등 교육과 법률이 정하는 교육을 받게 할 의무를 가짐.
납세의 의무	모든 국민은 법률이 정하는 바에 의하여 세금을 내야 할 의무를 가짐.
근로의 의무	모든 국민은 일할 의무를 가짐.
국방의 의무	모든 국민은 법률이 정하는 바에 의하여 나라를 지키는 의무를 가짐.
환경 보전의 의무	국가와 국민은 환경을 보호하며 유지하기 위해 노력해야 함.

15 환경 보전의 의무를 통해 개인의 쾌적한 환경을 누려야 할 권리를 보장받고, 동시에 사회에서 깨끗한 환경을 유지하며 발전시킬 수 있다.

16 헌법에는 국민의 기본적인 권리를 보장하고 있음과 동시에 사회를 유지하고 발전시키는 데 필요한 국민의 의무를 제시하고 있다. 이는 권리와 의무를 통해 개인과 사회의 안전하고 발전할 수 있는 환경을 조성한다. 권리와 의무가 충돌할 때에는 권리와 의무의 조화를 추구하는 태도가 필요하다.

17 헌법 재판소는 법률이나 국가 권력이 국민의 기본권을 침해하지 않는지 등을 심판한다.

[채점 기준] '헌법 재판', '국민의 인권'을 포함하여 헌법 재판소의 역할을 바르게 썼다.

18 참정권은 국민이 정치에 참여할 수 있는 권리이다.

[채점 기준] '참정권', '정치적 의사 형성 과정에 참여' 등의 단어를 사용하여 내용을 바르게 썼다.

 쪽지 시험   140쪽

1 ○ 2 존중 3 신문고 제도 4 × 5 법 6 ○ 7 학교 도서관 진흥법 8 ○ 9 헌법 10 × 11 자유권 12 납세의 의무

단원 톡톡 문제   141~143쪽

1 인권 2 ② 3 ⑤ 4 ① 5 ㉠: 삼복제 ㉡: 격쟁 6 인권 침해 7 존중 8 ㉢-㉡-㉣-㉠ 9 ① 10 도덕 11 ㉡, ㉢ 12 법적 제재 13 ⑤ 14 ② 15 사회 질서 유지 16 ① 17 ⑤ 18 가치 19 헌법 재판소 20 ①, ⑤

1 사람에게는 누구나 배경과 관계없이 인간으로서 존중받아야 하는 권리가 있다. 이를 인권이라고 하며, 인권은 다른 사람이 힘이나 권력을 이용해 함부로 빼앗을 수 없고, 다른 사람에게 넘겨줄 수도 없다.

2 인권을 보호하기 위해서는 편견이나 차별, 사이버 폭력, 사생활 침해와 같은 인권 침해 사례를 찾아보고 어떤 문제가 생길지 생각해 볼 수 있다. 이에 인권을 침해 당하는 사람의 어려움을 공감하고 상대방의 입장을 존중하는 태도를 가져야 한다.

① 나와 다른 사람들 모두가 인간으로서 마땅히 누려야 할 인권이 있다.

③ 상대방을 볼 수 없는 사이버 공간이라도 서로 인권을 존중해야 한다.

④ 스마트폰으로 다른 사람의 정보를 함부로 유출하는 것은 인권 침해의 대표적인 사례이다.

⑤ 일상생활 속에서 일어나는 인권 침해 사례를 알아보고, 이를 해결하기 위해 작은 일부터 실천할 수 있다.

3 야누시 코르차크는 폴란드의 의사이자 교육자로 전쟁 중 어린이들이 인간답게 살 수 있도록 몸과 마음을 바쳐 평생을 헌신했다. 유엔은 그의 정신을 기려 야누시 코르차크의 탄생 100주년이었던 1979년을 '국제 아동의 해'로 지정했다.

① 허균은 신분으로 차별받는 사람들의 인권을 다룬 『홍길동전』을 지었다.

② 신사임당은 조선 시대의 유학자 율곡 이이의 어머니이자 시·그림·글씨에 뛰어난 예술가였다.

③ 넬슨 만델라는 남아프리카 공화국 최초의 흑인 대통령이자, 인권 운동가이다.

④ 루이 브라유는 시각 장애인들을 위해 1800년대 초 점자를 만들었다.

한눈에 쏙쏙 — 인권 신장을 위해 노력한 사람들

허균	신분이 천하다는 이유로 능력을 펼칠 기회조차 주지 않는 당시의 신분 제도를 개선하기 위해 노력함.
넬슨 만델라	인종 차별의 부당함을 전 세계에 알리며 용서와 화해의 정신을 전파함.
테레사 수녀	버림받은 사람에게도 인권이 있음을 알리고 그들을 존중하는 모습을 실천함.
루이 브라유	시각 장애인을 위한 점자를 만들어 보급하여, 시각 장애인들에게 세상을 보는 문을 열어줌.

4 방정환은 어린이의 인권이 존중되지 않았던 옛날에 '어린이'라는 말을 사용했다. 그리고 어린이들의 인권을 신장하기 위해 노력했다. 방정환은 어린이들이 존중받고 행복하게 자라길 바라며 1923년 '어린이날'을 만들었다.

② 방정환이 만든 잡지의 이름은 『어린이』이다.

③ 방정환은 우리나라를 지킨 역사적 인물로 평가하기에는 어렵다.

④ 『홍길동전』을 지은 사람은 허균이다.

⑤ 방정환이 살았던 시대에는 어린이의 인권이 보장받기 어려운 상황이었다.

5 옛날에도 인권 신장을 위해서 신문고 제도, 상언, 격쟁, 삼복제와 같은 제도가 있었다.

6 인권은 일상생활에서 충분히 보장받고 존중받아야 할 권리이다. 우리의 일상생활에서는 인권이 침해되어 보장받아야 할 경우를 찾아볼 수 있다.

7 인권은 인간이기에 누구나 태어날 때부터 갖게 되는 권리이다. 인권은 배경과 관계없이 존중받아야 하며, 나의 인권이 소중하듯 다른 사람의 인권을 서로 존중하고 배려하는 자세가 필요하다.

8 인권은 사회 구성원들의 끊임없는 관심과 다양한 노력으로 보호받을 수 있다. 인권 보호를 실천하는 일은 작은 일부터 큰일까지 다양한 방법을 실행할 수 있다. 인권 보호를 생활에서 실천할 수 있는 방법으로는 인권 표어 만들기, 인권 포스터 그리기, 인권 동영상 만들기, 인권 사진 찍기 등이 있다. 이를 실천하기 위해서는 일상생활에서 인권 보호와 관련한 사례를 탐색하고 방법을 생각하여 실천한다. 그리고 활동이 마무리된 후에는 이와 관련한 소감을 발표하거나 결과에 관해 토의할 수 있다.

9 어린이 보호 구역처럼 사회에는 사람들이 지켜야 할 여러 가지 규칙들이 있다. 이 가운데 지키지 않으면 제재를 가할 수 있는 것을 법이라고 한다. 법은 개인을 포함하여 단체, 국가 등 모두가 지켜야 할 기준이 된다.

② 도덕은 개인의 양심에 따라 지켜야 하는 행동의 기준이다.

③ 조례는 시·도·군 단위에서 시행하는 일종의 규칙이다.

④ 생활은 우리가 살아가는 모습을 일컫는 개념이다.

⑤ 선언은 자신의 주장이나 의견에 대해 확고한 의지를 나타내는 행동이다.

10 도덕은 법과 달리 강제성이 없다. 도덕은 양심에 따른 행동의 기준이며, 공공장소에서 조용히 하기, 공공시설을 소중하게 이용하기, 버스나 지하철에서 교통 약자에게 자리 양보하기 등이 해당된다.

11 법은 사회 구성원 모두가 지켜야 할 행동의 기준으로, 도덕과 달리 지키지 않으면 법적 제재를 받을 수 있다.

ⓛ, ⓒ 프로그램 불법 복사와 주정차 금지 구역에서의 주차는 개인의 권리를 침해하고, 사회 질서를 어지럽히는 불법 행위 중 하나이다.

오답 확인

ⓐ 임산부가 아닌데 임산부 배려석에 함부로 앉는 행동은 비난받을 수 있는 부도덕한 행동이지만, 법적 제재를 가할 수는 없다.

ⓓ 친구와의 약속을 잊어버린 것은 친구와의 우정과 관계 있는 내용으로, 법의 제재를 받는 행위는 아니다.

12 도덕은 지키지 않으면 비난받을 수는 있지만 법적 제재를 가할 수는 없다. 하지만 법은 지키지 않으면 처벌을 받을 수 있기에 강제성을 갖는다. 새치기는 질서를 지키지 않은 비도덕적 행동이지만, 어린이 보호 구역에서의 규정 속도 위반은 법적 제재의 대상이 된다.

13 법은 일상생활과 밀접한 관련이 있다. 일상생활과 관련한 법들을 통해 개인은 권리를 보호받을 수 있다.
⑤ 시험에서 쪽지에 쓴 내용을 몰래 보면 관련 규정이나 지침에 따라 불이익을 받는다. 하지만 법적인 제재를 받지는 않는다.

오답 확인

① 아이가 태어나면 출생 신고를 하는 것으로 일상생활에서 법의 보호를 받을 수 있다.

② 학생에게 교육받을 권리를 보장함으로써 충분한 학습권을 보장한다.

③ 건물이나 주택을 살 때 계약서를 작성하는 행위를 통해 개인들 간의 분쟁을 방지하고, 범죄 피해를 최소화할 수 있다.

④ 근로 계약서 작성을 통해 개인의 노동권을 보호받고, 안전한 환경에서 일할 수 있게 한다.

14 학생들에게 충분한 교육권과 학습권을 보장하기 위해서 우리나라에서는
② 초·중등 교육법, 학교 도서관 진흥법, 학교 폭력 예방 및 대책에 관한 법률, 학교 급식법을 제정하여 시행하고 있다. 초·중등 교육법을 통해 학생들은 학교에서 교육권을 충분히 보장받고 인권을 보호받을 수 있다.

오답 확인

① 학교 급식법은 학교 급식에 관한 사항을 정해 학교 급식의 질을 높이려는 법이다.

③ 학교 도서관 진흥법은 학교 도서관의 설립과 운영, 지원 등과 관련된 사항이 들어 있는 법이다.

④ 공정한 경쟁을 위한 특별 상법은 개인과 개인, 개인과 회사, 회사와 회사의 공정한 경쟁을 보장하는 법으로 학교 교육과는 거리가 멀다.

⑤ 학교 폭력 예방 및 대책에 관한 법률은 학교 폭력을 예방하고 학생의 인권을 보호하기 위한 법이다.

15 교통과 관련한 법을 시행하여 도로에서의 질서를 유지할 수 있고, 보행자와의 교통사고, 자동차끼리의 교통사고를 예방하여 우리 사회를 더욱 안전하게 할 수 있다. 따라서 법은 사회 질서를 유지하는 데 도움을 주는 역할을 한다.

16 헌법은 우리나라 모든 법들의 바탕이 되는 것으로, 헌법을 토대로 법률이 만들어진다. 헌법 재판을 통해 그 법률이 국민의 인권을 침해하였는지 판결을 내릴 수 있다. 이러한 헌법은 국민의 인권을 분명히 확인하고 이를 보장해 주는 역할을 한다.

오답 확인

② 헌법은 상호 존중보다는 인간 존엄의 의미에 더 가깝다.

③ 민법은 개인과 개인 사이에 관련한 법이다. 배려와 존경이 아니라 인간 존엄을 중시하는 것이 헌법에서 추구하는 가치이다.

④ 헌법에서는 국가 권력을 중시해야 한다는 가치는 찾을 수 없다.

⑤ 형사법은 범죄 사실에 대한 처벌에 관한 법률이다. 공동체 생활은 사회 구성원들이 합의에 따라 집단을 이루어 생활하는 것을 일컫는 말이다.

17 헌법에서는 국민의 기본적인 권리를 제시하고 있다. 헌법이 보장하는 기본권에는 평등권, 자유권, 참정권, 청구권, 사회권 등이 있다.
⑤ 추구권은 헌법이 보장하는 기본권이 아니다.

오답 확인

① 평등권은 성별, 종교, 사회적 신분 등에 따라 처벌받지 않을 권리이다.

② 자유권은 국가의 간섭을 받지 않고 자유롭게 생활할 수 있는 권리이다.

③ 참정권은 국가 기관의 형성과 국가의 정치적 의사 형성 과정에 참여할 수 있는 권리이다.

④ 사회권은 국가에 인간다운 생활의 보장을 요구할 수 있는 권리이다.

18 헌법에는 우리나라에서 추구하는 가치가 들어 있다. 즉, 헌법에는 대한민국의 주인은 국민이며, 국가에서 중요한 일을 결정할 때 국민의 뜻을 존중해야 한다는

내용이 담겨 있다. 또한 대한민국은 평화 통일을 지향하고 국제 평화 유지와 전통문화 발전을 위해 노력해야 한다는 내용도 제시되어 있다.

19 헌법 재판소는 헌법을 토대로 만들어진 법률이 개인의 권리를 침해하는지 판결할 수 있으며, 이를 통해 국민의 인권을 보장해 주는 역할을 한다.

20 헌법에 제시되어 있는 국민의 의무는 교육의 의무, 납세의 의무, 근로의 의무, 국방의 의무, 환경 보전의 의무가 있다. 헌법에 제시된 의무를 실천하는 일은 모두의 기본권을 보장하는 바탕이 된다. 국민의 의무를 성실하게 실천함으로써 스스로 기본권을 보장받고 사회가 유지되며 발전할 수 있다.
① 환경 보전의 의무는 헌법에서 규정하고 있는 국민의 의무이다.
⑤ 국민의 의무 중 자유의 의무는 없다.

서술형 톡톡 문제   **144쪽**

1 📝 신분 또는 인종 때문에 차별받는 사람들의 인권을 신장하기 위해 노력했다. **2** 📝 모든 사람은 나와 똑같은 권리가 있으므로 다른 사람의 인권을 존중하는 태도가 필요하다. **3** 📝 테레사 수녀, 가난하고 아픈 사람을 도와주고 보살피는 데 평생을 바쳤다. **4** 📝 지키지 않을 때 비난을 받는 도덕과 달리 법은 지키지 않으면 처벌을 받을 수 있다. **5** 📝 법은 잘못을 저지른 사람을 처벌하는 기준이 되어 사회 질서를 유지하는 데 도움을 준다. **6** 📝 법을 잘 지키는 사회에서는 모두의 권리를 보장받을 수 있고, 안전하게 생활할 수 있기 때문이다.

---

1 옛날에도 사람들의 기본적인 권리를 신장시키기 위해 노력한 사람들이 있다. 이들은 어린이의 인권 신장을 위해, 신분이나 인종 차별을 없애기 위해, 사회적 약자의 인권 신장을 위해 노력했다.

> **[채점 기준]** '차별', '인권', '신장'이라는 단어를 포함하여 바르게 썼다.

2 인권은 모든 사람들이 태어나는 순간 가지게 되는 것이다. 인권은 개인의 나이, 성별, 인종에 관계없이 누구나 사람으로서 동등하게 존중받고 행복하게 살아갈 권리이다. 그러므로 서로의 인권을 존중하고 배려하는 태도가 필요하다.

> **[채점 기준]** '권리', '존중'이라는 단어를 사용하여 내용을 바르게 썼다.

3 허균이나 넬슨 만델라와 같이 사람들의 인권을 신장하기 위해 노력한 인물로는 방정환, 야누시 코르차크, 테레사 수녀, 루이 브라유 등이 있다.

> **[채점 기준]** 테레사 수녀를 포함하여 위의 인물들이 인권 신장을 위해 노력한 활동 내용을 바르게 썼다.

4 법과 도덕은 강제성의 유무에 따라 그 차이점을 설명할 수 있다.

> **[채점 기준]** '처벌' 혹은 '강제성'이라는 단어를 사용하여 차이점을 바르게 썼다.

5 법은 지키지 않으면 제재를 가할 수 있고, 이는 개인의 권리를 보호하고 나아가 사회 질서를 유지하는 역할을 한다.

> **[채점 기준]** '사회 질서', '유지'를 포함하여 법의 역할을 바르게 썼다.

6 법은 나와 다른 사람의 권리를 보장하고 사회를 유지·발전시키는 역할을 한다. 단순히 강제성 있는 처벌이 무서워 법을 지켜야 한다고 생각하는 것은 올바른 준법정신과는 거리가 멀다.

> **[채점 기준]** '권리', '보장'이라는 단어를 사용하여 법을 지켜야 하는 까닭을 바르게 썼다.

1. 국토와 우리 생활

핵심만 쏙쏙
2~3쪽

❶ 동쪽 ❷ 주권 ❸ 자연환경 ❹ 평야 ❺ 기후 ❻ 사계절 ❼ 북서풍 ❽ 태풍 ❾ 여름 ❿ 산업화 ⓫ 신도시 ⓬ 고속 철도

가로톡 세로톡 퍼즐
4쪽

❶남	❶동	쪽					❷대
부					❸중	위	도
❷지	진						시
방			❸태				
			백				
	❺수		산		❸광	역	❹시
	도		맥				청
❸주	권						

탐구 팡팡 수행 평가
5쪽

1 ㉠: 인구 ㉡: 교통 ㉢: 산업 2 ㉠: 대도시 ㉡: 1일 생활권, ㉢: 서비스업 3 ⓔ 교통이 발달한 곳에 인구가 증가한다. 인구가 많은 곳에서 산업이 발달한다. 산업이 발달한 곳에 다시 인구가 늘어난다.

1 ㉠은 인구 분포 지도로 인구와 관련이 있으며, ㉡은 교통도로 교통과 관련이 있다. ㉢은 우리나라의 주요 공업 지역을 나타낸 지도이며, 산업과 관련이 있다.

2 ㉠은 인구에 관한 설명으로 산업화로 인해 대도시에 인구가 집중되면서 촌락의 인구 밀도가 낮아진 것을 설명하고 있다. ㉡은 고속 국도와 고속 철도가 개통되면서 전국이 1일 생활권이 된 것에 관한 설명이다. ㉢은 우리나라 산업 구조의 변화로 농업에서 벗어나 제조업이나 서비스업 위주로 변화했음을 설명한다.

3 교통, 인구, 산업은 서로 밀접한 관련을 맺고 영향을 주고받는다. 교통이 발달한 곳에 인구가 늘어나고, 인구가 늘어나면 산업 시설이 생기기도 한다. 산업 시설이 생기면 다시 인구가 늘어나게 된다.

[채점 기준] '교통이 발달한 곳에 인구가 많아진다.', '인구가 많은 곳에 산업이 발달하고 다시 인구가 늘어난다.' 등의 내용을 포함하여 바르게 썼다.

단원 팡팡 문제 1회
6~9쪽

1 반도 2 ⓔ 육지를 통해 다른 대륙과 연결될 수 있다. 바다를 통해 다른 대륙으로 진출할 수 있다. 3 영토 4 ⑤ 5 ④ 6 행정 구역 7 ③ 8 ㉢-㉡-㉣-㉠ 9 (1)-㉡ (2)-㉠ (3)-㉢ 10 ㉠: 태백산맥 ㉡: 한라산 11 ⓔ 우리나라는 동쪽에 높은 산이 많아서 동쪽이 높고 서쪽이 낮기 때문이다. 12 ③ 13 서해안 14 ⓔ 우리나라는 사계절이 있고, 계절에 따른 기온 차이가 크다. 15 등온선 16 ⑤ 17 ② 18 ③ 19 노년층 20 ④ 21 중화학 22 ② 23 교통도 24 ⑤ 25 ⓔ 인구가 많은 곳에 교통이 발달하고, 교통이 발달한 곳에서 산업이 성장한다. 산업이 성장하면 인구도 더욱 늘어난다.

1 삼면이 바다로 둘러싸이고 한 면이 육지로 이어져 있는 지형은 반도이다. 우리나라는 아시아 대륙의 동쪽에 위치한 반도이다.

2 제시된 자료는 '거꾸로 세계 지도'와 '아시안 하이웨이'이다. 제시된 자료를 통해 우리나라가 고속 국도를 이용해 유럽까지 육로로 연결될 수 있다는 것을 확인할 수 있다. 또한 세계 지도를 거꾸로 보면 우리나라는 해양으로 진출하기에 유리한 위치적 조건을 가지고 있음을 알 수 있다.

[채점 기준] '육지를 통해 다른 대륙과 연결될 수 있다.', 바다를 통해 다른 대륙으로 진출할 수 있다.' 등의 내용을 포함하여 바르게 썼다.

3 한 나라의 영역은 주권이 미치는 범위를 말하며 영토, 영해, 영공으로 이루어진다. 그 중에서 영토는 육지와 섬을 포함한 땅을 말한다. 우리나라에서 영토는 한반도와 그에 속한 섬을 말한다.

한눈에 쏙쏙 우리나라의 영역

영토	한반도와 한반도에 속한 여러 섬
영해	한반도 주변의 바다로 해안선과 섬에 따라 그 영역을 정하는 기준이 서로 다름.
영공	영토와 영해 위의 하늘

4 철령관 동쪽의 관동 지방은 태백산맥을 기준으로 영서 지방과 영동 지방으로 구분한다.

① 휴전선 북쪽 지역은 북부 지방이다.

② 금강의 남쪽은 호남 지방이다.

③ 경기만의 서쪽에 있어 해서 지방이라고 한다.

④ 휴전선 남쪽에서 금강 하류와 소백산맥까지는 중부 지방이다.

5 전통적으로 우리나라의 지역을 구분했던 기준은 자연환경이었다. 산, 고개, 강 등 사람들의 생활과 밀접한 관련이 있는 자연환경을 기준으로 삼았다. 전통적인 국토 구분은 오늘날의 행정 구역을 정하는 기준이 되었으며, 사람들의 생활에도 많은 영향을 미친다.

6 전통적으로 자연환경에 따라 나눈 지역 구분은 오늘날의 행정 구역을 정하는 기준이 되었다. 행정 구역이란 나라를 효율적으로 관리하기 위해 나눈 행정 단위를 말한다.

한눈에 쏙쏙 **우리나라의 행정 구역**

특별시(1개)	서울
특별자치시(1개)	세종
광역시(6개)	대전, 대구, 부산, 울산, 광주, 인천
도(8개)	경기, 강원, 충남, 충북, 경남, 경북, 전남, 전북
특별자치도(1개)	제주

7 우리나라에는 총 6곳의 광역시가 있으며 대구광역시, 부산광역시, 울산광역시, 인천광역시, 광주광역시, 대전광역시가 있다.

③ 서울은 우리나라의 유일한 특별시이다.

8 국토 사랑 여행 계획을 세우기 위해서는 먼저 우리 국토 중에서 여행 가고 싶은 지역을 생각해 본다. 다음으로 여행지의 위치와 특징을 조사한다. 이후 여행지에서 국토를 위해 어떤 일을 할 수 있을지 생각해 보고, 친구와 여행 계획을 공유한다.

9 해안은 바다와 육지가 서로 맞닿은 곳, 평야는 낮고 평평한 땅이 넓게 펼쳐진 지형을 말한다. 하천은 물이 일정한 길로 흐르며 땅의 표면을 지나는 물줄기를 말한다.

10 ㉠의 위치에 있는 산맥은 태백산맥이고, ㉡은 제주도에 있는 한라산이다.

11 제시된 그림은 우리나라를 가로로 자른 단면도이다. 높은 산들은 동쪽에 있으며 서쪽에는 비교적 낮은 산들이 있는 것을 볼 수 있다. 이에 따라 동쪽이 높고 서쪽이 낮은 지형이기 때문에 하천이 동쪽에서 서쪽으로 흐른다는 것을 알 수 있다.

【채점 기준】 '우리나라 동쪽에 높은 산이 많아서 동쪽이 높고 서쪽이 낮기 때문이다.' 등의 내용을 포함하여 바르게 썼다.

12 산지에서는 등산이나 관광을 하는 모습이 나타난다. 강에서는 하천 상류에 댐을 만들기도 한다. 하천 하류에서는 민물고기나 재첩을 잡는다.

③ 평야에서는 주로 농업에 종사하거나 도시가 발달한 것을 볼 수 있다.

13 우리나라의 해안 중에서 바다와 육지의 드나듦이 심해서 해안선이 복잡하고 갯벌이 발달하여 간척을 하기도 하는 곳은 서해안이다.

14 제시된 자료는 정학유의 '농가월령가'로 우리나라의 특징인 사계절에 대한 설명이 나타나 있다. 우리나라는 사계절이 나타나며, 계절에 따른 기온 차이가 크다는 특징이 있다.

【채점 기준】 '우리나라는 사계절이 있고 계절에 따른 기온 차이가 크다.' 등의 내용을 포함하여 바르게 썼다.

15 지도에 표시된 선은 등온선이다. 등온선은 기온이 같은 지점을 연결한 선을 말한다.

16 강릉의 1월 기온이 서울보다 높은 이유는 북서쪽에서 불어오는 차가운 계절풍을 태백산맥이 막아주기 때문이다. 또한 해안 지역이 내륙 지역보다 겨울에 더 따뜻하다.

17 ㉠ 우리나라의 연평균 강수량은 1,300mm 정도로 세계 평균보다 많은 편이다. ㉢, ㉣ 계절에 따른 강수량의 차이가 큰 편이며, 주로 여름에 집중된다. ㉤ 울릉도와 제주도는 겨울에 비나 눈이 많이 내린다.

㉡ 대체로 남부 지방이 북부 지방보다 강수량이 많다.

18 겨울철에 주로 발생하는 자연재해는 한파이다. 한파에는 저체온증에 걸리거나 수도가 얼어붙는 등의 피해를 입기도 한다. 황사는 주로 봄에 발생하며, 폭염이나 태풍은 여름에 자주 발생한다. 지진은 계절과 관계가 적은 자연재해이다.

19 과거 우리나라의 인구 구성은 노년층보다 유소년층의 비중이 높았으나, 현재는 유소년층이 적고 노년층이 더 많은 특징을 보인다. 미래에는 노년층의 인구 비중이 더 높아질 것으로 예상된다.

20 1960년대 이전에는 남서쪽 평야 지역의 인구 밀도가 높았으나, 산업화가 이루어지면서 현재는 도시의 인구 밀도가 높아졌다.

한눈에 쏙쏙 | 인구와 관련된 용어 설명

인구 구성	일정한 지역의 인구를 성별·연령 등의 기준으로 나눈 구성 상태
인구 분포	사람이 어디에 얼마나 모여 사는가를 나타낸 것
인구 피라미드	지역의 인구를 성별과 연령별로 나타낸 그래프

21 울산광역시는 1910년대에는 농업과 어업이 중심 산업이었으나, 2010년대에는 자동차 산업과 중화학 공업이 중심 산업이 되었다.

한눈에 쏙쏙 | 우리나라의 공업 발달

1960년대 이전	주로 농업, 어업, 임업에 종사함.
1970년대 이후	자동차, 조선, 석유 화학 등 중화학 공업이 발달, 서비스업 발달함.
1990년대 이후	과학의 발달로 반도체, 정보 통신, 생명 공학 등 첨단 산업이 발달함.

22 시멘트의 재료인 석회석이 풍부하여 이와 관련된 공업이 발달한 곳은 태백산 지역이다. 시멘트 공업은 원료를 중심으로 하기 때문에 원료의 산지에 공업 지역이 발달했다.

23 항구, 공항, 도로, 철도 등 교통망을 중심으로 여러 가지 교통 현상을 나타낸 지도를 교통도라고 한다.

24 제시된 지도는 1980년대와 2020년대를 비교한 교통도이다. 과거와 오늘날의 교통도를 비교하면 교통 발달의 특징을 알 수 있다.
⑤ 고속 철도가 개통된 것은 2004년이다. 고속 철도가 개통되면서 지역 간의 이동이 빠르고 편리해졌다.

25 인문환경의 변화와 발달에는 교통, 산업, 인구가 영향을 미친다. 교통, 산업, 인구는 서로 영향을 주고받으며 발달한다. 인구가 많은 곳에서 교통이 발달하고, 교통이 발달하면서 산업이 성장하게 된다. 이후 산업이 성장하면 인구가 더 늘어나게 된다.

> **[채점 기준]** '인구가 많은 곳에 교통이 발달하고 교통이 발달한 곳에서 산업이 성장한다.', '산업이 성장하면 인구도 더 늘어난다.' 등의 내용을 포함하여 바르게 썼다.

1 ⑤ **2** ㉠: 주권 ㉡: 영해 **3** 독도 **4** 휴전선 **5** ③ **6** ㉠, ㉢ **7** 서울특별시 **8** 예 우리 국토를 아끼는 마음을 담은 신문 만들기나 글짓기를 한다. 국토를 가꾸기 위해 나무를 심는다. **9** ⑤ **10** 예 동쪽이 높고 서쪽이 낮은 지형이다. 산의 모양을 살펴보면 동해 방향이 더 가파르다. **11** (1)—㉢ (2)—㉠ (3)—㉡ **12** ㉠, ㉢ **13** ④ **14** 예 여름에는 남쪽에서 덥고 습한 바람이 불어오고, 겨울에는 북서쪽에서 차갑고 건조한 바람이 불어온다. **15** ③ **16** ④ **17** 태풍 **18** 경기도 **19** 신도시 **20** ② **21** 예 교통이 편리하고 인구가 많기 때문이다. **22** 예 농림어업 중심에서 서비스업 중심의 산업 구조로 변화했다. **23** ⑤ **24** ④ **25** 교통도

---

1 우리 국토는 반도로 대륙과 해양을 연결하는 위치에 있다. 이에 따라 육로를 통해 대륙과 연결되고, 바다를 통해 다른 대륙으로 진출할 수 있다는 지리적 장점이 있다.

2 한 나라의 영역은 그 나라의 주권이 미치는 범위를 말하며, 영역은 영토, 영공, 영해로 이루어진다.

3 우리나라 영토에서 동쪽의 끝은 경상북도 울릉군 독도이다.

한눈에 쏙쏙 | 우리나라 영토의 끝

동쪽 끝	경상북도 울릉군 독도
서쪽 끝	평안북도 용천군 마안도(비단섬)
남쪽 끝	제주특별자치도 서귀포시 마라도
북쪽 끝	함경북도 온성군 유원진

4 우리 국토는 큰 산맥이나 하천을 중심으로 북부, 중부, 남부 지방으로 구분할 수 있다. 휴전선 북쪽의 지역을 북부 지방, 휴전선 남쪽에서 금강 하류와 소백산맥까지는 중부 지방이다. 중부 지방의 남쪽 지역은 남부 지방이다.

한눈에 쏙쏙 | 우리나라의 영토 구분

북부 지방	휴전선 북쪽의 북한 지역
중부 지방	휴전선에서 소백산맥과 금강 하류에 이르는 지역
남부 지방	중부 지방의 남쪽 지역

5 우리나라의 전통적 지역 구분에 기준이 되었던 것에는

태백산맥, 경기만, 의림지, 조령, 철령관 등이 있다.

③ 휴전선은 오늘날 우리 국토를 북부, 중부, 남부 지방으로 구분할 때 기준으로 사용된다.

6 나라를 효율적으로 관리하기 위해서 행정상의 목적에 따라 나눈 단위는 행정 구역을 말한다.

㉠ 우리나라에는 행정 구역상 1곳의 특별자치도가 있다.

㉢ 각 행정 구역에는 시청이나 도청이 있다.

오답 확인

㉡ 오늘날의 지역 구분에는 휴전선도 기준으로 삼고 있다.

㉣ 행정 구역은 인구수와 사회적·경제적 조건 등의 변화로 달라지기도 한다.

7 ㉠에 위치한 행정 구역은 우리나라의 유일한 특별시로, 서울특별시이다.

8 우리 국토를 사랑하는 마음으로 실천할 수 있는 일에는 우리 국토를 아끼는 마음을 담은 신문 만들기나 글짓기 등이 있다. 또한 국토를 아끼는 마음을 담아 나무를 심거나 쓰레기를 줍는 활동도 할 수 있다.

【채점 기준】 '우리 국토를 아끼는 마음을 담은 신문 만들기나 글짓기를 한다.', '국토를 가꾸기 위해 나무를 심는다.' 등의 내용을 포함하여 바르게 썼다.

9 우리나라의 지형에는 산지가 연속해서 나타나는 산맥이 있고, 작은 물줄기인 하천이 모여 바다로 흘러가는 강이 있다.

한눈에 쏙쏙 지형의 종류

산지	높고 낮은 산이 모여 이룬 지형
하천	물이 일정한 길을 형성하며 땅의 표면을 흐르는 물줄기
평야	낮고 평평한 땅이 넓게 펼쳐진 지형
해안	바다와 육지가 서로 맞닿은 곳의 육지 부분
섬	주위가 물로 둘러싸인 땅

10 제시된 그림은 우리나라 중부 지방을 자른 단면도이다. 이를 통해 우리나라는 동쪽이 서쪽보다 높으며, 산의 모양을 살펴보면 동해 방향이 대부분 더 가파르다는 것을 알 수 있다.

【채점 기준】 '동쪽이 높고 서쪽이 낮은 지형이다.', '동해 방향이 더 가파르다.' 등의 내용을 포함하여 바르게 썼다.

11 ㉠은 하천을 이용하는 생활 모습이고, ㉡은 평야 지역의 생활 모습이다. ㉢은 산지를 이용하는 생활 모습으로, 등산을 하거나 스키장에서 여가를 즐기기도 한다.

12 지도에 나타나는 해안은 해안선이 비교적 복잡한 서해안이다. 서해안에서는 어업 활동이 주로 이루어지며 갯벌이 넓게 발달한 특징을 보인다. 갯벌에서 해산물을 채취하거나 간척을 통해 농업 용지나 공업 용지를 확보하기도 한다.

오답 확인

㉡ 김이나 조개류의 양식은 섬이 많고 파도가 잔잔한 남해안에서 주로 이루어진다.

㉣ 평야 지역에서 주로 농사를 짓는다.

13 우리나라의 지형은 동쪽과 북쪽에 높은 산지가 많다. 그래서 주요 하천은 서해와 남해 쪽으로 흐르고, 그 주변에는 평야가 만들어진다.

④ 우리나라 해안선의 경우 동해안은 단조롭고, 서해안과 남해안은 복잡하다는 특징을 보인다.

14 우리나라는 계절에 따라 기온의 차이가 크게 나타난다. 여름에는 남쪽의 해양에서 덥고 습한 바람이 불어오고, 겨울에는 북서쪽의 대륙에서 차갑고 건조한 바람이 불어온다.

15 우리나라의 국토는 남북으로 길게 뻗어 있어서 남쪽 지역과 북쪽 지역의 기온 차이가 크다.

오답 확인

① 여름과 겨울의 기온 차이가 크다.

② 북에서 남으로 갈수록 기온이 높아진다.

④ 같은 위도에서는 동해안이 서해안보다 따뜻하다.

⑤ 같은 위도에서는 겨울에 내륙 지역보다 해안 지역이 더 따뜻하다.

16 돋대는 홍수가 자주 발생하는 지역에서 주변보다 땅을 높게 돋운 것이고, 우데기는 눈이 많이 내리는 울릉도에서 겨울철에 눈이 쌓여도 생활할 수 있도록 만든 시설이다. 이러한 시설은 모두 강수량과 관련이 있는 시설이다.

17 제시된 조사 보고서의 자연재해는 여름이나 가을에 주로 발생하고 많은 비와 세찬 바람을 몰고 오는 것이므로 태풍이다.

18 제시된 자료는 우리나라 도시 수와 도시별 인구수의 변화를 나타낸 지도이다. 1960년과 비교하여 2019년에 도시의 수가 가장 많이 증가한 지역은 경기도이다.

19 서울에 집중된 인구와 기능을 분산시키기 위해 1980년대부터 경기도에 신도시를 건설하기 시작했다. 고양, 성남, 김포, 양주 등에 아파트 주거 단지를 조성했으며, 안산과 시흥에 공업 단지를 건설했다.

20 사람들이 어디에 얼마나 모여 사는가를 나타낸 것은 인구 분포이다. 과거에는 농사를 짓는 평야 지역의 인구 밀도가 높았으나 산업화로 인해 촌락의 사람들이 도시로 이동하게 되었다. 그 결과, 현재는 도시의 인구 밀도가 훨씬 더 높다.

21 수도권 지역은 교통이 편리하고 인구가 많기 때문에 각종 공업과 첨단 산업, 서비스업이 고르게 발달했다는 특징이 있다.

> **[채점 기준]** '교통이 편리하고 인구가 많기 때문이다.' 등의 내용을 포함하여 바르게 썼다.

22 그래프를 살펴보면 우리나라의 산업 구조는 1970년에는 농림어업이 가장 중심이 되었으나, 2020년에는 서비스업이 가장 높은 비중을 차지하고 있음을 알 수 있다. 우리나라 산업은 농림어업 중심에서 서비스업 중심의 산업 구조로 변화했음을 알 수 있다.

> **[채점 기준]** '농림어업 중심에서 서비스업 중심의 산업 구조로 변화하였다.' 등의 내용을 포함하여 바르게 썼다.

23 고속 철도가 개통된 것은 2004년으로, 1980년대에는 고속 철도가 없었다. 고속 철도가 개통되면서 지역 간 이동이 이전보다 빠르고 편리해졌다.

한눈에 쏙쏙 교통수단의 변화

1980년대	공항, 철도, 항구, 고속 국도 (1970년 경부 고속 국도 개통)
2020년	공항, 철도, 항구, 고속 국도, 고속 철도 (2004년 고속 철도 개통)

24 교통이 발달하면서 빠른 배송 서비스가 가능해지고 지역의 관광 자원이 활성화되었다. 제품 생산에 필요한 많은 양의 원료도 한꺼번에 주고받을 수 있게 되었다. 또한 다른 도시로도 빠르고 편리하게 이동할 수 있게 되었다.
④ 교통망이 촘촘해져 복잡한 환승이 줄어들고, 지역을 이동하는 것이 더욱 편리해졌다.

25 인문환경의 변화를 알아보기 위해 인구 분포 지도와 교통도를 겹쳐보면 고속 국도나 철도를 따라 인구가 많이 분포하고 있다는 특징을 알 수 있다.

1 ㉠: 중국 ㉡: 일본 **2** 📝 우리나라는 아시아 대륙의 동쪽에 위치해 있다. 우리나라는 북위 33°~43°, 동경 124°~132° 사이에 있다. **3** 📝 우리나라는 북한 지역을 제외하고 특별시 1곳, 특별자치시 1곳, 특별자치도 1곳, 도 8곳, 광역시 6곳으로 이루어져 있다. **4** 📝 동해안의 해안선은 단조롭고, 서해안의 해안선은 복잡하다. **5** 📝 우리나라는 남북이 길게 뻗어 있어 남쪽 지역과 북쪽 지역의 기온 차이가 크기 때문이다. 남부 지방은 기온이 높아 음식이 상하기 쉬우므로 짠 김치가 발달했다. 북부 지방은 기온이 낮아 음식이 쉽게 상하지 않기 때문에 싱거운 김치가 발달했다. **6** 📝 비가 많이 오지 않아 강수량이 적고 햇빛의 양이 풍부한 해안 지역이기 때문이다. **7** 📝 대도시의 인구 밀도는 높고, 촌락의 인구 밀도는 낮다. **8** 📝 발달한 교통망을 이용해 빠른 배송 서비스를 이용한다. 철도 교통을 이용해 다른 도시로 빠르게 이동한다.

---

1 우리나라의 왼쪽에 위치한 ㉠은 중국이다. 중국은 우리나라의 북쪽으로는 국경을 맞대고, 서쪽으로는 황해를 사이에 두고 위치해 있다. 우리나라의 오른쪽에 위치한 ㉡은 일본이다. 일본은 주변이 모두 바다로 둘러싸인 섬나라이다.

2 방위를 이용한 우리나라의 위치는 아시아 대륙의 동쪽이고, 위도와 경도를 이용한 위치는 북위 33°~43°, 동경 124°~132° 사이이다.

> **[채점 기준]** '아시아 대륙의 동쪽', '북위 33°~43°, 동경 124°~132°' 등의 내용을 포함하여 바르게 썼다.

3 우리나라의 행정 구역은 특별시 1곳(서울), 특별자치시 1곳(세종), 특별자치도 1곳(제주), 도 8곳(경기, 충북, 충남, 전남, 전북, 경남, 경북, 강원), 광역시 6곳(대전, 대구, 부산, 울산, 인천, 광주)으로 이루어져 있다.

> **[채점 기준]** '특별시, 특별자치시, 특별자치도, 도, 광역시' 등의 내용을 포함하여 바르게 썼다.

4 우리나라 해안 중 동해안은 해안선이 단순하고, 서해안과 남해안은 해안선이 복잡하다는 특징을 지닌다.

> **[채점 기준]** '동해안은 해안선이 단조롭고 서해안은 해안선이 복잡하다.' 등의 내용을 포함하여 바르게 썼다.

5 ㉠은 짠 김치로 더운 남부 지방에서 발달한 음식이고, ㉡은 싱거운 김치로 추운 북부 지방에서 발달한 음식이다. 이러한 차이가 나타나는 이유는 우리나라의 남쪽과 북쪽의 기온 차이가 크기 때문이다. 남부 지방에서

는 기온이 높아 음식이 쉽게 상하기 때문에 소금과 젓갈이 들어간 음식이 발달했다.

> **[채점 기준]** '남과 북의 기온 차이가 크기 때문에' 등의 내용을 포함하여 바르게 썼다.

6 제시된 사진은 염전으로, 강수량이 적고 일조량이 많은 해안 지역에 발달한다. 우리나라의 서해안은 옛날부터 염전이 발달했다.

> **[채점 기준]** '강수량이 적고 햇빛이 풍부한' 등의 내용을 포함하여 바르게 썼다.

7 우리나라 인구 분포의 특징은 대도시의 인구 밀도가 높고 촌락의 인구 밀도가 낮다는 것이다. 과거에는 농사를 지을 수 있는 남서부 평야 지역의 인구 밀도가 높았다. 그러나 산업화로 인해 촌락의 사람들이 도시로 이동하면서, 현재는 도시로 인구가 집중되고 있다.

> **[채점 기준]** '도시의 인구 밀도가 높고 촌락의 인구 밀도가 낮다.' 등의 내용을 포함하여 바르게 썼다.

8 교통이 발달하면서 사람들의 생활 모습이 달라졌다. 사람과 물자가 빠르고 편리하게 이동할 수 있다. 지역 간의 이동이 편리해지면서 다양한 산업이 성장하기도 한다. 교통의 발달로 물자 운송이 편리해져 공업이 발달하고, 사람들의 이동이 활발해지면서 관광 산업이 발달하기도 한다.

> **[채점 기준]** '다른 도시로 빠르게 이동한다.', '많은 양의 물건을 한꺼번에 주고받는다.', '빠른 배송 서비스를 이용한다.' 등의 내용을 포함하여 바르게 썼다.

2. 인권 존중과 정의로운 사회

핵심만 쏙쏙
16~17쪽

❶ 인권 ❷ 방정환 ❸ 신문고 제도 ❹ 사회 보장 ❺ 법 ❻ 강제성 ❼ 권리 보호 ❽ 침해 ❾ 헌법 재판소 ❿ 평등권 ⓫ 참정권 ⓬ 교육의 의무 ⓭ 근로의 의무

가로톡 세로톡 퍼즐
18쪽

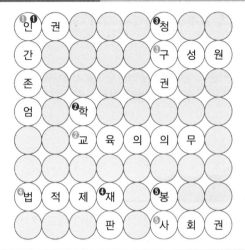

탐구 팡팡 수행 평가
19쪽

1 ㉠: 사회권 ㉡: 평등권 ㉢: 교육의 의무 ㉣: 환경 보전의 의무
2 ㉠: 예 저소득층 노인의 생활 안정을 위해 매달 기초 연금을 지급한다. ㉡: 예 몸이 불편한 사람들을 위해서 지하철 입구에 엘리베이터를 설치한다. ㉢: 예 일정 나이가 되면 초등학교에 입학하여 교육을 받는다. ㉣: 예 깨끗한 환경을 만들기 위해 학교 근처에서 봉사 활동에 참여한다. 3 예 국가가 국민의 권리를 함부로 침해할 수 없도록 하고, 국가를 유지하고 발전시키는 의무를 제시하여 모두의 기본권을 보장받게 하기 위해서이다.

1 ㉠은 최저 생계비 보장을 통한 인간다운 삶의 보장을 요구할 수 있는 권리인 사회권에 관련한 것이며, ㉡은 모두가 나이, 성별, 인종, 장애에 관계없이 동등한 대우를 받아야 한다는 평등권과 관련한 그림이다. ㉢은 모든 국민이 초등 교육과 법률이 정하는 교육을 받아야 하는 교육의 의무를, ㉣은 국가와 국민이 환경을 보호하여 유지하기 위해 노력해야 한다는 환경 보전의 의무와 관련한 것이다.

2 저소득층을 위한 기초 연금 제도는 사회권, 지하철 입

구의 엘리베이터 설치는 장애인을 위한 평등권, 법률이 정하는 초등교육 이수는 교육의 의무, 봉사 활동 참여는 환경 보전의 의무 등 일상생활 속에서 기본권의 보장과 국민의 의무를 실천하는 모습을 찾아볼 수 있다.

[채점 기준] 각 기호에 해당하는 일상생활 속 사례를 찾아 바르게 썼다.

3 헌법에서는 국민의 기본적인 권리와 함께 실천해야 하는 의무를 함께 제시하고 있다. 국민의 의무를 실천하는 것은 국민의 자유와 권리를 보장하고 아울러 모두의 기본권을 보장하는 바탕이 되어, 국가를 유지하고 발전시키는 토대가 된다.

[채점 기준] '기본권', '의무'라는 단어를 사용하여 기본권의 제시 까닭과 의무를 실천해야 하는 까닭을 바르게 썼다.

20~23쪽

1 ③ 2 ④ 3 ⑤ 4 ② 5 방정환 6 상언 제도 7 ① 8 ② 9 ②-ⓛ-ⓒ-㉠ 10 ㉠: 법 ⓛ: 도덕 11 ② 12 예 법은 시대나 사회 변화에 따라 새로 만들어지기도 한다. 13 ① 14 ④ 15 ② 16 ④ 17 예 법을 어기면 다른 사람에게 피해를 주거나 다른 사람의 권리를 침해할 수 있다. 18 ④ 19 ③ 20 ④ 21 예 헌법 재판소는 법률이 헌법에 어긋나지 않는지, 국가 권력이 국민의 기본권을 침해하지 않는지 심판한다. 22 ② 23 ⑤ 24 ① 25 예 권리나 의무 중 어느 것 하나만 소중히 하지 않고, 조화를 추구하는 태도가 필요하다.

1 사람에게는 나이, 성별, 인종 등과 관계없이 누구나 사람으로서 존중받고 행복하게 살아갈 인권이 있다.

오답 확인

① 법은 사회 구성원들이 지켜야 할 기준 중 국가가 만든 강제성 있는 규범이다.

② 도덕은 사회 구성원들이 양심 등에 따라 자율적으로 지키는 행동 기준이다.

④ 재산권은 개인적으로 이용하거나 처분할 수 있는 재산적 가치를 지니는 권리이다.

⑤ 임명권은 직원의 임명, 면직, 기타 징계를 행하는 권한이다.

2 일상생활 곳곳에 인권 보장이 필요한 경우가 있다.
④ 용돈이 더 필요한 경우는 사적인 영역이기 때문에

인권 존중과는 거리가 멀다.

오답 확인

① 공사 소음으로 인한 학습권의 침해는 인권 존중이 필요한 상황이다.

② 홍수로 인한 농작물의 피해는 적절한 도움을 통한 인권 존중이 필요한 상황이다.

③ 산불 같은 자연재해로 인한 피해는 인권 존중을 위한 도움이 필요한 상황이다.

⑤ 우리나라뿐만 아니라 외국에서의 자연재해 또한 인권 존중이 필요한 상황이다.

3 모든 사람은 나이, 성별, 인종 등과 관계없이 인간이기에 존중받아 마땅한 인권을 동등하게 가지고 있다.

오답 확인

① 인권은 국가 권력이 함부로 침해할 수 없다.

② 사람은 태어난 배경과 관계없이 인권을 보장받아야 한다.

③ 인권은 다른 사람에게 함부로 넘길 수 있는 권리가 아니다.

④ 나의 인권이 소중하듯 다른 사람도 인간으로서 누려야 할 마땅한 권리가 있다.

4 장수왕은 5세기에 고구려를 전성기로 이끈 왕으로, 인권 신장을 위해 노력한 인물은 아니다.

① 허균은 조선 시대 신분 제도의 문제점을 인식하고 『홍길동전』을 썼다.

③ 테레사 수녀는 사회적 약자의 인권 신장을 위해 노력한 대표적인 인물이다.

④ 루이 브라유는 시각 장애인의 인권 신장을 위해 점자를 만들었다.

⑤ 야누시 코르차크는 어린이의 인권 신장을 위해 노력한 대표적인 인물이다.

한눈에 쏙쏙 인권 신장을 위해 노력한 인물

어린이의 인권 신장을 위해 노력	방정환, 야누시 코르차크
신분이나 인종 차별을 없애려고 노력	허균, 넬슨 만델라
사회적 약자의 인권 신장을 위해 노력	테레사 수녀, 루이 브라유

5 방정환은 우리나라 어린이의 인권 신장을 위해 노력한 대표적인 인물로, 아동을 하나의 인격체로 존중해야

한다는 의미로 '어린이'라는 말을 사용했다.

6 제시된 자료와 관련 있는 옛날의 제도는 상언 제도이다. 상언 제도는 신분과 관계없이 억울한 일을 쓴 문서를 임금에게 제출한 제도이다.

7 격쟁은 인권 신장을 위한 옛날의 대표적인 제도이다.

[오답 확인]

② 삼심제는 한 사건에 대해 세 번의 재판을 받을 수 있도록 하는 현대의 재판 제도이다.

③ 헌법 재판은 법률이 헌법에 어긋나지 않는지 판결하는 현대의 제도이다.

④ 국민 재판은 사회적 관심이 높은 사건에 대해 국민들의 의견을 묻는 현재의 제도이다.

⑤ 국방의 의무는 헌법에 제시되어 있는 국민의 의무 중 하나이다.

8 무료 접종과 기초 연금 제도는 인권 보장을 위한 다양한 사회 보장 제도 시행과 관련 있는 제도이다.

[오답 확인]

① 장애인 공공 편의 시설 설치로는 시각 장애인용 음향 신호기 설치나 장애인 전용 주차 구역 만들기 등이 있다.

③ 인권 단체 활동으로 나눔과 봉사, 편견이나 차별 없는 사회 캠페인 등이 있다.

④ 인권 단체 활동으로 사회적 약자를 위한 캠페인 활동을 하기도 한다.

⑤ 어린이 인권 교육의 하나로 다문화 이해 교육을 실시하기도 한다.

9 생활 속에서 인권 보호를 실천하기 위해서는 일상생활에서 인권이 보호되지 않는 사례를 찾은 후, 방법을 탐색하고 실천할 수 있다. 활동 후에는 소감과 결과에 관해 토의할 수 있다.

10 법은 사람들이 지켜야 할 여러 가지 규칙 중 강제성 있는 규범이다. 도덕은 개인의 양심 등 자율에 따라 지키는 행동 기준이다.

11 불법으로 프로그램을 내려받는 행위는 다른 사람의 권리를 침해할 수 있는 행동이므로, 법의 제재를 받는 경우에 해당한다.

[오답 확인]

① 인사 예절은 도덕과 관련 있어, 비난은 받을 수 있지만 법의 제재를 받지 않는다.

③ 교통 약자를 위한 배려는 도덕과 관련 있어, 법의 제

재를 받지 않는다.

④ 질서 있는 줄서기는 도덕과 관련 있어, 법의 제재를 받지 않는다.

⑤ 임산부가 아닌 사람이 임산부 지정석에 앉는 행위는 도덕과 관련 있어, 법의 제재를 받지 않는다.

12 감염병 예방 수칙은 시대나 상황에 따라 새로 생기거나 바뀌기도 한다. 이런 것은 법이 고정된 것이 아니라 바뀌기도 하는 경우를 나타내고 있다.

[채점 기준] '법', '새로'라는 단어를 사용하여 변하기도 한다는 내용으로 바르게 썼다.

13 법은 일상생활과 밀접한 관련이 있고, 우리 생활 곳곳에서 그 역할을 한다. 제시된 자료는 어린이 용품 안전에 관한 법 내용으로, 우리 일상생활과 관련된 것이라 할 수 있다.

[오답 확인]

② 제시된 자료는 법이 만들어지거나 바뀌는 특징과는 거리가 먼 내용이다.

③ 법을 잘 지킨다고 하여 금전적인 보상을 받을 수는 없다.

④ 제시된 자료의 내용은 사회 질서를 위한 법의 역할과는 거리가 멀다.

⑤ 제시된 자료의 내용은 쾌적한 환경을 위한 법의 역할과는 거리가 멀다.

14 일상생활과 함께 학교생활도 법과 밀접한 관련이 있다. 농어업 재해 보험법은 농업과 어업이 피해를 입었을 때 보험을 적용받는 범위에 대한 내용으로 학교생활과는 거리가 멀다.

① 학교 급식과 관련 있는 내용이다.

② 초·중등 학교 교육과 관련 있는 내용이다.

③ 학교 도서관과 관련 있는 내용이다.

⑤ 학교 폭력 및 학생 인권과 관련 있는 내용이다.

한눈에 쏙쏙 학교생활과 관련이 있는 법

초·중등 교육법	초·중등 학생을 교육하고 학교의 운영과 관련한 여러 가지 내용을 정해 둔 법
학교 도서관 진흥법	학교 도서관의 설립과 운영, 지원 등과 관련한 사항이 들어 있는 법
학교 폭력 예방 및 대책에 관한 법률	학교 폭력을 예방하고 학생의 인권을 보호하기 위한 법
학교 급식법	학교 급식에 관한 사항을 정해 학교 급식의 질을 높이려는 법

15 제시된 글은 자연재해로부터 개인의 생명과 신체를 보호하기 위한 재난 및 안전 관리 체제 확립과 관련한 내용이다. 이는 법이 개인의 권리를 보호하는 역할과 관련 있다.

오답 확인

① 제시된 글은 법의 사회 질서 유지 역할과는 거리가 먼 내용이다.

③ 제시된 글은 사람을 처벌하는 기준이 되는 법의 역할과는 거리가 멀다.

④ 법을 잘 지킨다고 해서 금전적인 이익을 얻을 수는 없다.

⑤ 제시된 글은 법의 의미나 지켜야 하는 까닭과는 거리가 먼 내용이다.

16 제시된 글은 교통사고 및 피해 등을 예방하여 일상생활에서의 위험을 막아 주는 법의 역할에 대해 설명하고 있다.

오답 확인

① 개인 간의 분쟁을 해결하는 기준을 제시하는 것은 개인의 권리 보호와 관련이 깊다.

② 제시된 자료는 질병이나 감염병 예방과는 거리가 먼 내용이다.

③ 개인 정보 처리 및 보호는 개인의 권리 보호와 관련이 깊다.

⑤ 인권을 존중해야 하는 까닭과 관련이 있는 설명이므로, 해당 자료와는 거리가 멀다.

17 제시된 자료는 가짜 입장권 판매로 인해 다른 사람의 재산권을 침해하였다는 내용이다.

[채점 기준] '피해', '침해'라는 단어를 사용하여 법을 지켜야 하는 까닭을 바르게 썼다.

18 헌법은 우리나라 모든 법률의 바탕이 되며, 이는 국민의 행복과 인간다운 삶을 추구하는 인간 존엄을 중시해야 한다는 내용을 포함하고 있다.

오답 확인

① 민법은 헌법의 하위 법률로 일반적으로 개인과 개인 사이의 규범을 내용으로 한다. 배려는 도와주거나 보살펴 주려고 하는 마음을 말한다.

② 도덕은 개인들이 양심 등에 따라 자율적으로 지키는 행동의 기준이다.

③ 지방 자치는 일정 지역에 거주하는 주민이 지역 단체를 구성하여 정치와 행정을 처리하는 것이다.

⑤ 형사 소송법은 헌법의 하위 법률로, 범죄 처벌과 관련하여 형사 절차를 규정하는 법률 체계이다.

19 헌법 제5조 ①항은 대한민국 헌법에 국제 평화 유지와 관련하여 추구하는 가치를 밝히고 있다.

오답 확인

① 대한민국 헌법 제1조 2항에서 담고 있는 내용이다.

② 대한민국 헌법 제4조에서 담고 있는 내용이다.

④ 대한민국 헌법 제9조에서 담고 있는 내용이다.

⑤ 대한민국 헌법 제1조 2항에서 살펴볼 수 있는 내용이다.

20 헌법은 법률에 대한 판결을 통해 국민의 권리를 보장하고 확인하는 역할을 한다. 헌법은 여러 가지 권리를 보호하며 사람의 생명이나 신체의 안전 등과 같은 권리를 중요하게 여긴다.

오답 확인

① 헌법은 형식적인 역할뿐만 아니라 헌법 재판 등을 통해 실제적인 역할도 한다.

② 하위 법률이 헌법에 어긋난다면 바뀌거나 없어지기도 한다.

③ 헌법은 우리의 인권을 분명히 확인하고, 이를 보장해주는 역할을 한다. 따라서 우리의 일상생활과 관련이 있다.

⑤ 헌법은 대한민국 모든 법 중 최고의 법으로, 모든 법에서 바탕이 된다. 따라서 쉽게 바꾸기 어렵고 여러 절차를 거쳐야 한다.

21 헌법 재판소는 헌법 재판을 통해 해당 법률이 국민의 권리를 침해하였는지 심판하는 기능을 한다.

[채점 기준] '헌법 재판소', '심판'이라는 단어를 사용하여 헌법 재판소의 역할을 바르게 썼다.

22 제시된 헌법 조항과 관련한 기본권은 자유권이다. 자유권은 국민의 자유로운 삶을 추구하는 내용과 관련이 있다.

오답 확인

① 국민의 기본권 중 평등권은 배경에 따라 차별받지 않을 권리를 말한다.

③ 참정권은 국가 기관 형성과 정치적 의사 형성 과정에 참여할 수 있는 권리이다.

④ 청구권은 국가에 일정한 행위를 요구할 수 있는 권리이다.

⑤ 사회권은 국가에 인간다운 생활의 보장을 요구할 수 있는 권리이다.

23 기본권은 국가의 안전 보장, 공공의 이익, 사회 질서 유지 등을 위해 필요한 경우 법률에 따라 제한할 수 있다. 그러나 이런 경우에도 국민에게 보장된 자유와 권리의 근본적인 내용을 침해할 수는 없다.

⑤ 국가 권력의 편의를 위해 기본권을 제한할 수 없다.

24 제시된 글에서 설명하고 있는 국민의 의무는 납세의 의무이다.

25 제시된 사례는 개인의 재산에 대한 자유권과 환경 보전을 위해 노력해야 한다는 환경 보전의 의무가 충돌하는 상황을 나타낸다. 권리나 의무는 어느 것이 더 소중하다고 할 수 없으므로 두 가지를 조화롭게 추구하는 자세를 가져야 한다.

[채점 기준] '조화'라는 단어를 사용하여 권리와 의무에 대한 자세를 바르게 썼다.

단원 팡팡 문제 2회   24~27쪽

1 ③ 2 ⑤ 3 ㉠: 허균 ㉡: 방정환 4 ⑩ 남아프리카 공화국 정부의 인종 차별 정책이 부당하다는 것을 전 세계에 알렸다. 5 두 번 → 세 번 6 ⑩ 백성들이 억울함을 호소하고 이를 해결함으로써 인권을 보장받도록 하기 위해서이다. 7 ② 8 인권 9 국가 인권 위원회 10 ① 11 ⑩ 도덕과 달리 법은 강제성을 가진다. 12 ⑤ 13 초·중등 교육법 14 ㉠: 권리 ㉡: 질서 15 ㉢ 16 ⑤ 17 ⑩ 법을 지키지 않으면 다른 사람에게 피해를 주거나 다른 사람의 권리를 침해하게 된다. 18 ③ 19 존엄 20 ④ 21 ⑩ 국가가 국민의 권리를 함부로 침해할 수 없도록 하기 위해서이다. 22 청구권 23 ⑤ 24 환경 보전의 의무 25 ③

1 보이지 않는 사이버 공간 속이라도 서로의 인권을 존중하는 태도가 필요하다.

① 사람은 누구나 태어날 때부터 인권을 보장받는다.

② 인권은 태어난 배경과 관계없이 사람이기 때문에 마땅히 보장받는 권리이다.

④ 인권은 인종과 관계없이 사람으로서 존중받아야 할 권리이다.

⑤ 모든 사람은 존중받고 행복하게 살아갈 권리인 인권

이 있다.

2 인권은 태어난 배경과 관계없이 누구나 사람이기 때문에 마땅히 존중받아야 할 권리이다. 따라서 나뿐만 아니라 다른 사람도 같은 인권을 가지고 있기에 서로 존중하는 태도가 필요하다.

오답 확인

① 재산은 재화와 자산을 통틀어 이르는 개념이다. 그리고 인내는 괴로움이나 어려움을 참고 견디어 낸다는 뜻이다.

② 능력은 일을 감당해 낼 수 있는 힘을 뜻하고, 배려는 남을 도와 주고자 하는 마음을 말한다.

③ 지식은 어떤 대상에 대하여 배우거나 실천을 통하여 알게 된 명확한 인식이나 이해를 뜻한다.

④ 차별은 둘 이상의 대상을 각각 등급이나 수준 따위의 차이를 두어 구별한다는 뜻이다.

3 ㉠ 허균은 신분이 천하다는 이유로 능력을 펼칠 기회조차 주지 않는 당시의 신분 제도를 개선하기 위해 노력한 인물이다.

㉡ 방정환은 우리나라에서 어린이의 인권이 무시 받던 시대에 어린이의 인권 신장을 위해 노력한 대표적인 인물이다.

4 1994년 남아프리카 공화국의 대통령이 된 넬슨 만델라는 인종 차별을 없애려고 노력한 대표적인 인물로, 노력 끝에 1990년대 초반에 인종 차별 정책의 폐지를 끌어냈다.

[채점 기준] '인종 차별 정책'이라는 단어를 포함하여 넬슨 만델라가 노력한 내용을 바르게 썼다.

5 제시된 자료는 인권 신장을 위한 옛날의 제도와 그에 대한 설명이다. 삼복제는 억울한 일이 없도록 하기 위해, 무거운 형벌의 경우에 세 번까지 재판을 받을 수 있게 한 제도이다.

6 옛날에도 일반 백성들이 억울함을 호소하고 이를 해결할 수 있도록 신문고 제도, 삼복제 등 인권 신장을 고려한 제도가 있었다.

[채점 기준] '인권'이라는 단어를 포함하여 인권 신장을 위해 존재했던 제도임을 바르게 썼다.

7 등굣길에 대형 트럭이 많아 위험하다는 내용은 학생들의 통학권을 침해하는 상황이다. 따라서 인권 보장을 위해 개선이 필요한 경우에 해당한다.

① 주말의 여가 계획은 개인적인 내용으로, 인권 보장과는 거리가 멀다.

③ 친구의 생일 선물 같은 경우는 인권 보장과는 거리가 멀다.

④ 수학 시간에 학생 개인의 이해 정도에 대한 내용은 인권 보장과는 거리가 멀다.

⑤ 휴가 계획에 관련된 것은 개인적인 내용으로 인권 보장과는 거리가 멀다.

8 서로 보이지 않는 사이버 공간이라 하더라도 인권 존중을 위해 예의를 지키는 것이 중요하다. 다른 사람의 잘못된 정보를 사이버상에 퍼트리는 행위는 사이버 폭력에 해당한다.

9 국가 인권 위원회는 모든 개인의 인권을 보호하고 향상시키기 위해 노력한다. 인권을 침해당했다면 전화나 누리집을 통해 상담 신청을 해도 된다.

10 법은 도덕과 달리 지키지 않으면 법의 제재를 받는 강제성을 가지고 있다.

② 도덕은 개인이 양심 등에 비추어 자율적으로 행동하는 기준이 된다.

③ 태어나면서부터 갖게 되는 인권은 사람이기 때문에 마땅히 존중받아야 하는 권리이다.

④ 존중은 다른 사람의 인격이나 행동을 높이 사는 것을 말한다.

⑤ 자연은 사람의 힘이 더해지지 않은 상태에 세상에 존재하는 우리 주변의 환경을 의미한다.

한눈에 쏙쏙 법과 도덕

법	• 사회 구성원 모두가 지켜야 할 행동의 기준 • 지키지 않으면 제재받음.
도덕	• 사회 구성원이 양심 등에 비추어 스스로 마땅히 지켜야 할 행동의 기준 • 지키지 않아도 제재하지 않음.

11 제시된 내용을 살펴보면, 법과 도덕에 있어 법의 제재를 받는다는 차이점을 확인할 수 있다. 도덕과 달리 법은 국가가 만든 사회 규범으로 강제성을 가진다.

[채점 기준] '강제성'이라는 단어를 포함하여 법과 도덕의 차이점을 바르게 썼다.

12 국제 무역법은 기업과 기업 사이의 거래에 관한 법률이

기 때문에 우리의 일상생활과는 거리가 먼 법이다.

① 아이가 태어난 출생 신고를 해야 하는 법은 일상생활과 관련이 있다.

② 물품을 살 때 제품의 정보를 제공받는 것은 일상생활과 관련있는 법이 정하는 내용이다.

③ 일할 때 근로 계약서를 작성하는 것을 통해 개인의 권리를 일상생활에서 보호받을 수 있다.

④ 누구나 일정한 나이가 되면 초등학교에 다니는 것은 교육을 받을 권리를 보장받는 것으로, 일상생활과 관련이 있는 법의 내용이다.

13 제시된 글에서 설명하는 법은 초·중등 교육법으로, 우리의 일상생활을 포함하여 학교생활에서 확인할 수 있는 법이다.

14 법은 개인의 권리를 보호하고, 그 내용을 어기거나 잘못을 저지른 사람을 처벌하는 기준이 되어, 사회 질서를 유지하는 데 도움을 준다.

15 법의 역할 중 개인의 권리 보호에 해당하는 내용을 고르는 문제이다. 개인의 생명과 신체를 보호하기 위해 재난 및 안전 관리 체계를 확립하는 것은 개인의 권리 보호에 해당하는 내용이다.

㉠, ㉡, ㉣은 사회 질서를 유지하는 데 도움을 주는 법의 역할이다.

한눈에 쏙쏙 법의 역할

개인의 권리 보호	• 개인 정보 처리 및 보호를 위한 법 • 분쟁 해결을 위한 판단 기준 제시 • 재난 및 안전 관리 체제 확립 • 적극적인 구호 활동 및 예방 대책 마련
사회 질서 유지	• 범죄 예방을 통한 안전한 생활 • 질병, 감염병 예방을 통한 국민 건강 기여 • 교통사고 및 피해 예방을 통한 안전 확보 • 환경 오염과 환경 훼손을 예방하여 건강하고 쾌적한 삶 기여

16 제시된 기사 내용은 어린이 보호 구역과 관련된 것이다. 도로 교통과 관련된 법이 개정되어 과속 단속 카메라를 대폭 확대하여 설치한 것은 학생들의 안전한 등굣길을 보장해 주고, 운전자가 안전한 운전 습관을 형성하는 데 도움을 주었다. 따라서 모두의 안전한 생활을 위해 법을 잘 지켜야 한다.

① 법을 잘 지키는 것을 모범생으로 평가받는 것과 연결하기는 어렵다.

② 법의 강제성으로 인해 법을 지켜야 하는 까닭과 제시된 기사를 연결하기에는 어렵다.

③ 법을 어기면 비난도 받지만, 제시된 기사와는 거리가 먼 내용이다.

④ 법은 도덕과 달리 양심 등에 따라 자율적으로 지키는 것이 아닌 강제성을 가지고 반드시 지켜야 하는 사회적 규범이다.

17 불법으로 프로그램을 내려받는 행위는 프로그램 저작권자의 권리를 침해하는 행위로, 이는 법의 제재를 받는 경우에 해당한다.

> **[채점 기준]** '피해' 또는 '침해'라는 단어를 사용하여 다른 사람의 권리를 침해한다는 내용으로 바르게 썼다.

18 헌법은 우리나라 최고의 법으로, 법 중에서 가장 기본이 되는 법이다. 헌법에는 국민이 누려야 할 권리와 실천해야 할 의무, 국가 구성 기관에 관한 내용을 포함하고 있다.

> **오답 확인**

① 도덕은 개인의 양심 등에 따라 지켜야 하는 행동 기준을 말한다.

② 규범은 사회 구성원들이 합의에 따라 지켜야 하는 규칙을 말한다.

④ 소송법은 개인과 개인, 개인과 기업, 기업과 기업, 국가와 개인, 국가와 기업 사이의 재판 처리에 관련한 내용을 담고 있다.

⑤ 상거래법은 국가와 국가, 기업과 기업 또는 국가와 기업 사이 거래 또는 무역과 관련한 내용을 담고 있다.

19 제시된 대한민국 헌법 제 10조에서는 국민의 가장 기본적인 권리인 인간의 존엄과 행복 추구권을 선언하고, 국가가 이를 함부로 침해할 수 없도록 규정하고 있다.

20 헌법 재판소는 하위 법률들이 헌법에 어긋나지 않는지, 국가 권력이 국민의 기본권을 과도하게 침해하지 않는지 등을 판결하는 기관이다.

> **오답 확인**

① 시청은 시의 행정을 맡아 보는 지방 자치 단체의 관청이다.

② 국회는 자유 민주주의 정치 체제 아래에서 입법 기능을 담당하는 국가 권력 기관이다.

③ 지방 법원은 제1심 법원으로, 심판권을 행사하는 하급 법원이다.

⑤ 국가 인권 위원회는 국가 공권력과 사회적 차별 행위에 의한 인권 침해를 구제하려는 목적으로 설립된 기구이다.

21 제시된 글은 헌법의 역할에 대해서 설명하고 있다. 헌법은 인간 존엄을 중시하고 국민의 자유와 권리 및 인간다운 생활을 보장하는 역할을 한다.

> **[채점 기준]** '권리', '침해'라는 단어를 사용하여 헌법의 역할을 바르게 썼다.

22 제시된 헌법 조항은 청구권에 대한 내용이다. 청구권을 통해 국민은 청원할 권리와 재판받을 권리를 보장받는다.

한눈에 쏙쏙 　　헌법에 제시된 기본권

평등권	제11조 ① 모든 국민은 법 앞에 평등하다.
자유권	제14조 모든 국민은 거주·이전의 자유를 가진다. 제22조 ① 모든 국민은 학문과 예술의 자유를 가진다.
참정권	제24조 모든 국민은 법률이 정하는 바에 의하여 선거권을 가진다. 제25조 모든 국민은 법률이 정하는 바에 의하여 공무 담임권을 가진다.
청구권	제26조 ① 모든 국민은 법률이 정하는 바에 의하여 국가 기관에 문서로 청원할 권리를 가진다. 제27조 ① 모든 국민은 헌법과 법률이 정한 법관에 의하여 법률에 의한 재판을 받을 권리를 가진다.
사회권	제31조 ① 모든 국민은 능력에 따라 균등하게 교육을 받을 권리를 가진다. 제34조 ① 모든 국민은 인간다운 생활을 할 권리를 가진다.

23 청구권은 국가에 일정한 행위를 요구할 수 있는 권리로, 국가 개발 정책으로 피해를 입었다면 국가를 상대로 손해 배상 청구를 할 수 있다.

> **오답 확인**

① 선거에 출마하는 것은 참정권 중 공무 담임권과 관련 있는 내용이다.

② 이사에 대한 자유는 거주·이전의 자유, 즉 기본권 중 자유권과 관련 있는 내용이다.

③ 선거권을 행사하는 것은 참정권과 관련 있는 내용으로, 이는 법률이 정하는 바에 따른다.

④ 최저 생계비 보장처럼 인간다운 생활의 보장을 요구하는 권리는 사회권과 관련 있는 내용이다.

24 제시된 자료는 국민의 의무 중에서 환경 보전의 의무와 관련 있는 내용이다.

25 헌법에 제시된 권리나 국민의 의무 중 어느 한쪽만을 중요하게 여기면 다른 한쪽을 소홀히 할 수 있다. 모든 사람이 존중받고 행복하게 살아가려면 다른 사람의 권리를 존중하고 자신에게 주어진 의무를 실천하려는 태도가 필요하다.

오답 확인

① 국민의 권리나 국민의 의무는 헌법에 명시하고 있는 기본적인 내용이다.

② 국민의 의무는 모든 내용이 국민으로서 마땅히 실천해야 하는 내용이다.

④ 자신의 권리는 헌법이 보장하고 있는 내용으로, 국가라 하더라도 함부로 침해할 수 없다.

⑤ 헌법에 제시된 의무를 실천하는 일은 모두의 기본권을 보장하는 바탕이 되기 때문에 국민의 의무를 성실히 실천해야 한다.

1 ⓓ 모든 사람은 나와 똑같은 권리가 있으므로, 다른 사람의 인권을 존중하는 태도가 필요하다. **2 ⓓ** 국가나 지방 자치 단체에서 장애인 공공 편의 시설을 설치한다. **3 ⓓ** 인권 보호를 위해 편견이나 차별을 하지 말자는 인권 표어를 만들거나 인권 포스터를 그린다. 인권 사진을 찍거나 동영상을 만든다. **4 ⓓ** 개인 간의 분쟁을 해결하기 위해 재판받을 수 있도록 하고 판단 기준을 명확히 제시한다. **5 ⓓ** 법을 어기면 다른 사람에게 피해를 주거나 다른 사람의 권리를 침해할 수 있기 때문이다. **6 ⓓ** 의무를 실천하는 일은 모두의 기본권을 보장하는 바탕이 되고, 의무를 실천함으로써 사회가 유지되며 발전할 수 있기 때문이다. **7 ⓓ** 법률이 헌법에 어긋나지 않는지, 국가 권력이 국민의 기본권을 침해하지 않는지 등을 심판한다. **8 ⓓ** 국가에 일정한 행위를 요구할 수 있는 청구권을 주장하고 있다.

---

1 인권은 나이, 성별, 인종 등과 관계없이 누구나 사람으로서 존중받고 행복하게 살아갈 권리를 말한다. 자신의 인권은 물론 다른 사람의 인권도 존중하는 태도가 필요하다.

[채점 기준] '권리', '존중'이라는 단어를 사용하여, 서로의 인권을 존중하는 내용을 바르게 썼다.

2 우리 사회에서는 다양한 사회 보장 제도 시행, 장애인 공공 편의 시설 설치, 인권 단체 활동, 어린이 인권 교육 실시 등 다양한 방법으로 인권 보호를 위한 노력을 하고 있다.

[채점 기준] 사회에서 하고 있는 인권 보호 방법을 바르게 썼다. 예시적인 부분을 작성하였어도 정답으로 인정한다.

(ⓓ 다문화 이해 교육을 한다. 어린이 인권 체험 행사를 한다. 무료 예방 접종을 실시한다. 등)

3 일상생활에서 인권 보호를 위해 실천할 수 있는 일로는 인권 표어 만들기, 인권 포스터 그리기, 인권 동영상 만들기, 인권 사진 찍기 등이 있다.

[채점 기준] 해설에 제시되어 있는 방법 중 한 가지 이상을 바르게 썼다.

4 법은 우리 사회에서 개인의 권리를 보호하기 위해 역할을 한다. 그러나 법을 어기면 국가는 사회 질서를 유지하고 정의를 실현하기 위해 법의 힘을 발동하여 법을 어긴 사람에게 책임을 지게 한다.

[채점 기준] '재판', '판단 기준'이라는 단어를 사용하여 '판단 기준을 제시한다.'는 내용으로 바르게 썼다.

5 법을 잘 지키는 사회에서는 모두의 권리를 보장받을 수 있고, 안전하게 생활할 수 있다. 따라서 법은 우리 모두의 행복과 관련 있다는 것을 알고, 법을 잘 지켜야 한다.

[채점 기준] '피해' 또는 '침해'라는 단어를 사용하여 법을 지켜야 하는 까닭을 바르게 썼다.

6 헌법에는 국민의 기본권뿐만 아니라 국가를 유지하고 발전시키기 위해서 필요한 국민의 의무도 함께 제시되어 있다.

[채점 기준] 국민의 의무를 실천하는 일이 모두의 기본권을 보장하는 것이라는 내용으로 의무를 잘 실천해야 하는 이유를 바르게 썼다.

7 모든 법 중에서 가장 기본이 되는 헌법은 국민의 인권을 분명히 확인하고, 이를 보장해 주는 역할을 한다. 헌법 재판소는 헌법 재판을 진행하는 국가 기관이다. 헌법 재판소는 법률이 헌법에 어긋나지 않는지, 국가 권력이 국민의 기본권을 침해하지 않는지 등을 심판하는 역할을 한다.

[채점 기준] '헌법'이라는 단어를 사용하여, 헌법 재판소의 역할을 바르게 썼다.

8 청구권은 국가에 일정한 행위를 요구할 수 있는 권리이다. A씨가 국가 정책에 대해 손해 배상을 청구한 것은 기본권인 청구권을 주장하는 것이다.

[채점 기준] '행위', '요구'라는 단어를 사용하여 청구권에 대한 설명을 바르게 썼다.

사회 보드게임 30~31쪽

1 영토, 영해, 영공 2 자연환경 3 행정 구역 4 지형 5 북서풍 6 제주도, 울릉도 7 인구 분포 8 첨단 산업 9 1일 생활권 10 인권 11 어린이날 12 신문고 제도 13 법 14 권리 15 사회 질서 16 인간 존엄 17 기본권 18 의무

MEMO